Rough Guide DIRECTIONS

Paris

O Guia da Viagem Perfeita

ESCRITO E PESQUISADO POR

Ruth Blackmore e

James McConnachie

ROUGH GUIDES

PUBLIFOLHA

Sumário

Introdução a Paris

Uma viagem a Paris, o mais romântico dos destinos, é uma dessas coisas que se têm de fazer na vida. O próprio traçado da cidade é elegante, com suas grandes avenidas e ruas estreitas ladeadas por prédios de apartamentos harmoniosamente entremeados por praças e jardins desenhados. Os parisienses têm tanto estilo quanto a sua cidade: é um povo sofisticado e cosmopolita, mundialmente reconhecido por sua classe e altivez.

O Sena atravessa toda a cidade, contornando as duas ilhas onde Paris foi fundada. Os pilares históricos da cidade, a catedral de Notre-Dame e o palácio real do Louvre, erguem-se às margens do rio, juntamente com um dos monumentos mais conhecidos em todo o mundo, a Torre Eiffel. Há também uma quantidade enorme de galerias de arte e museus: o Museu do Louvre, o Museu d'Orsay e o Centro Pompidou abrigam um número desproporcional das principais obras de arte de todo o mundo. Quem se aventurar além dos limites da cidade não terá dificuldade para chegar à gloriosa catedral gótica de Saint-Denis, ao suntuoso palácio real de Versailles e mesmo à musical e divertida Disneyland Paris.

Quando visitar

A **primavera** é a época clássica para visitar Paris, quando a temperatura é amena (temperaturas entre 6°C e 20°C), com dias claros equilibrados por pancadas de chuva. O **outono** também é ameno e o **inverno**, suportável (entre 1°C e 7°C), mas nos dias nublados a cidade fica mais melancólica. A luz do inverno, por sua vez, deixa a cidade linda, e os hotéis e restaurantes ficam relativamente vazios. Em contraste, Paris não é o melhor lugar para visitar no alto **verão**: os parisienses costumam trocar a capital pelas praias e montanhas entre 15 de julho e o fim de agosto, período em que a maioria das lojas e restaurantes fica fechada.

▲ Sacré-Coeur, Montmartre

▼ O Sena visto da Pont des Arts

Além dos museus e monumentos, há ainda os bem definidos *quartiers*, ou bairros, que fazem Paris se parecer mais com uma sofisticada coleção de pequenas cidades do que com uma metrópole. As comunidades tradicionais costumam freqüentar os cafés locais, enquanto os setores mais abastados cultivam suas butiques e restaurantes exclusivos. Bairros como o elegante Marais, o animado St-Germain e o romântico Montmartre são ideais para compras, para sentar-se em um café ou simplesmente caminhar sem rumo, pois a cidade é repleta de espaços verdes, que vão desde os elaborados jardins

▼ Île St-Louis e o rio Sena

a modernos parques municipais e cemitérios antigos. Poucas cidades podem competir com os diversos cafés, brasseries e restaurantes espalhados por bulevares e alamedas, com os ultramodernos templos da moda e os tradicionais palácios espelhados, com os pequenos bistrôs de gastronomia refinada e os baratos restaurantes vietnamitas. Teatros e salas de concerto exibem grandes produções, enquanto os pequenos espaços abrigam bandas de jazz e noitadas de chanson parisiense; os cafés-bares e os clubes da Champs-Elysées, da Bastille e da Rive Gauche atraem os jovens e antenados do mundo todo.

▼ Vista da Torre de Montparnasse

Paris
EM DESTAQUE

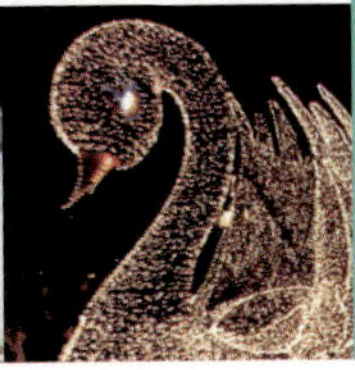

AS ILHAS
A imponente Notre-Dame e a brilhante Sainte-Chapelle na Île de la Cité vêm atraindo os visitantes há séculos; já a pitoresca Île Saint-Louis é ideal para tranqüilos passeios à beira do cais.

▲ Notre-Dame

MARAIS
Um dos bairros mais cativantes de Paris, o Marais ferve com seus bares e cafés da moda, sem falar nas belas mansões renascentistas, algumas das quais abrigando grandes museus.

CHAMPS-ELYSÉES
Sinônimo de ostentação e de glamour, a Champs-Elysées se estende sobre um dos distritos mais exclusivos da cidade, repleto de hotéis de luxo e butiques de grife.

BEAUBOURG
No centro do antigo Beaubourg está o imponente Centre Pompidou, uma profusão de tubos coloridos que abrigam uma coleção de arte moderna sem precedentes no mundo.

◀ Estação de metrô em Beaubourg

▲ Le Petit Fer à Cheval, no Marais

RIVE GAUCHE

A Rive Gauche de Paris, ao sul do rio Sena, é um paraíso diante da agitada Rive Droite da cidade. O Quartier Latin dos estudantes, o St-Germain da moda, o Montparnasse dos artistas e a elegante região da Torre Eiffel compartilham a mesma atmosfera relaxada.

▲ Yves Saint Laurent, Rive Gauche

MONTMARTRE

A vista do alto das colinas, as ruas sem trânsito, as ricas sociedades artísticas e os grandes cafés fazem de Montmartre o bairro mais charmoso de Paris.

▲ Place du Tertre, Montmartre

LESTE DE PARIS

Tradicionalmente a região operária, os estudantes diversos e a mistura étnica e artística garantem uma vida noturna vibrante no leste de Paris.

Destaques

As seis mais

O encanto de Paris deve-se, em grande parte, à capacidade de ser duas cidades ao mesmo tempo. Uma delas é a Paris dos monumentos e dos museus mundialmente famosos; a outra é quase uma cidadezinha de interior com prédios baixos, lojas de bairro e pequenos cafés. Reserve um tempo para explorar um pouco mais esse lado da cidade, mas não deixe de ver os cartões-postais, especialmente se for a sua primeira vez – e, mesmo que você já tenha estado na cidade outras vezes, jamais se cansará da Notre-Dame ou da Torre Eiffel, ou de passar o dia admirando as obras do Louvre.

▲ **Champs-Elysées**

A "Campos Elíseos" é uma larga avenida de três pistas que mergulha no Arc de Triomphe em direção ao Louvre e segue para o coração da elite parisiense.

PÁG. 79 ▸ CHAMPS-ELYSÉES E TUILERIES

▼ **Notre-Dame**

A catedral gótica de Notre-Dame, com seus delicados rendilhados de pedra, suas belas rosáceas e sua nave altíssima, é uma visão imponente.

PÁG. 70 ▸ AS ILHAS

▼ Centre Pompidou

Famoso pela arquitetura radical "de dentro para fora", o Pompidou é um dos cartões-postais mais famosos da cidade.

PÁG. 101 › BEAUBOURG E LES HALLES

▲ Louvre

O Louvre é simplesmente um dos maiores museus do mundo; suas majestosas instalações são dignas das coleções que abriga.

PÁG. 74 › LOUVRE

▲ Torre Eiffel

Quanto mais você se aproxima, mais impressionante se torna a torre. A vista do alto é magnífica.

PÁG. 142 › TORRE EIFFEL E ARREDORES

▲ Musée d'Orsay

Uma estação de trens do século 19, que abriga este museu, tornou-se o templo da maior coleção de pinturas impressionistas e pós-impressionistas.

PÁG. 136 › ST-GERMAIN

Festivais e eventos

Descrita por Hemingway como “uma eterna festa”, Paris jamais decepciona em qualquer época do ano. Mas você conhecerá um outro lado da cidade se a sua viagem coincidir com um dos grandes eventos e festivais, como o dia da Bastilha, quando é celebrada a tomada da Bastilha, em 1789, com festas e queima de fogos, ou o Tour de France, quando a multidão se reúne nos Champs-Elysées para receber os ciclistas.

▲ Dia da Bastilha

O 14 de julho, quando se comemora o dia da Bastilha, é o principal feriado nacional, celebrado com dança, queima de fogos e um desfile militar na Champs-Elysées.

PÁG. 210 › DICAS DE VIAGEM

A praia parisiense

Durante quatro semanas no verão, toneladas de areia são espalhadas ao longo das margens de um trecho do Sena, criando uma espécie de Paris-sur-Mer.

PÁG. 216 ▸ DICAS DE VIAGEM

Tour de France

A chegada da mais famosa competição de ciclismo do mundo é na Champs-Elysées, no fim de julho.

PÁG. 216 ▸ DICAS DE VIAGEM

Nuit Blanche

Na Nuit Blanche (Noite Insone) centenas de galerias, cafés e prédios públicos ficam abertas a noite toda, com eventos musicais e culturais em toda a cidade.

PÁG. 216 ▸ DICAS DE VIAGEM

Primavera em Paris

Os belos parques, as praias do rio Sena, os cafés ao ar livre e as inesquecíveis folhas de outono são todos muito atraentes, mas a primavera é a melhor época para estar em Paris.

PÁG. 4 ▸ INTRODUÇÃO

O Sena

Muitas vezes considerado a principal avenida de Paris, o rio Sena corta o centro da cidade em um arco amplo, dividindo-o em Rive Gauche (margem esquerda) e Rive Droite (margem direita) ao longo de seus principais monumentos. Os quais arborizados são oásis de tranqüilidade na cidade movimentada, as inúmeras pontes oferecem belas vistas e os passeios de barco pelo rio são a maneira mais tranqüila de conhecer as atrações da capital francesa.

▲ Os quais

Os quais de três pistas são perfeitos para caminhadas tranqüilas ou uma pausa relaxada. Aos domingos algumas partes são fechadas para carros em ambas as margens.

PÁG. 121 ▸ QUARTIER LATIN

▼ Pont des Arts

A Pont des Arts liga o Louvre a St-Germain; seus bancos convidam a sentar para assistir ao pôr-do-sol sobre o rio Sena.

PÁG. 132 ▸ ST. GERMAIN

Bateaux Mouches

Um passeio de uma hora em um Bateau Mouche é a melhor maneira de ver de perto os prédios clássicos ao longo do Sena.

PÁG. 214 ▸ DICAS DE VIAGEM

Pont Neuf

Construída em 1607, a ponte com 12 arcos de pedra amarela é a mais antiga de Paris e também a mais bonita.

PÁG. 67 ▸ AS ILHAS

Pont Alexandre III

É a ponte mais extravagante da cidade, com seu arco de ferro com 109 metros de extensão decorado com lâmpadas Art Déco e as estátuas das ninfas do rio.

PÁG. 142 ▸ TORRE EIFFEL E ARREDORES

Batobus

Este ônibus aquático passa por muitos monumentos, mas o passeio pelo rio Sena é de longe o mais importante – e é, certamente, muito mais pitoresco que o metrô.

PÁG. 214 ▸ DICAS DE VIAGEM

Arquitetura contemporânea

Nas últimas décadas, Paris realizou dezenas de projetos ambiciosos assinados por arquitetos de renome, como Gehry, Koolhaas e I. M. Pei. Vários deles são legados de François Mitterrand, que, como outros líderes franceses, fez questão de deixar a sua marca na capital. Alguns de seus grandes projetos, como a pirâmide de vidro erguida no coração do Museu do Louvre, causaram grande controvérsia a princípio, mas hoje são amplamente aceitos como testemunhas do novo espírito empreendedor na cidade.

▲ **Grande Arche de la Défense**

Esta réplica do Arc de Triomphe tem um tamanho espetacular.

PÁG. 187 › OESTE DE PARIS

▲ **Institut du Monde Arabe**

A principal característica deste instituto é a belíssima fachada *moucharabiyah*, que mistura arte árabe tradicional com a mais moderna tecnologia.

PÁG. 121 › QUARTIER LATIN

Musée du Quai Branly

Com as paredes de vidro repletas de plantas, um terraço suntuoso e blocos coloridos, o novo museu de arte não-européia de Jean Nouvel é divertido e inspirador.

PÁG. 144 › TORRE EIFFEL E ARREDORES

Cité des Sciences

Quatro vezes maior que o Centre Pompidou, o complexo arquitetônico que abriga este museu de ciência é um gigantesco parque de diversões da arquitetura contemporânea.

PÁG. 177 › LESTE DE PARIS

A pirâmide do Louvre

Bela de noite ou de dia, a impressionante pirâmide de vidro assinada por I. M. Pei ergue-se no centro do pátio histórico do Louvre.

PÁG. 74 › LOUVRE

Bibliothèque Nationale

As quatro torres de vidro em formato de livro assinadas por Dominique Perrault já impressionam, mas é o jardim no meio delas que faz desta obra uma das mais belas de Paris.

PÁG. 155 › SUL DE PARIS

Galerias de arte

Paris abriga as maiores galerias de arte, como o gigantesco Louvre e o Musée d'Orsay, com suas fascinantes coleções de obras impressionistas. Além das telas excepcionais de artistas nativos como Matisse, Monet e Renoir, as galerias da cidade contam com um rico acervo de pintores estrangeiros, como Kandinsky, Picasso e Dalí, que vieram para a cidade no início do século 20, época em que era o ponto de encontro de artistas de todo o mundo.

▲ Musée Marmottan

As telas de Monet pintadas em Giverny, incluindo-se várias *Ninféias*, roubam a cena nesta galeria de impressionistas.

PÁG. 185 › OESTE DE PARIS

▲ Musée de l'Art Moderne de la Ville de Paris

A coleção de arte da própria cidade, no acervo deste museu, é um justo tributo a Paris e aos inúmeros artistas célebres que aqui viveram no século 20.

PÁG. 89 › TROCADÉRO

Musée d'Orsay

Esta estação de trem adaptada, com cara de catedral, tornou-se a guardiã das obras dos principais impressionistas franceses.

PÁG. 136 ▸ ST-GERMAIN

Musée Picasso

O museu instalado em uma bonita mansão renascentista reúne o maior número de obras do pintor em todo o mundo.

PÁG. 111 ▸ MARAIS

Musée National d'Art Moderne, Centre Pompidou

O "Beaubourg" abriga uma das melhores coleções de arte moderna do mundo, com importantes trabalhos de Kandinsky, Picasso e Matisse.

PÁG. 102 ▸ BEAUBOURG E LES HALLES

Louvre

As coleções do Louvre reúnem não só o que há de melhor da pintura e escultura francesas, mas de toda a Europa – e também do Egito, do mundo árabe e da Grécia e Roma antigas.

PÁG. 74 ▸ LOUVRE

Museus

Por mais tempo que você passe no interior do Louvre, não deixe de conhecer outros museus menores dedicados a temas tão diversos quanto a Revolução Francesa, a Paris medieval e a arte da antiga dinastia Khmer, do Camboja. Vários deles estão em ambientes especiais, como em bonitas mansões renascentistas, outros no próprio estúdio do artista que foi preservado, e transformado em museu, para exibir sua obra.

▲ Musée National du Moyen Age

Ocupando uma bela mansão renascentista, este museu dedicado à arte medieval reúne todo tipo de objetos artísticos, como a encantadora série de tapeçarias *A dama e o unicórnio.*

PÁG. 121 › QUARTIER LATIN

▲ Musée Rodin

A elegante mansão Rodin abriga a coleção definitiva das esculturas de barro do artista.

PÁG. 146 › TORRE EIFFEL E ARREDORES

Musée Carnavalet

Este fascinante museu revive a história parisiense em belas telas e objetos, e também em alguns interiores resgatados das casas demolidas para dar espaço às obras de Haussmann no século 19.

PÁG. 112 › MARAIS

Musée Moreau

As excêntricas telas de Gustave Moreau cobrem cada centímetro de seu espaçoso estúdio; no andar de baixo está o pequeno apartamento em que o artista morava com os pais.

PÁG. 165 › MONTMARTRE E NORTE DE PARIS

Musée Guimet

Visitar o belíssimo Musée Guimet, com suas estátuas e esculturas do mundo budista, é uma profunda experiência espiritual.

PÁG. 88 › TROCADÉRO

Musée Jacquemart-André

Nesta suntuosa residência do Segundo Império, onde viviam o banqueiro Edouard André e sua mulher, Nélie Jacquemart, há uma coleção particular de mestres italianos, holandeses e franceses.

PÁG. 82 › CHAMPS-ELYSÉES E TUILERIES

Igrejas

As igrejas de Paris costumam ter histórias longas e violentas. O período mais turbulento foi o da Revolução Francesa, quando eram símbolos de riqueza e privilégios, e foram destruídas, pilhadas ou transformadas em templos da agricultura, da razão, entre outros. Felizmente, esplêndidos exemplos da arquitetura gótica, renascentista e clássica se mantiveram mais ou menos intactos, alguns transformados em palcos de concertos de música clássica.

▲ Eglise des Soldats em Les Invalides

Originalmente uma igreja para ex-combatentes feridos, esta obra do classicismo francês possui uma discrição e dignidade incomuns – mais ainda se comparada à extravagante Igreja do Rei, cujo altar é compartilhado.

PÁG. 146 ▸ TORRE EIFFEL E ARREDORES

▶ Madeleine

Imponente igreja neoclássica, com fileiras de colunas maciças, costuma ser usada para casamentos da alta sociedade.

PÁG. 94 ▸ OS GRANDS BOULEVARS E AS PASSAGES

◀ Sainte-Chapelle

A Sainte-Chapelle, com seus deslumbrantes vitrais, é uma jóia da Idade Média.

PÁG. 68 ▸ AS ILHAS

▼ St Eustache

Esta bonita igreja gótico-renascentista, ladeada por dois gigantescos contrafortes aéreos, cumpre seu papel *flamboyant*.

PÁG. 104 ▸ BEAUBOURG E LES HALLES

▲ St Sulpice

Uma vez cessada a curiosidade causada por sua notória inclusão no livro *O código Da Vinci*, a igreja de St Sulpice recupera a reputação de uma das igrejas mais lindas da cidade.

PÁG. 136 ▸ ST- GERMAIN

Jardins secretos

Das muitas maneiras possíveis de mergulhar no coração de Paris, as melhores talvez sejam sentar em seus pacíficos jardins ocultos e caminhar pelas elegantes *promenades* que estão aqui e ali. Além do prazer e da surpresa de descobrir tais lugares, há muito para ver nesses recantos discretos e tranqüilos: é aí que os parisienses passeiam com seus cachorros, brincam com seus filhos ou meramente se retiram do burburinho da cidade.

▲ Jardin Atlantique

Embora seja um parque público, o Jardin Atlantique fica escondido entre os trilhos da estrada de ferro de Montparnasse: uma obra de engenharia e um projeto arrojado de jardim.

PÁG. 149 › MONTPARNASSE

▲ Promenade Plantée

Veja a cidade por outro ângulo deste antigo viaduto de estrada de ferro, hoje um passeio completamente arborizado e florido.

PÁG. 170 › BASTILLE E BERCY

Place Dauphine

Relaxe e assista a uma partida de *boules* disputada à sombra das castanheiras nesta praça escondida e tranqüila.

PÁG. 68 › AS ILHAS

Jardin du Palais Royal

Protegido por imponentes arcadas e pouco freqüentado, o Jardin du Palais Royal parece um jardim secreto em pleno centro da cidade.

PÁG. 95 › OS GRANDS BOULEVARS E AS PASSAGES

Parc de Bagatelle

Um forte perfume se espalha no ar quando as roseiras do Parc de Bagatelle, das quais há mais de 1.500 variedades, florescem em junho.

PÁG. 186 › OESTE DE PARIS

Allée des Cygnes

Este é um dos passeios a pé menos usuais em Paris. Aqui você percorre um aterro flutuante sobre o Sena e tem uma belíssima vista das margens pós-industriais.

PÁG. 153 › SUL DE PARIS

Mortuários

Dos túmulos reais em St-Denis aos memoriais no Panthéon e o túmulo de Napoleão em Les Invalides, os mortos de Paris sempre se fazem presentes. São os cemitérios, contudo, que causam impacto maior na paisagem urbana. Vistos de pontos altos como a Torre Eiffel, eles parecem ocupar uma área considerável da cidade, como ilhas verdes salpicadas de montinhos de pedra. O Père-Lachaise é o maior deles, mas não deixe de visitar os de Montmartre e de Montparnasse. E, por fim, a mais mórbida das atrações: as catacumbas de ossos.

▲ **Cemitério Père-Lachaise**

Preste homenagem a Chopin, Oscar Wilde ou Jim Morrison – apenas alguns dos inúmeros famosos enterrados no mais conhecido cemitério do mundo.

PÁG. 180 › LESTE DE PARIS

▼ **Panthéon**

Ter os restos mortais transferidos para o Panthéon é a maior homenagem que a República Francesa presta a seus artistas, poetas, filósofos e políticos.

PÁG. 124 › QUARTIER LATIN

As catacumbas

Os túneis de uma pedreira sob Montparnasse são forrados com milhões de ossos humanos, retirados dos cemitérios superlotados no século 19.

PÁG. 152 ›
MONTPARNASSE

Túmulo de Napoleão

O suntuoso túmulo do imperador é o destaque do grande complexo militar de Les Invalides.

PÁG. 146 › TORRE EIFFEL E ARREDORES

Cemitério de Montmartre

O túmulo de Zola, com a efígie sempre presenteada com uma rosa, está em Montmartre, ao lado de nomes famosos como Stendhal, Degas e François Truffaut.

PÁG. 163 › MONTMARTRE E NORTE DE PARIS

Necrópole de St-Denis

No glorioso cenário da primeira catedral gótica do mundo estão as tumbas monumentais dos reis e rainhas franceses – dos merovíngios a Maria Antonieta.

PÁG. 191 ›
ARREDORES DE PARIS

Gastronomia

Paris concentra o maior número de restaurantes de alta gastronomia e é onde melhor se come no mundo. Cozinha gastronômica nem sempre é sinônimo de preços astronômicos: alguns restaurantes oferecem um cardápio fixo especial na hora do almoço por cerca de 75 euros. À noite, paga-se em média o dobro por uma refeição (com entrada, prato principal e sobremesa) e não há limite de quanto pode custar um bom vinho. Faça reserva com muita antecedência – muitos lugares fecham nos fins de semana, nos domingos ou na segunda quinzena de agosto – e vá bem vestido.

▲ L'Arpège

Você pode não encontrar carne ou peixe no cardápio exclusivo do *chef* Alain Passard, e sim petiscos criativos e vegetais raros em molhos elegantes – como um excêntrico peito de pomba ou lagosta.

PÁG. 147 ▸ TORRE EIFFEL E ARREDORES

▲ Taillevent

Três-estrelas no guia *Michelin* desde 1973, o disputadíssimo Taillevent, com seus pratos ultracriativos e adega exclusiva, é um raro regalo.

PÁG. 86 ▸ CHAMPS-ELYSÉES E TUILERIES

Alain Ducasse no Plaza Athénée

Um dos *chefs* mais inovadores do momento, Alain Ducasse faz dos jantares verdadeiros delírios com sua excelente cozinha em um ambiente cheio de estilo – lustres Luís XV embrulhados em organza.

PÁG. 85 ▸ CHAMPS-ELYSÉES E TUILERIES

Jules Verne

É difícil saber o que é melhor no Jules Verne, se a vista do segundo andar da Torre Eiffel ou a cozinha francesa contemporânea. É preciso reservar com meses de antecedência para garantir essa experiência inesquecível.

PÁG. 147 ▸ TORRE EIFFEL E ARREDORES

Lasserre

Este clássico estabelecimento da alta gastronomia francesa tem um bonito salão de jantar belle époque e um teto retrátil que se abre para o céu de Paris nas noites quentes de verão.

PÁG. 85 ▸ CHAMPS-ELYSÉES E TUILERIES

L'Ambroisie

Belas tapeçarias compõem o cenário adequado para este restaurante intimista e refinado, que serve pratos deliciosos e criativos.

PÁG. 117 ▸ MARAIS

Bistrôs

Todo bairro (quartier) de Paris tem um bistrô local, que é um lugar informal e descontraído onde você se senta ao lado do seu vizinho para comer. O bistrô é geralmente mais barato que o restaurante, e a maioria tem cardápio fixo. Os pratos são caseiros e substanciosos, embora venham ganhando a reputação da melhor e mais criativa cozinha da capital – graças aos jovens *chefs* que não hesitam em usar ingredientes exóticos.

▲ Au 35

No nº 35 está um perfeito bistrô da Rive Gauche, aquele que você gostaria, se pudesse, de embrulhar, guardar na bolsa e levar para a sua rua. É um lugar tão encantador que não se pode deixar de conhecer.

PÁG. 140 › ST- GERMAIN

▲ Astier

Bastante movimentado, serve pratos tradicionais bem-feitos a preços relativamente baixos.

PÁG. 182 › LESTE DE PARIS

▼ Le Villaret

Vem gente de todos os bairros para experimentar a culinária criativa e honesta servida neste pequeno bistrô escondido em uma ruazinha discreta do bairro de Oberkampf.

PÁG. 183 ▸ LESTE DE PARIS

▼ L'Os a Moëlle

Se até quem mora na Rive Droite vem aqui, no outro extremo da cidade, não há dúvida de que este bistrô comandado por um *chef* tem algo a mais. Do outro lado da rua, as mesas comunitárias da "cave", repletas de produtos, são igualmente tentadoras.

PÁG. 157 ▸ SUL DE PARIS

▲ Aux Lyonnais

Este antigo bistrô reformado, com belos azulejos decorativos, serve a refinada culinária de Lyon e é atualmente um dos lugares mais procurados da capital.

PÁG. 99 ▸ OS GRANDS BOULEVARDS E AS PASSAGES

Brasseries

Trazidas a Paris pelos imigrantes da Alsácia no fim do século 19, as brasseries, originalmente tavernas que vendiam cervejas ("brasserie" significa bebida fermentada), passaram a servir jantar e foram mudando ao longo dos anos. Os pratos são os clássicos, como costelas, ostras e *tarte tatin* (torta caramelizada), feitos com perfeição. A decoração pouco mudou, tanto é que muitas brasseries preservam seus interiores belle époque, com globos de luz, abajures com cúpulas, metais e banquetas de couro escuro.

▲ **Bofinger**

Os freqüentadores da ópera da Bastille lotam as mesas sob a cúpula de vidro desta clássica brasserie.

PÁG. 174 › BASTILLE E BERCY

▲ **Le Vaudeville**

Lugar animado, decorado com mármores e mosaicos, serve frutos-do-mar e é freqüentado por quem sai dos teatros.

PÁG. 99 › OS GRANDS BOULEVARDS E AS PASSAGES

Flo

Esta antiqüíssima brasserie esconde-se em um delicioso pátio, perto da Porte St-Denis, no norte de Paris. Vale a pena conhecer.

PÁG. 166 ▸ MONTMARTRE E NORTE DE PARIS

La Coupole

Reviva parte do apogeu de Montparnasse nesta imensa brasserie com pé-direito alto, que fica repleta até o dia amanhecer.

PÁG. 152 ▸ MONTPARNASSE

Lipp

O Lipp é um clássico de St-Germain: refúgio de editores e do pessoal da mídia, faz um excelente chucrute entre outros pratos tradicionais de brasserie.

PÁG. 140 ▸ ST-GERMAIN

Le Square Trousseau

Esta brasserie em uma bonita praça tem mesas ao ar livre e atrai clientes elegantes e descontraídos.

PÁG. 174 ▸ BASTILLE E BERCY

Cafés

Tremer de frio em um café é um dos grandes prazeres da viagem a Paris e a melhor maneira de sentir a pulsação da cidade. A sociedade parisiense freqüenta os cafés para ver e ser vista, para conversar e discutir ou simplesmente para ler um livro. Alguns desses cafés têm natureza camaleônica: são tranqüilas cafeterias durante o dia e se transformam em animados bares à noite.

▲ Le Petit Fer à Cheval

Este simpático café com balcão de mármore em forma de ferradura (*fer à cheval*) é perfeito para um aperitivo ou um estimulante expresso.

PÁG. 119 › MARAIS

▲ L'Apparemment Café

Café elegante com salas aconchegantes que fazem dele o lugar perfeito para relaxar depois dos museus e galerias. O café-da-manhã aos domingos é uma instituição.

PÁG. 117 › MARAIS

Bar du Marché

Neste moderno "bar de mercado" reúne-se a clientela da rua de comércio mais antiga e movimentada de St-Germain, a rue de Buci.

PÁG. 139 › ST-GERMAIN

Pause Café

Abre durante o dia como um tranqüilo café e depois da meia-noite se transforma em um badalado bar da moda, com mesas na calçada, música descontraída e muita conversa.

PÁG. 174 › BASTILLE E BERCY

Café Flore

Autêntico café literário da Rive Gauche, embora hoje seja mais freqüentado pelo pessoal que trabalha com moda do que por filósofos.

PÁG. 139 › ST-GERMAIN

Café de l'Industrie

Um dos melhores cafés da Bastille – jovem e concorrido, confortável e despretensioso –, é o tipo de lugar difícil de sair depois que você se acomoda.

PÁG. 174 › BASTILLE E BERCY

Vida noturna

Muitos cafés-bares de Paris ficam abertos até tarde, então você não precisa entrar em um clube lotado depois da meia-noite. Mas, se quiser mesmo ir, verá que os DJs parisienses tocam house ou techno, embora o estilo musical e o ambiente dependam de quem dirige a noite. Cheque antes os locais para gays e lésbicas (pág. 50), muitos deles com uma clientela mista e descontraída. É difícil encontrar um táxi de madrugada, por isso os clubbers parisienses esperam o metrô voltar a funcionar às 5h30 ou ficam até mais tarde nos disputados eventos pós-balada.

▲ Bares da Bastille

As noites da Bastille são as mais animadas; há lugares excelentes, como os modernos e pequenos cafés que ficam abertos de madrugada e bares com DJs.

PÁG. 174-5 › BASTILLE E BERCY

▲ Rex Club

A música do Rex é uma das melhores, a aparelhagem de som é excelente, tem muito espaço e muito charme para atrair os *promoters* do momento.

PÁG. 100 › OS GRAND BOULEVARDS E AS PASSAGES

Le Pulp

Clube noturno administrado por uma lésbica e freqüentado por um público misto. É mais simpático, mais à vontade e tem mais estilo que outros em Paris – e também a melhor música.

PÁG. 100 ▸ OS GRANDS BOULEVARDS E AS PASSAGES

Batofar

Os barcos ancorados ao lado da Bibliothèque Nationale são pontos animados e descontraídos da noite parisiense. Neste antigo farol está um dos melhores, com música ao vivo e DJs madrugada adentro.

PÁG. 158 ▸ SUL DE PARIS

Le Triptyque

Com música eletrônica e ao vivo e uma seleção musical eclética, o Triptyque é o paraíso da Paris "alternativa".

PÁG. 100 ▸ OS GRAND BOULEVARDS E AS PASSAGES

© olivier - sekence.net

La Folie en Tête

O distrito de Butte-aux-Cailles, no sul de Paris, é famoso pelo espírito alternativo e esquerdista, e o La Folie en Tête é um bom exemplo dos bares animados que há por lá.

PÁG. 158 ▸ SUL DE PARIS

Concertos

O cenário musical parisiense é estimulante e variado. Enquanto a música clássica viceja, quem aprecia ópera pode escolher entre a cintilante Opéra Garnier e a moderna Opéra Bastille (pág. 175). Toda noite há sofisticados concertos de jazz e world music, ao passo que nos clubes noturnos imperam o techno e o electro. Enquanto isso, a mais francesa das tradições musicais, a *chanson*, voltou com tudo e é ouvida em ambientes intimistas e seletos por toda a cidade.

▲ Théâtre des Champs-Elysées

O rito da primavera, de Stravinsky, estreou aqui em 1913 sob vaias. Hoje, a programação de música clássica, ópera e dança recebe aplausos calorosos no Théâtre des Champs-Elysées.

PÁG. 86 › CHAMPS-ELYSÉES E TUILERIES

▼ Café de la Danse

Clube noturno intimista e bonito que toca rock, pop, world e folk music.

PÁG. 175 › BASTILLE E BERCY

▲ Opéra Garnier

É difícil imaginar um lugar mais grandioso para apresentações de grandes espetáculos de ópera e de balé.

PÁG. 100 ▸ OS GRAND BOULEVARDS E AS PASSAGES

◀ New Morning

Espaço escuro, com decoração espartana e sem lugares para sentar, mas quem gosta de jazz e world music não se importa e vem aqui ouvir os grandes nomes.

PÁG. 168 ▸ MONTMARTRE E NORTE DE PARIS

▶ Au Limonaire

Este lugarzinho para comer e ouvir música francesa não poderia ser mais parisiense, revelando novos talentos da mais fiel tradição jazzística, cômico-romântico-filosófica francesa.

PÁG. 100 ▸ OS GRANDS BOULEVARDS E AS PASSAGES

Gourmet

Você não precisa jantar fora para conhecer a melhor comida francesa. Mesmo que os supermercados tenham substituído mercearias e açougues, na outra ponta permanecem as inúmeras e luxuosas *pâtisseries* (doçarias), *chocolatiers* (chocolatarias), *charcuteries* (charcutarias), *fromageries* (rotisserias), *traîteurs* (refeições prontas) e *épiceries* (mercearias). Algumas são empórios de produtos alimentícios de luxo. Oferecem o que o proprietário jura serem os melhores chocolate, trufa, patê ou queijo de cabra do mundo. Ele também lhe dirá como comprar, guardar, servir e comer a iguaria escolhida, e por fim a embalará meticulosamente.

▲ Rue des Martyrs

Atravessando o coração do urbano 9e arrondissement, a rue des Martyrs é repleta de cafés e lojas de iguarias finas conforme sobe em direção a Montmartre. Um comércio de bairro dos mais refinados.

PÁG. 168 › MONTMARTRE E NORTE DE PARIS

▲ Legrand

Um dos mais antigos vendedores de vinho de Paris, desde 1900 é parada obrigatória para qualquer enófilo.

PÁG. 98 › OS GRANDS BOULEVARDS E AS PASSAGES

Barthélémy

A fachada da loja se mantém desde que Barthélémy era uma leiteria. Hoje vende os melhores queijos franceses.

PÁG. 137 › ST-GERMAIN

Au Bon Marché

O setor de alimentação da loja de departamentos Bon Marché tem uma ampla variedade de iguarias francesas e do mundo todo.

PÁG. 138 › ST-GERMAIN

Debauve & Gallais

É o templo do chocolate no coração de St-Germain. Uma infinita variedade é fabricada aí, exposta e por fim embalada com profunda devoção à arte.

PÁG. 138 › ST-GERMAIN

Fauchon

Se alguma iguaria francesa não for encontrada nesta loja, esqueça porque não vale a pena.

PÁG. 97 › OS GRANDS BOULEVARDS E AS PASSAGES

Feiras e mercados

Paris preserva a tradição dos mercados de alimentos, dos quais o mais tradicional é o da rue Montorgueil, o último remanescente da grande feira dos trabalhadores que um dia existiu em Les Halles. O exemplo mais bem-sucedido é o mercado da place d'Aligre, ao lado de uma grande adega de vinhos. A feira orgânica, no boulevard Raspail, não poderia ser diferente: é o paraíso da classe média (para interessados em culinária e ecologicamente corretos). Em contraste, o mercado africano da rue Dejean, além da Gare du Nord, dão uma idéia da cidade vibrante e etnicamente mista que está além do centro. Mais adiante, nos limites norte e sul da cidade, há dois grandes mercados-de-pulgas, onde se podem comprar quinquilharias e antiguidades.

▲ Marché Dejean

A melhor maneira de conhecer o Goutte d'Or, o bairro africano de Paris, é fazer compras no colorido e exótico comércio da rue Dejean.

PÁG. 165 ▸ MONTMARTRE E NORTE DE PARIS

▲ Place d'Aligre e Le Baron Rouge

A feira da place d'Aligre é uma das mais animadas e autênticas de Paris – o lugar perfeito para uma taça de Muscadet e algumas ostras na famosa adega de vinhos Le Baron Rouge.

PÁG. 170 E PÁG. 173 ▸ BASTILLE E BERCY

▼ Boulevard Raspail Marché "Bio"

Todo domingo, a parte reservada no meio do grande boulevard Raspail se abre para a produção dos fazendeiros orgânicos e produtores de alimentos especiais.

PÁG. 136 ▸ ST-GERMAIN

▲ Rue Montorgueil

Um mercado a céu aberto permanente, com os tradicionais verdureiros, peixeiros e até açougueiros de carne de cavalo disputando espaço com badalados cafés e bares.

PÁG. 104 ▸ BEAUBOURG E LES HALLES

▶ Puces de St-Ouen

Gigantesco empório de antiguidades e imensa feira de roupas baratas, quinquilharias e produtos de procedência duvidosa, St-Ouen é o campeão dos mercados-de-pulgas de Paris.

PÁG. 163 ▸ MONTMARTRE E NORTE DE PARIS

◀ Puces de Vanves

O Puces de Vanves é o mercado-de-pulgas mais fiel às tradições, com bancas e mais bancas de curiosidades, bugigangas e quinquilharias antigas.

PÁG. 153 ▸ SUL DE PARIS

Refúgios românticos

Os hotéis de Paris, com seus quartos apertados e móveis antigos, nem sempre correspondem ao clima romântico que se espera da cidade. Existem, porém, lugares especiais para se hospedar, seja nos completos hotéis-butique recém-inaugurados, seja nos clássicos que jamais perdem o charme.

▲ Hôtel du Petit Moulin

Neste novo e elegante hotel-butique, toda a decoração – até os números das portas – é assinada por Christian Lacroix.

PÁG. 202 › HOSPEDAGEM

▼ Hôtel Bonséjour Montmartre

Romantismo não é só para os ricos: este hotel barato e simpático não tem cortinas de veludo nem cama de dossel, mas tem varandas voltadas para o coração de Montmartre.

PÁG. 204 › HOSPEDAGEM

Hôtel Pavillon de la Reine

Hotel de luxo, bonito, paredes cobertas de hera, fica perto da place des Vosges e tem um atendimento mais personalizado do que outros da categoria.

PÁG. 202 › HOSPEDAGEM

Hôtel du Bourg Tibourg

Quartos pequenos mas bem mobiliados, em estilo neogótico com toque oriental.

PÁG. 201 › HOSPEDAGEM

Relais Christine

Protegido por muros altos e um pequeno pátio em uma ruazinha tranqüila da Rive Gauche, o Christine parece um segredo bem guardado. É um dos hotéis mais luxuosos da cidade.

PÁG. 203 › HOSPEDAGEM

L'Hôtel

Oscar Wilde morreu neste hotel restaurado com um toque de decadência bucólica e muito luxo.

PÁG. 203 › HOSPEDAGEM

Moda

Paris continua sendo a capital mundial da moda – mesmo que se concorde com Yves Saint Laurent que a Paris Fashion Week é "um espetáculo ridículo que ficaria melhor em um palco". Se você é desse ramo ou se é apaixonado por moda a ponto de visitar as roupas históricas exibidas no Musée de la Mode, vai adorar fazer compras aqui. Grandes nomes da alta-costura e marcas internacionais de *prêt-à-porter* espalham-se por ruas e calçadas da Champs-Elysées e de St-Germain, enquanto as pequenas butiques independentes preferem Marais e Bastille ou a área próxima ao metrô Abbesses, perto de Montmartre.

▲ Galeries Lafayette

A rainha das lojas de departamentos de Paris, com muitos andares de roupas e cométicos – e até cúpula própria.

PÁG. 97 › OS GRANDS BOULEVARDS E AS PASSAGES

▲ Isabel Marant

Isabel Marant é uma grife jovem, mas muito bem estabelecida, cuja reputação só faz crescer. Nem por isso os preços de seu *prêt-à-porter* provocante, às vezes exagerado, são estratosféricos.

PÁG. 173 › BASTILLE E BERCY

Butiques da Abbesses

As consumidoras mais originais devem procurar as ruazinhas em torno da place des Abbesses, onde há um grande número de grifes e butiques para mulheres pequenas.

PÁG. 159 › MONTMARTRE E NORTE DE PARIS

Musée de la Mode

Se você não pode comprar, ao menos pode admirar este museu da moda com sua fascinante exposição de modelos históricos.

PÁG. 89 › TROCADÉRO

Zadig & Voltaire

Se o seu orçamento não dá para a alta-costura, você encontra trajes elegantes e originais nesta rede de lojas parisiense com filiais por toda a cidade.

PÁG. 139 › ST-GERMAIN

Glamour

No mundo todo Paris é sinônimo de glamour e estilo, tanto é que as cidades que cultivam uma imagem glamorosa se autodenominam "Paris do Oriente", "Paris das Américas" e assim por diante. A própria configuração da cidade, com seus amplos bulevares e praças harmoniosas, é elegante, seus moradores são reconhecidamente chiques e há uma infinidade de lugares bonitos para ver e ser visto.

▲ Kong

Este badalado bar-restaurante assinado por Philippe Starck, no alto do edifício Kenzo, é o ponto favorito do pessoal que respira moda.

PÁG. 106 › BEAUBOURG E LES HALLES

▲ Costes

Saia com um exemplar da *Vogue* embaixo do braço e você será confundido com o pessoal da moda e da mídia que freqüenta este luxuoso bar-restaurante do Hôtel Costes.

PÁG. 86 › CHAMPS-ELYSÉES E TUILERIES

Bar Hemingway

Em homenagem a Ernest Hemingway, que "liberou" o Ritz em 1944, este bar de hotel discretamente elegante serve excelentes coquetéis aos ricos e famosos.

PÁG. 99 › OS GRANDS BOULEVARDS E AS PASSAGES

Le Cab

Atualmente um dos pontos noturnos mais quentes da cidade, o Le Cab atrai celebridades e modelos internacionais.

PÁG. 100 › OS GRANDS BOULEVARDS E AS PASSAGES

Renoma Café Gallery

Os lindos e famosos, juntamente com seus assessores, passam dias e noites neste badalado café-restaurante perto da Champs-Elysées, decorado em tons minimalistas de branco e cinza.

PÁG. 86 › CHAMPS-ELYSÉES E TUILERIES

Le Train Bleu

Todo o glamour da belle époque é revivido neste suntuoso restaurante na Gare de Lyon, com muito dourado, afrescos espetaculares no forro e lustres de cristal.

PÁG. 174 › BASTILLE E BERCY

Gays e lésbicas

Paris não é só receptiva a gays e lésbicas, mas exala um clima de abertura, principalmente no "triângulo rosa" ao redor da rue Ste-Croix de la Bretonnerie, no coração do badalado Marais. Até o prefeito da cidade, Bertrand Delanoë, é declaradamente gay. A excelente revista mensal *Têtu* ("Cabeça-dura") traz uma lista de bares e clubes noturnos, além de um número crescente de hotéis e restaurantes voltados para esse público. Os melhores clubes e bares gays também atraem héteros, portanto não deixe de ir se você não for gay.

Le Carré

Entre a nova geração de bares gays do Marais, este café-bar é o melhor e recebe o público GLS parisiense.

PÁG. 119 ▸ MARAIS

Bliss Kfé

Este bar de lésbicas meio sujinho recebe de braços abertos a clientela GLS.

PÁG. 118 ▸ MARAIS

▼ Le Mixer

Apenas um barzinho, mas muito animado, com DJs movimentando a massa do alto de um púlpito, iluminação caprichada e público GLS.

PÁG. 119 › MARAIS

▲ Gay Pride

A marcha do orgulho gay leva meio milhão de pessoas às ruas (último sáb jun), com intermináveis concertos, festas e eventos.

PÁG. 216 › DICAS DE VIAGEM

◄ Amnésia Café

Um dos pontos gays da cidade mais bem freqüentados e descontraídos, de aconchegante clima durante o dia e de festa íntima regada a muitos coquetéis à noite.

PÁG. 118 › MARAIS

Crianças

Além do encantamento óbvio da Disney, Paris tem inúmeras atividades e atrações para as crianças: teatro de bonecos, parques de diversões, zoológicos, parques de aventuras e, por que não dizer, atrações inusitadas como as arrepiantes catacumbas (pág. 152) e os esgotos malcheirosos (pág. 144). Além disso, todos os parques, grandes ou pequenos, têm playground com balanços e escorregadores. As crianças adoram a vibrante atmosfera parisiense, com seus músicos e artistas de rua, os animados cafés com mesas nas calçadas e os carrosséis iluminados.

▼ Jardin d'Acclimatation

Não há criança que não adore este mundo encantado das viagens de trem, os parques de aventuras, os carros de trombada, os teatros de bonecos e as fazendas de animais.

PÁG. 187 ▸ OESTE DE PARIS

▼ Caixas de areia

Paris parece ter areia em toda parte – ao menos nos parques e nas áreas de recreação, como se vê aqui no jardim do Palais Royal.

PÁG. 95 ▸ OS GRANDS BOULEVARDS E AS PASSAGES

▲ Disneyland Park

O grande parque temático da Disney não é lá muito francês, mas as crianças adoram. Até os adultos mais exigentes terão dificuldade para resistir aos emocionantes brinquedos.

PÁG. 192 ▸ ARREDORES DE PARIS

▶ Parc de la Villette

O cinema Géode Omnimax é só uma das muitas atrações para as crianças deste parque futurista.

PÁG. 177 ▸ LESTE DE PARIS

◀ Os barcos do Jardin du Luxembourg

Um dos grandes prazeres do Jardin du Luxembourg é conduzir um barco de brinquedo para a frente e para trás no lago circular.

PÁG. 132 ▸ ST-GERMAIN

Comida étnica

Os parisienses não se arriscam muito quando se trata de paladar, tanto é que a grande maioria dos restaurantes se mantém fiel à culinária francesa. A menos que você tenha muito dinheiro para bancar a avançada e cara culinária contemporânea, a melhor maneira de comer criativamente em Paris é pesquisar a grande oferta de comidas étnicas, a começar pelo falafel (bolinho de grão-de-bico) no bairro judeu. O passado colonial trouxe as especialidades do norte da África, particularmente, oferecidas em ótimos restaurantes com fartas porções de cuscuz ou tangine marroquinos, e com chá de menta e doces nos cafés. Muito comuns em Paris são os fortes pratos vietnamitas e também os apimentados pratos da África ocidental, difíceis de ser encontrados em outros países.

▲ **Café de la Mosquée**

Chá de menta, doces árabes e um ambiente norte-africano compõem o salão de chá da mesquita de Paris.

PÁG. 129 ▸ QUARTIER LATIN

▲ **Waly Fay**

Este elegante restaurante norte-africano é só para os endinheirados. Os cozidos são muito bem-feitos e o ambiente é simpático e acolhedor.

PÁG. 174 ▸ BASTILLE E BERCY

▼ L'As du Fallafel

Aos domingos, formam-se filas nos pontos-de-venda do delicioso falafel e do pão pitta, na rue des Rosiers, no centro do pequeno bairro judeu.

PÁG. 117 › MARAIS

▼ Chez Omar

O norte da África presenteou Paris com o cuscuz, que é encontrado nos cafés e nas lancheterias de dois ou três lugares para sentar e em ambientes requintados como o belle époque Chez Omar, no Marais.

PÁG. 118 › MARAIS

▲ Le Bambou

Os melhores restaurantes da chamada Chinatown, bairro de imigrantes asiáticos da região sul da cidade, são os vietnamitas: o Le Bambou é um deles.

PÁG. 157 › SUL DE PARIS

Parques e jardins

Nas áreas verdes de Paris as pessoas se encontram, relaxam e se divertem: as famílias passeiam ou se sentam nos cafés ao ar livre, os idosos jogam xadrez sob as árvores e as crianças brincam na areia ou passeiam em pôneis. Paris é mais famosa pelos jardins formais, estejam eles na imensa vastidão de Tuileries, no Jardin du Luxembourg, nos espaços contemporâneos do Parc André-Citroën ou no centro da elegante place des Vosges. Na periferia da cidade, você pode fazer longas caminhadas no selvagem Bois de Boulogne e, ao norte da cidade, explorar o cinturão verde que contorna o Canal St-Martin.

▲ Jardin des Tuileries

É o jardim formal francês por excelência, com belas vistas, canteiros simétricos e avenidas retas.

PÁG. 83 › CHAMPS-ELYSÉES E TUILERIES

▲ Jardin du Luxembourg

Apesar do esplêndido design clássico, Luxembourg é o mais descontraído e simpático dos parques parisienses.

PÁG. 132 › ST-GERMAIN

Bois de Boulogne

Este parque imenso, cheio de atrações como o roseiral do Parc de Bagatelle, é o preferido dos parisienses.

PÁG. 186 › OESTE DE PARIS

Place des Vosges

O harmonioso conjunto de prédios de tijolos cor-de-rosa da place des Vosges ao redor de um bonito e bastante freqüentado jardim.

PÁG. 113 › MARAIS

Parc André-Citroën

Nos limites da cidade, descendo uma encosta em direção ao rio, é famoso pelo design criativo, pelos passeios de balão e pelas fontes controladas por computador.

PÁG. 153 › SUL DE PARIS

Canal St-Martin

Com suas elegantes pontes em arcos e quais arborizados, o Canal St-Martin é excelente para caminhar.

PÁG. 176 › LESTE DE PARIS

Cenas

Paris é uma das raras cidades que é praticamente impossível ver pela primeira vez, de tão fotografada, pintada e filmada que já foi. Como capital cultural da Europa nos últimos dois séculos, foi berço dos maiores artistas dos tempos modernos. Pintores como Renoir, Manet e Toulouse-Lautrec, e fotógrafos como Henri Cartier-Bresson, Robert Doisneau e Brassaï definiram a cidade e tornaram suas imagens famosas em todo o mundo. Desde os anos 1960, o cinema tomou a frente – tanto que certas ruas e áreas de Paris estão indelevelmente marcadas por seqüências clássicas filmadas ali.

Os amantes de Pont Neuf

Os amantes sem-teto do filme, Juliette Binoche e Dennis Lavant, transformam a Pont Neuf em um cenário romântico. Difícil acreditar que a ponte foi fielmente reproduzida no sul da França.

PÁG. 67 › AS ILHAS

Henri Cartier-Bresson

O pai do fotojornalismo jamais se esqueceu de sua terra natal, e seus flagrantes de Paris – hoje expostos na sua própria Fondation Henri Cartier-Bresson – estão entre as imagens mais marcantes da cidade.

PÁG. 151 › MONTPARNASSE

Acossado

Em 1960, Paris firmou-se como o cenário de filmes mais sexy do mundo, graças a diretores como Jean-Luc Godard, que filmou Jean Seberg e Jean-Paul Belmondo em um perigoso flerte caminhando pela Champs-Elysées.

PÁG. 79 › CHAMPS-ELYSÉES E TUILERIES

O fabuloso destino de Amélie Poulain

Quer você imagine um delicioso cookie ou uma grotesca caixa de chocolates, Amélie é a melhor definição da nova e contemporânea Montmartre: jovem, elegante e surpreendente.

PÁG. 159 › MONTMARTRE E NORTE DE PARIS

Zazie no metrô

A comédia leve de Louis Malle, de 1960, descreve o divertido fim de semana de uma garota de 12 anos em Paris, quando ela e seu tio pouco convencional não podem andar de metrô por causa da greve. Aqui aparece a place de la Concorde. Não se vêem os trens.

PÁG. 83 › CHAMPS-ELYSÉES E TUILERIES

O baile do Moulin de la Galette

Renoir captou o espírito da virada do século 20 em Montmartre, o festejado refúgio de prostitutas e pintores, bêbados e diletantes, boêmios e bon-vivants.

PÁG. 159 › MONTMARTRE E NORTE DE PARIS

Vistas

Vista do alto, Paris é um mar de mansões do século 19 cujas fachadas em tons pastel se transformam em dourado à luz do sol. Os grandes bulevares lembram cânions arborizados e os parques, imensas piscinas verdes. Mas são os cemitérios que mais se destacam, com seus túmulos de pedra clara que parecem prédios em miniatura. Como não há arranha-céus escondendo o centro da cidade, é fácil identificar cartões-postais como as torres de Notre-Dame, a gigantesca fachada esculpida do Louvre ou os canos e tubos multicoloridos do Centre Pompidou.

▲ Sacré-Cœur

Dos românticos degraus da Sacré-Cœur você tem Paris a seus pés estendendo-se para o sul, com o sol batendo em seu rosto.

PÁG. 162 ▸ MONTMARTRE E NORTE DE PARIS

▲ Parc de Belleville

Fica um pouco distante, mas vale a pena caminhar até os pontos mais altos do parque pelas belíssimas vistas da cidade.

PÁG. 181 ▸ LESTE DE PARIS

▶ Arc de Triomphe

A vista do alto é melhor no fim da tarde, quando os raios de sol se refletem no mármore do Grande Arche de la Défense e o Louvre é banhado por uma luz cálida.

PÁG. 80 › CHAMPS-ELYSÉES E TUILERIES

▲ Tour Montparnasse

A vista do alto da torre é deslumbrante. É possível tomar um drinque no restaurante do 56º andar com vista panorâmica.

PÁG. 148 › MONTPARNASSE

▼ Georges, Centre Pompidou

Comer é o que menos importa: o que interessa aqui é poder ver Paris do alto.

PÁG. 105 › BEAUBOURG E LES HALLES

▲ Torre Eiffel

A Torre Eiffel é muito mais espetacular à noite, quando toda a estrutura fica iluminada de dentro para fora e os fachos de luz no topo varrem o céu.

PÁG. 142 › TORRE EIFFEL E ARREDORES

Paris dos parisienses

Muitos prazeres que Paris oferece não estão no roteiro da maioria dos turistas. Para os parisienses, a cidade não se define tanto pelo Louvre ou pela Torre Eiffel quanto pelos longos *brunchs* aos domingos com amigos no Marais, por uma sauna turca (hammam) ou mesmo passar a tarde em um cinema de arte do Quartier Latin. A mais nova paixão parisiense é patinar no gelo – há pistas no histórico Hôtel de Ville e dentro da Torre Eiffel. Mas não há nada mais parisiense, mesmo para quem não abre mão de táxi ou de uma caminhada, que viajar de metrô – não deixe de penetrar no coração secreto de Paris.

▲ Patinação no gelo no Hôtel de Ville

Patinar pertinho do rio Sena talvez seja um dos programas mais românticos que existem. Ande mais um pouco para patinar no primeiro andar da Torre Eiffel.

PÁG. 115 › MARAIS

▼ Metrô

Mais do que a melhor maneira de circular pela cidade, com o metrô você chega mais perto da "verdadeira" Paris. A decoração das estações também é fascinante.

PÁG. 213 ▸ DICAS DE VIAGEM

▲ Les Bains du Marais

Os parisienses têm fetiche pelos hammams, ou banhos turcos. O mais elegante e mais bem freqüentado fica no Marais.

PÁG. 116 ▸ MARAIS

▸ Cinema

Todo parisiense é apaixonado por cinema. Há uma classificação de salas especializadas para atraí-los, especialmente no Quartier Latin e no kitsch Grand Rex dos anos 1930.

PÁG. 217 ▸ DICAS DE VIAGEM

◂ *Brunch* no Marais

Se os cardápios de café-da-manhã prestam homenagem a Nova York, o *brunch* parisiense tem uma noção própria de sociabilidade – que sempre inclui uma taça de vinho.

PÁG. 117 ▸ MARAIS

Área por área

As Ilhas

Não há melhor lugar para começar a visita a Paris que em suas duas ilhas fluviais, a Île de la Cité, o antigo centro da cidade, e a encantadora Île St-Louis. A Île de la Cité foi onde Paris começou. Fundada por volta de 300 a.C. por uma tribo de celtas, os *parisii*, em 52 a.C. foi ocupada pelas tropas de Julio César. Os romanos deram o nome de Lutetia Parisiorum ao acampamento e o transformaram em centro administrativo, construindo um palácio-fortaleza na extremidade oeste da ilha. No século 10 os reis francos transformaram a fortaleza num palácio esplendoroso, do qual sobrevivem ainda hoje a Sainte-Chapelle e a prisão de Conciergerie.

Do outro lado da ilha eles ergueram a catedral de Notre-Dame. É preciso fazer um certo esforço para imaginar, hoje em dia, como teria sido esse acampamento, porque a sua maior parte desapareceu no século 19 por obra do barão Haussmann, préfet de la Seine de Napoleão III (posto equivalente ao de prefeito de Paris). Cerca de 90 ruas foram destruídas para dar lugar a quatro grandes edifícios neoclássicos, entre eles a Préfecture de Police. Dos recantos da ilha que escaparam à reforma de Haussmann restaram a arborizada praça du Vert-Galant e a charmosa place Dauphine.

Pont Neuf

Ⓜ Pont Neuf. Apesar do nome, a Pont Neuf é a ponte mais antiga de Paris. Foi construída em 1607 por Henrique IV, um dos primeiros e mais importantes planejadores da cidade. A Pont Neuf é uma bonita construção de pedra com 12 arcos que liga o extremo oeste da Île de la Cité às duas margens do rio. Foi a primeira ponte de Paris feita de

▲ PONT NEUF

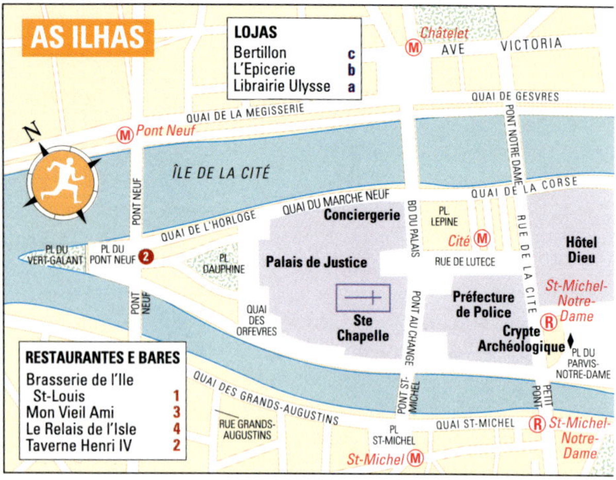

pedra, e não madeira, daí o seu nome. Henrique é homenageado com uma estátua eqüestre erguida no meio da ponte.

Praça du Vert-Galant

Ⓜ Pont Neuf. Escondida no interior do "prolongamento" triangular da ilha, a praça du Vert-Galant é um tranqüilo jardim e popular refúgio dos amantes. O nome da praça ("Vert-Galant" refere-se a um jovem cavalheiro "verde" e "vigoroso") deve-se ao apelido de Henrique IV por suas lendárias aventuras amorosas.

Place Dauphine

Ⓜ Cité. As fachadas de tijolo vermelho do século 17 ladeiam a entrada da place Dauphine, uma das praças mais protegidas e bonitas da cidade, com suas históricas casas geminadas. Nela, o ruído do tráfego desaparece e é substituído por algo bem menos invasiva, como as suaves batidas das bolas sendo jogadas à sombra das árvores.

Sainte-Chapelle

Bd du Palais 4. Ⓜ Cité. Diariam. mar-out 9h30-18h; nov-fev 9h-17h. €6,50, ingresso combinado para a Conciergerie. €11. O imponente pináculo da Sainte-Chapelle ergue-se muito acima dos prédios do Palais de Justice. Embora tenha sido danificada na Revolução, a capela foi restaurada com muito cuidado em meados do século 19 e continua sendo uma das mais belas realizações do alto gótico francês, famosa por seus belos vitrais.

O prédio foi construído por Luís IX entre 1242 e 1248 para abrigar uma coleção de relíquias sagradas, entre elas a coroa de espinhos de Cristo e um fragmento da Verdadeira Cruz, compradas do falido império bizantino. Entra-se antes pela capela inferior, onde oravam os criados; decorada com simplicidade, não dá nenhuma pista do esplendor que se encontrará mais adiante, na capela superior (acesso por uma escada em espiral). Ali, o que se vê é uma verdadeira maravilha – uma longa fileira quase ininterrupta de vitrais magníficos apoiados sobre colunas de pedra aparentemente muito frágeis. Quando os raios de sol atravessam os vitrais, os reflexos azuis e vermelhos espa-

lham-se pelo interior, e é como estar rodeado por uma miríade de borboletas coloridas. Esses vitrais, dois terços dos quais são originais (o resto foi restaurado no século 19), contam basicamente toda a história da Bíblia, começando pelo lado norte com o Gênesis e outros livros do Velho Testamento, continuando com a Paixão de Cristo (no extremo leste) e terminando na grande rosácea com o Apocalipse.

A Conciergerie

Bd du Palais 2. Ⓜ Cité. Diariam. mar-out 9h30-18h; nov-fev 9h-17h. €8, ingresso combinado para a Sainte-Chapelle. €11. Situada dentro do complexo do Palais de Justice, a Conciergerie é a mais antiga prisão de Paris, onde Maria Antonieta e as principais figuras da Revolução Francesa ficaram encarceradas até ser executadas. Foi transformada em prisão – e deixada aos cuidados de um "concierge", ou administrador – depois da ascensão de Etienne Marcel em 1358, quando Carlos V foi obrigado a retirar-se para a maior segurança do Louvre.

Em uma de suas torres, na esquina do quai de l'Horloge, está o primeiro relógio público de Paris, construído em 1370 e hoje todo restaurado.

Dentro da Conciergerie há vários saguões com esplêndidos arcos góticos, entre os poucos ves-

▼ SAINTE-CHAPELLE

tígios que restam do palácio original dos Capetos. Em outra parte, várias salas e celas de prisioneiros, inclusive a de Maria Antonieta, permanecem como eram na Revolução Francesa.

Cathédrale de Notre-Dame

Ⓜ Cité & Ⓜ/RER St-Michel. Catedral: diariam. 7h45-18h45; grátis. Torres: diariam. abr-set 9h30-17h30; out-mar 10h-17h30; €7,50, grátis para menores de 18 anos. Visitas guiadas grátis de 1h-1h30 em inglês qua-qui 14h, sáb 14h30; encontro na mesa de recepção, perto da entrada. Verdadeira obra-prima do período gótico, a catedral de Notre-Dame ergue-se ao fundo da Île de la Cité como um navio ancorado por gigantescos arcobotantes aéreos. Foi uma das primeiras grandes catedrais góticas construídas no norte da França e das mais ambiciosas, com uma nave que alcançava, pela primeira vez, 33 m de altura. Construída no mesmo lugar da catedral merovíngea de Saint-Etienne, Notre-Dame começou a ser erguida em 1160 e só foi concluída por volta de 1345. Entrou em decadência nos séculos 17 e 18, sofrendo as piores depredações durante a Revolução, quando os frisos da fachada com os reis do Velho Testamento foram danificados por revolucionários que os confundiram com reis da França.

Foi só nos anos 1820 que a catedral finalmente recebeu a tão necessária restauração, tarefa confiada ao grande arquiteto-restaurador Viollet-le-Duc, que realizou uma reforma completa – considerada por alguns completa em demasia –, refazendo a maior parte da estatuária da fachada (as peças originais estão expostas no Musée National du Moyen Age, pág. 121) e acrescentando as maléficas gárgulas do campanário que podem ser vistas de perto por quem enfrentar a longa subida às suas torres.

A fachada da catedral é uma das características externas que mais impressionam; é clara a influência românica, não apenas no seu sólido formato em H, mas na sensação de graça e leveza do delicado trabalho filigranado da rosácea central e da galeria superior. Há entalhes magníficos sobre os portais: os mais antigos são os do portal da direita, representando a entronização da Virgem, e embaixo, com episódios da vida de Santa Ana (mãe de Maria) e da vida de Cristo.

No seu interior, é impressionante o contraste entre

▲ CONCIERGERIE

▲ NOTRE-DAME

a escuridão da nave e a luz que bate nos primeiros feixes de pilares do coro. São as paredes do fundo dos transeptos, quase dois terços de vidro, que deixam entrar toda essa luz, além das magníficas rosáceas de cor púrpura imperial. Estas, os arcos e os coruchéus aéreos nas curvaturas dos arcos são todos elementos definitivamente góticos, embora a influência românica permaneça forte nos pilares redondos da nave e na forma quadrada geral.

O quilômetro zero

Na calçada ao lado da porta oeste de Notre-Dame há um ponto, marcado por uma estrela de bronze, conhecido como "kilomètre zéro", a partir do qual são calculadas as distâncias das principais estradas da França.

Crypte Archéologique

Place du Parvis-Notre-Dame. Ⓜ Cité & Ⓜ/RER St-Michel. Ter-dom 10h-18h. €3,30. Caracteristicamente iluminada, a cripta arqueológica é uma grande área escavada sob a place du Parvis que revelou as ruínas da catedral original, bem como os vestígios das ruas e casas que antes existiam ao redor da Notre-Dame: a maioria é medieval, mas as mais antigas remontam ao período galo-romano.

Mémorial de la Déportation

Ⓜ Cité. Diariam. 10h-12h e 14h-19h, fecha às 17h no inverno. Grátis. Pouco visível na superfície, o desolado e comovente Mémorial de la Déportation é o túmulo simbólico dos 200 mil franceses mortos em campos de concentração nazistas na Segunda Guerra Mundial – entre eles judeus, membros da Resistência e trabalhadores forçados. Escadas estreitas descem a um provável pátio de prisão, seguido por uma cripta da qual sai um corredor longo, estreito e abafado em cujas paredes há milhares de pontos de luz representando os mortos. Na saída, lê-se: "Pardonne, n'oublie pas" (Perdão, não esqueça.)

Île St-Louis

Ⓜ Pont-Marie. A menor das duas ilhas, a Île St-Louis é excelente para fazer passeios a pé. Diferentemente de sua vizinha, não

▲ L'EPICERIE

oferece muitas atrações. Encanta por seu elegante conjunto de casas do século 17, as ruas estreitas e arborizadas, os restaurantes à beira-rio, as galerias de arte e as lojas de presentes. Durante muitos séculos a ilha era apenas um pasto encharcado, refúgio de amantes, brigões e vagabundos, até que no século 17 o empreendedor imobiliário Christophe Marie teve a idéia de construir ali elegantes mansões. Destacam-se o Hôtel Lambert, na rue St-Louis-en-l'Île 2, que hoje pertence ao barão de Rothschild, e o Hôtel Lauzun, no quai d'Anjou 17 – ambas foram projetadas por Le Vau, o arquiteto de Versailles, e decoradas por Le Brun.

Lojas

Berthillon

Rue St-Louis-en-l'Île 31. Ⓜ Pont-Marie. Qua-dom 10h-16h. Longas filas se formam por seus deliciosos sorvetes, que são oferecidos nos sabores mais inusitados, como ruibarbo e chá Earl Grey.

L'Epicerie

Rue St-Louis-en-l'Île 51. Ⓜ Pont-Marie. Diariam. 10h30-17h. A casa oferece vinagres, azeites, geléias e mostardas em embalagens bonitas e sabores exclusivos, como o vinagre de vinho branco da Champagne temperado com laranja e alecrim.

Librairie Ulysse

Rue St-Louis-en-l'Île 26. Ⓜ Pont-Marie. Ter-qui 14h-18h. A Ulysse é uma pequena livraria literalmente repleta de livros novos e de segunda mão.

Restaurantes

Brasserie de l'Île St-Louis

Quai de Bourbon 55. Ⓜ Pont-Marie. ☎ 01.43.54.02.59 Diariam. (exceto qua). 12h-24h. Fecha ago. Simpática brasserie, de ambiente rústico de madeira escura, terraço ensolarado e preços módicos (média €25 por pessoa). A Brasserie de l'Île St-Louis oferece pratos da cozinha alsaciana, como o chucrute com presunto e salsicha.

Mon Vieil Ami

Rue St-Louis-en-l'Île 69. Ⓜ Pont-Marie. Ⓣ 01.40.46.01.35. Qua-dom 11h30-14h30 e 19h-20h30. Recém-inaugurado pelo renomado *chef* alsaciano Antoine Westermann, este simpático bistrô já se classifica como forte favorito entre os moradores e um dos melhores lugares para comer na ilha. Cozinha saborosa e inovadora com ingredientes da estação; a carta de vinhos inclui uma excelente seleção de vinhos da Alsácia. Decoração minimalista em tons de marrom e painéis de vidro fosco. Cardápio de três pratos por cerca de €40. Reservar com antecedência.

Le Relais de l'Isle

Rue St-Louis-en-l'Île 37. Ⓜ Pont-Marie. Ⓣ 01.46.34.72.34. Qua-dom 12h-14h e 19h30-23h. Aconchegante restaurante-jazz à luz de velas, serve pratos saborosos como o coelho com molho de ameixa e a galinha ao limão com mel. Mas é o ambiente que faz deste um lugar especial: garçons simpáticos, piano suave ao fundo e um *chef* que aparece de vez em quando para conversar. Cardápio fixo a €30, mais €3 pela música ao vivo.

Bares

Taverne Henri IV

Place du Pont-Neuf 13. Ⓜ Pont-Neuf. Seg-sex 11h30-15h30 e 18h-21h, sáb 12h-16h; fecha ago. Uma adega dos velhos tempos que serve vinhos e petiscos a preços razoáveis. Muito movimento no almoço, quando os advogados do Palais de Justice chegam para comer.

Música ao vivo

Sainte-Chapelle

Ⓣ 01.42.77.65.65; reservas também nas lojas FNAC (pág. 173) ou Virgin Megastore. Os concertos de música clássica acontecem quase diariamente no esplêndido interior da capela. Ingressos de €16 a €27,50.

▲ MÚSICA AO VIVO NA ÎLE ST-LOUIS

Louvre

O Louvre é realmente um dos maiores museus do mundo. Aberto em 1793, durante a Revolução Francesa, logo adquiriu a mais extensa coleção de arte do planeta, graças às conquistas de Napoleão. Hoje, ele reúne pinturas, esculturas e objetos preciosos, que abrangem desde as jóias do Egito antigo até o começo do impressionismo. Mesmo que você não entre para visitá-lo, o palácio em si é deslumbrante, ocupando uma grande faixa de edifícios clássicos bem no centro da cidade.

Independentes do Louvre propriamente dito, mas ainda dentro do palácio, há três museus sob a égide da Union Centrale des Arts Décoratifs, dedicados à moda e à indústria têxtil, às artes decorativas e à publicidade.

O palácio

Se por muitos séculos o palácio abrigou a corte francesa, originalmente era pouco mais que uma fortaleza feudal cuja construção foi iniciada em 1200 por Filipe Augusto. Mas foi somente no reinado de Francisco I, no surgimento da Renascença, que foram deitadas as fundações do prédio atual, e daí em diante todos os soberanos acrescentaram algo ao Louvre e fizeram do palácio uma obra surpreendentemente harmoniosa. Mesmo com a adição em 1989 da inicialmente controversa **pirâmide** de vidro no cour Napoleon – fruto da fantástica imaginação do arquiteto de origem chinesa I. M. Pei –, o efeito final do Louvre é a própria essência da grandeza e simetria francesas.

Pintura

As pinturas são de longe a maior parte do acervo do Louvre. As dos **italianos** renascentistas talvez

Visitas ao Louvre

Ⓣ 08.92.68.36.22 Ⓦwww.louvre.fr. Seg, ter, sáb-dom 9h-16h. Qua-qui 9h-21h45. €8,50; €6 após 18h; grátis para menores de 18 anos; grátis 1º dom do mês (exceto feriados) e para menores de 26 anos (sex após 18h). Permitida readmissão no mesmo dia.

Os ingressos podem ser adquiridos por telefone, on-line, nos balcões da FNAC e da Virgin Megastore ou por toda Paris. A entrada principal é pela pirâmide; se a fila estiver muito longa, tente a entrada sob o Arc du Carrousel, cujo acesso é pela rue de Rivoli 99 e pela estação de metrô Palais Royal-Musée du Louvre (linha 1). A Porte des Lions, no quai des Tuileries, à beira-rio, no extremo oeste do museu, é outra maneira fácil de entrar. Portadores de ingressos comprados com antecedência entram pela Passage Richelieu, de onde se avistam os pátios com belas esculturas.

Devido ao grande número de obras (e também de visitantes), mesmo que você passe o dia no museu só verá uma pequena parte do acervo. A ala Denon é uma das mais procuradas para começar a visita: além da *Mona Lisa*, nela estão os pintores italianos, as magníficas telas francesas do século 19 e célebres esculturas clássicas e italianas. Uma alternativa excelente e relativamente mais tranqüila são as grandes cronologias da pintura e escultura francesas ou um passeio pela sensual coleção Objets d'Art. Os aficionados por *O código da Vinci* devem ir direto para a ala Denon, sob o Arc du Carrousel, onde estão a Grande Galerie e a pirâmide invertida. Não deixe de visitar a seção Louvre Medieval, no subsolo do Sully, onde as fundações da fortaleza de Filipe Augusto dividem espaço com as ruínas das paredes do palácio medieval de Carlos V. Aonde quer que você vá, leve consigo uma planta do andar, que é gratuita e essencial para a sua visita.

sejam as mais interessantes, como a *Mona Lisa*, de Leonardo da Vinci. Para vê-la de perto, prefira os horários noturnos do museu ou faça com que ela seja a sua primeira visita do dia. Outros destaques da coleção italiana são dois afrescos completos de Botticelli, *A estigmatização de São Francisco de Assis*, de Giotto, e a *Coroação da Virgem*, de Fra Angelico. Pinturas dos séculos 15 a 17 ocupam toda a extensão da Grande Galerie – cenário da famosa cena inicial de *O código da Vinci*. As obras que se destacam aí são *A Virgem e o Menino Jesus com Sant'Ana* e *A Virgem das Pedras*, de Leonardo da Vinci, várias obras-primas de Rafael e a *Crucificação*, de Mantegna. Os trabalhos épicos franceses do século 19 que estão expostos em uma seqüência de salas incluem a gloriosa *Coroação de Napoleão I*, de David, o glorioso nu de Ingres *A grande odalisca* e o atormentado *Balsa de medusa*, de Géricault, que representa um incidente famoso em que marinheiros naufragados estão sobre uma balsa em alto-mar praticando canibalismo.

▲ O LOUVRE VISTO DA PIRÂMIDE

Um bom lugar para iniciar o circuito das **pinturas francesas** é em Poussin, o mestre do classicismo francês; seus temas profundos, extraídos da Antiguidade, da Bíblia e da mitologia, juntamente com seu estilo harmonioso, iriam influenciar várias gerações de artistas. É preciso ser grande apreciador do classicismo na próxima seqüência de salas, embora haja retratos bem interessantes, além das pinturas soberbamente idiossincráticas de Georges de la Tour. Aproximando-se do menos rigoroso século 18, as pinturas intimistas de Watteau chegam como um verdadeiro alívio, assim como as naturezas-mortas de Chardin. Na última parte da coleção, os ventos gelados do neoclassicismo sopram através das pinturas de Gros, Gérard, Prud'hon, David e Ingres, em contraste com o estilo mais sentimental que começa em Greuze e entra pelo romantismo de Géricault e Delacroix. As últimas salas abrigam Corot e a escola Barbizon, precursora do impressionismo. O acervo de pinturas francesas do Louvre vai até 1848, data que é retomada pelo Musée d'Orsay (pág. 136).

Nas coleções **alemã** e **espanhola**, os trabalhos que merecem ser admirados são *A ceia de Emaús*, de Rembrandt, com o uso dramático de claro-escuro, o suave *Pequeno mendigo*, de Murillo, e os retratos de Goya. Intercaladas ao longo da seção de pinturas há salas dedicadas a uma impressionante coleção de gravuras e desenhos, que são exibidos em mostras rotativas.

Antiguidades

As categorias **Antiguidades Orientais** e **Arte Islâmica** abrangem as civilizações da Mesopotâmia, Suméria, Babilônia, Assíria e Fenícia, e a arte da antiga Pérsia, Índia e Espanha. Uma das peças mais importantes dessa coleção é o código de Hammurabi, uma estela de basalto de cerca de 1800 a.C. com inscrições acadianas estabelecendo as regras de conduta do rei Hammurabi a seus súditos.

A coleção **Antiguidades Egípcias** começa com a envolvente cripta da esfinge. A vida diária é ilustrada por meio de objetos de cozinha, jóias, princípios dos hieróglifos, instrumentos musicais, sarcófagos e um grande número de gatos mumificados. A coleção continua com a evolução da arte egípcia, cujos destaques incluem o expressivo *Escriba sentado* (c. 2500 a.C.) e o grande busto de Amenophis IV (1365-1349 a.C.).

Os grandes sucessos de público do museu, depois da *Mona Lisa*, estão expostos na seção **Antiguidades Gregas e Romanas**: são eles a dramática

▲ O PALÁCIO DO LOUVRE

Vitória alada da Samotrácia e a *Vênus de Milo,* do fim do século 2° a.C. Seus antecessores também estão todos presentes, como a graciosa cabeça de mármore do *Ídolo cicládico,* a encantadora *Dama de Auxerre* e a perfeição clássica do *Atleta de Benevento.* A seção romana inclui ainda magníficos afrescos de Pompéia e de Herculano.

Objets d'Art

A vasta seção Objets d'Art apresenta as mais refinadas tapeçarias, cerâmicas, joalheria e mobiliário encomendados por ricos e influentes patronos franceses, começando pela seção da Idade Média e prosseguindo por 81 salas simplesmente magníficas, até chegar a um salão decorado em estilo Luís Filipe, o último rei da França. Inúmeras salas foram parcialmente remontadas no estilo de uma época em particular, e quem percorrer a cronologia completa, inclusive as salas menos visitadas, perceberá claramente a evolução do gosto estético no que há de mais refinado e luxuoso.

Antes de chegar ao fim, o circuito passará pelos surpreendentes apartamentos do ministro de Estado de Napoleão III.

Escultura

A seção de esculturas mostra a evolução da arte na França: da escultura românica a Rodin, na ala Richelieu, à escultura italiana e do norte da Europa, na ala Denon, incluindo os *Escravos* de Michelangelo, destinados originalmente ao túmulo do papa Júlio II. Os imensos pátios cobertos de vidro da ala Richelieu – o cour Marly, onde estão os *Cavalos de Marly*, que já estiveram na place de la Concorde, e o cour Puget, em cujo centro está o *Milon de Crotona,* de Puget, ambos impressionantes, embora exagerados.

▲ GRANDE GALERIE

Union Centrale des Arts Décoratifs

Rue de Rivoli 107. ⓦwww.ucad.fr. Ter-sex 11h-18h, sáb-dom 10h-18h. €8.

Os outros museus do Louvre estão sob a chancela da organização Union Centrale des Arts Décoratifs e figuram entre os mais inovadores da cidade.

O **Musée de la Mode et du Textile** promove importantes exposições temporárias, mostrando o que há de melhor e mais inovador na alta-costura parisiense em todas as épocas, como os famosos vestidos de Jackie Kennedy, da década de 1960.

No andar superior, o **Musée de la Publicité** exibe uma coleção de pôsteres de publicidade em mostras temporárias e habilmente tematizadas. O espaço não poderia ser mais moderno, com tijolos aparentes e painéis de aço, e adornos do Louvre meio fragmentados.

O **Musée des Arts Décoratifs** foi reformado há pouco e parece separado do resto, embora a sua eclética coleção de arte e de magníficos móveis feitos à mão se encaixem perfeitamente no tema "design" da Union Centrale. As salas

▲ COUR NAPOLEON

medieval e renascentista exibem cadeiras, armários e mesas com formas curiosas e belos entalhes, pinturas religiosas e vidro veneziano. Há também excelentes tapeçarias – como a famosa *O berger,* do fim do século 15, representando um pastor com seu rebanho de ovelhas – e uma sala inteiramente decorada e mobiliada como um quarto medieval. As coleções contemporâneas temporárias incluem trabalhos de designers franceses, italianos e japoneses, além de peças importantes de Philippe Starck.

Cafés

Café Denon

Subsolo, ala Denon. Vale a pena procurar este pequeno e aconchegante salão de chá e restaurante, escondido entre os arcos do Louvre. Como todos os cafés do museu, este é bastante caro pelo que oferece.

Café Mollien

Primeiro andar, ala Denon. O mais concorrido dos cafés do Louvre por ser perto da Grande Galerie; no verão, suas grandes portas de vidro se abrem para um terraço com vista para a pirâmide.

Café Richelieu

Primeiro andar, ala Richelieu. O mais exclusivo e elegante dos cafés do Louvre. Oferece refeições completas, bebidas e petiscos. O espetacular terraço fica aberto nos dias quentes.

▼ DETALHE DE ESCULTURA, PALÁCIO DO LOUVRE

Champs-Elysées e Tuileries

A belíssima e ambiciosa Champs-Elysées integra um grande eixo com 9 quilômetros de extensão, mais conhecido como "Voie Triomphale", ou Passagem Triunfal, que se estende desde o Louvre, no centro da cidade, até o distrito financeiro La Défense, a oeste. Combinando pompa imperial com o máximo da elegância, oferece vistas impressionantes em toda a sua extensão e incorpora alguns dos marcos mais famosos da cidade – a place de la Concorde, o Jardin des Tuileries e o Arc de Triomphe. O conjunto é tão harmonioso e geométrico que parece ter sido projetado por um urbanista, e não por sucessivos reis, imperadores e presidentes, todos eles empenhados em deixar a sua marca e promover o prestígio e o poder da França.

Champs-Elysées

Cenário do desfile anual do Dia da Bastilha, a Champs-Elysées é a avenida mais conhecida da cidade. Seu auge foi no Segundo Império, quando membros da alta burguesia construíram mansões esplêndidas em toda a sua extensão e a alta sociedade freqüentava seus cafés e teatros. Hoje, alargada e com três pistas, é ainda mais impressionante a distância, graças ao fluxo constante de veículos, aos balcões de fast-food e às cadeias de lojas. Entretanto, nos últimos anos a avenida vem passando por uma espécie de renascimento, com marcas elegantes como Louis Vuitton (pág. 84) abrindo ali seus pontos-de-venda e as antigas lojas de artigos de segunda, como a Renault no nº 53 e a Publicis, perto do Arc de Triomphe, passando por reformas completas. Novos bares e restaurantes da moda estão sendo inaugurados nas ruas próximas à Champs-Elysées.

CHAMPS-ELYSÉES À NOITE

Arc de Triomphe

Ⓜ Charles-de-Gaulle. Diariam.: abr-set 10h-23h; out-mar 10h-22h30. €8. Coroando a Champs-Elysées, o Arc de Triomphe ergue-se imponente no meio da place Charles de Gaulle, conhecida como l'Etoile (estrela) pelas 12 avenidas que dela se irradiam. Inspirado nos antigos arcos triunfais romanos, este monumento imperial foi construído por Napoleão para homenagear os exércitos da França, onde estão gravados os nomes de 660 generais e inúmeras batalhas francesas. O melhor relevo externo é a *Marseillaise*, de François Rude, a figura de uma amazona que personifica a Revolução e investe com sua espada, o rosto contorcido num choro atormentado de revolta. Uma lembrança silenciosa do lado menos glorioso da guerra é o túmulo do soldado desconhecido, localizado sob o arco e marcado por uma chama eterna que é alimentada todas as tardes por veteranos de guerra. Vale a pena subir ao topo para admirar a vista panorâmica.

Grand Palais

Ⓜ Champs-Elysées-Clemenceau. Ⓦ www.rmn.fr/galeriesnationalesdugrandpalais. Galerias: diariam. (exceto ter) 10h-20h, qua até 22h. €10. No extremo sul da Champs-Elysées está o Grand Palais, um grandioso prédio neoclássico com uma cúpula de vidro e ferro batido, criada para a Exposition Universelle de 1900. O vidro desse domo – cerca de 15 mil metros quadrados – foi restaurado há pouco e o ferro batido coberto com uma nova camada de tinta verde. O trabalho de restauro da parte externa estará terminado em 2007; enquanto isso, o palácio vai retomando o seu papel de centro cultural, hospedando festivais de música e exposições de arte, além de feiras de negócios e desfiles de moda. Na ala norte ficam as Galeries Natio-

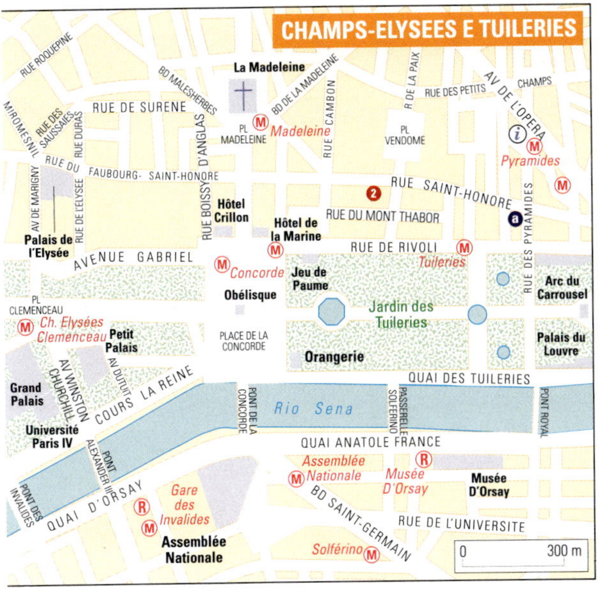

nales, o principal local em Paris para grandes retropectivas de arte.

Palais de la Découverte

Av Franklin D. Roosevelt. Ⓜ Champs-Elysées-Clemenceau. ⓦwww.palais-decouverte.fr. Ter-sáb 9h30-18h, dom e fer 10h-19h. Museu €6,50, incluindo o planetário €10. Na ala oeste do Grand Palais fica o original museu de ciência de Paris, que data do fim dos anos 1930. Cumpre muito bem o seu objetivo de dar vida à ciência, utilizando material audiovisual, modelos e mostras interativas. As exposições temporárias mostram temas

▲ ARC DE TRIOMPHE

▲ PLACE DE LA CONCORDE

como mudança climática e biotecnologia, e há também um planetário com algumas sessões em língua inglesa no verão.

Petit Palais

Av Winston Churchill. Ⓜ Champs-Elysées-Clemenceau. Ter-dom 10h-18h. Grátis. O Petit Palais abriga o Musée des Beaux Arts. Construído ao mesmo tempo que o seu vizinho maior, o Grand Palais, o prédio nada tem de pequeno, mas é sem dúvida um palácio com belas escadarias em espiral de ferro batido e um grande espaço – a Galeria dos Espelhos de Versailles. Além disso, uma grande reforma concluída em 2005 devolveu ao prédio o seu antigo esplendor, permitindo a entrada de mais luz natural para banhar e iluminar os vitrais das janelas e os afrescos dos tetos. Também abriu mais espaço para uma extensa coleção de pinturas, esculturas e obras de arte decorativas que vai desde o período dos antigos gregos e romanos até o início do século 20. A primeira impressão é que o museu recolheu tudo aquilo que as outras galerias da cidade não se interessaram em ter, mas nele há verdadeiras preciosidades, como *Pôr-do-sol em Lavacourt*, de Monet e *Moças à beira do Sena*, de Courbet. Há também uma coleção de jóias do período Art Nouveau, outra excelente coleção de pinturas de paisagens alemãs do século 17, ícones russos e móveis e porcelanas do século 18 já bem desgastados. Um recém-instalado café dá vista para um jardim interno também reformado.

Musée Jacquemart-André

Bd Haussmann158 Ⓜ Miromesnil/St-Philippe-du-Roule. Ⓦwww.musee-jacquemart-andre.com. Diariam. 10h-18h. €9,50. O Musée Jacquemart-André ocupa uma magnífica mansão do século 19 e ali estão esplêndidas obras de arte acumuladas durante as viagens do banqueiro Edouard André e sua mulher, Nélie Jacquemart, ex-retratista da alta sociedade. Uma surpreendente seleção de gênios italianos dos séculos 15 e 16, entre eles trabalhos de Tiepolo, Botticelli, Donatello, Mantegna e Uccello, forma o centro da coleção. Tão atraente quanto o esplêndido interior e suas pinturas é ter a chance de percorrer o luxuoso estilo de vida do século 19.

Place de la Concorde

Ⓜ Concorde. A história da bela place de la Concorde é muito menos pacífica do que seu nome sugere. Entre 1793 e 1795, cerca de 1.300 pessoas morreram ali sob a guilhotina da Revolução Francesa, entre elas Luís XVI, Maria Antonieta, Danton e Robespierre. Hoje em dia, constantemente circunavegada pelo trânsito, o marco central da praça é um obelisco com a ponta de ouro do templo de Ramsés, em Luxor, oferecido como um gesto de bajulação pelo vice-rei do Egito em 1829. Do centro da praça tem-se uma vista panorâmica, na qual a Champs-Elysées fica especialmente impressionante. Também pode ser admirado o alinhamento da Assemblée Nationale, ao sul, com a igreja da Madeleine – ambas exibindo fachadas neoclássicas idênticas – no fim da rue Royale, ao norte.

Jardin des Tuileries

Ⓜ Concorde/Tuileries. Diariam.: abr-jun e set 7h30-19h; jul-ago 7h30-23h45; out-mar 7h30-19h30. Este jardim clássico remonta aos anos 1570, quando Catarina de Médicis mandou retirar do local um labirinto medieval de olarias (*tuileries*) para abrir espaço para um palácio e seus arredores. Cem anos depois, Luís XIV contratou André Le Nôtre para redesenhar o lugar, e o resultado é em grande parte o que se vê hoje: avenidas retas, canteiros ornamentais, vistas esplêndidas. A grande alameda central é ladeada por frondosas castanheiras podadas e gramados recortados, e em cada uma de suas extremidades há piscinas decorativas rodeadas por uma impressionante galeria com cópias de estátuas de Rodin e Coysevox; as originais podem ser vistas no Louvre.

▲ PLACE DE LA CONCORDE VISTA DE TUILERIES

▲ JARDIN DES TUILERIES

Orangerie

Jardin des Tuileries. Ⓜ Concorde. Ⓦwww.musee-orangerie.fr. Diariam. 12h30-19h (exceto ter), sex até 22h. Reservas para grupos 9h-12h30. €6,50. A Orangerie no Jardin des Tuileries abriga uma interessante coleção de arte particular do final do século 19. Foi reaberta recentemente após um grande projeto de reforma que durou cerca de seis anos (de 2000 a 2006). Isso incluiu substituir o teto de concreto por vidro, de modo que a peça central da coleção – oito aquarelas gigan-tescas de Monet – fosse exibida de acordo com a exigência ori-ginal do artista de que incidisse a maior quantidade possível de luz natural. O resto do acervo da Orangerie inclui trabalhos de Renoir, Matisse, Cézanne, Utrillo e Modigliani.

Jeu de Paume

Jardin des Tuileries. Ⓜ Concorde. Ⓦwww.jeudepaume.org. Ter 12h-21h, qua-sex 12h-19h, sáb-dom 10h-19h. €6. O Jeu de Paume era originalmente uma quadra de tênis real. Depois foi utilizado como local onde as obras dos impressionistas franceses ficavam expostas antes de ser transferidas para o esplêndido Musée d'Orsay. Hoje, abriga o Centre National de la Photographie, que exibe importantes mostras fotográficas.

Lojas

Guerlain

Av des Champs-Elysées 68. Ⓜ Franklin D. Roosevelt. Seg-sáb 10h30-20h, dom 15h-19h. A Guerlain é uma bonita butique belle époque que vende os principais perfumes de fabricação própria.

Jacques Le Corre

Rue Saint-Honoré 193. Ⓜ Tuileries. Seg-sáb 11h-19h. Chapéus, sapatos e bolsas criativas e originais são a marca registrada desta loja. Os chapeú unissex vêm em belas cores e formatos. Jacques Le Corre é famoso por seu clássico cloche de algodão, uma releitura do visual desleixado-chique.

Louis Vuitton

Av des Champs-Elysées 101. Ⓜ George V. Seg-sáb 10h-20h. A elegante loja Louis Vuitton não vende só bolsas e malas de luxo como se pensa. Ela conta também com um espaço reservado para expo-sições de arte contemporânea no 7° andar, com acesso pelo interior da loja ou pela esquina da rue de Bassano 60. Trabalhos artísticos, como a parede de vídeo de Olafur Eliasson (autor da instalação solar *O projeto tempo,* exposta na galeria de arte Tate Modern, em Londres), também estão incorporados a esta elegante loja.

Cafés

Ladurée

Av des Champs-Elysées 75. Ⓜ George V. Diariam. 7h30-23h30. Esta filial na Champs-Elysées do salão Ladurée, todo decorado em ouro e verde, é o ambiente perfeito para um chá da tarde. Prove os seus marzipãs que derretem na boca ou o chocolate quente (€ 6,10 por um bule pequeno).

Musée Jacquemart-André

Bd Haussmann 158. Ⓜ Miromesnil/ St-Philippe-du-Roule. Diariam. 11h30-17h30. Admire os afrescos de Tiepolo no teto enquanto saboreia as finas tortas no suntuoso e exclusivo salão de chá do Musée Jacquemart-André.

Restaurantes

Alain Ducasse no Plaza-Athénée

Hotel Plaza-Athénée, Av Montaigne 25. Ⓜ Alma-Marceau. ☎01.53.67.65.00. Seg-sex 7h45-22h15 (ter e sex 12h45-14h15); fecha meados jul-meados ago. Um dos templos mundiais da alta gastronomia francesa, do renomado *chef* Alain Ducasse. Seus pratos sublimes conseguem ressuscitar os paladares mais esgotados. A decoração é no estilo Luís XV com um toque moderno e o serviço é, obviamente, impecável. Espere gastar uns €200 ou mais e reserve com muita antedência.

Lasserre

Av Franklin D. Roosevelt 17. Ⓜ Franklin D. Roosevelt. ☎01.43.59.02.13, Ⓦwww.restaurant-lasserre.com. Seg-sáb 19h-22h (ter e sex 12h-14h); fecha ago. O Lasserre é um clássico restaurante da alta gastronomia francesa em um bonito salão belle époque. O teto retrátil pode ser aberto nas noites de verão. A partir de €120.

La Maison de l'Aubrac

Rue Marbeuf 37. Ⓜ Franklin D. Roosevelt. ☎01.43.59.18.40. Diariam. 24 horas. Restaurante aberto a noite toda com decoração rústica. Oferece no seu cardápio carnes de Auvergne, como a salsicha com *aligot* (purê de batatas cremoso com queijo) por €17,50. Há uma carta de vinhos de 20 páginas, com garrafas a partir de €30.

▲ MUSÉE JACQUEMART-ANDRÉ: SALÃO DE CHÁ

Le Relais de l'Entrecôte

Rue Marbeuf 15. Ⓜ Franklin D. Roosevelt. Diariam. 12h-14h30 e 19h-11h30; fecha ago. Le Relais de l'Entrecôte tem um único prato no cardápio: bisteca com fritas. Mas não é uma bisteca comum – o segredo está no delicioso molho, €21,80, incluindo entrada (salada). Não aceita reservas.

Rue Balzac

Rue Balzac 3. Ⓜ George V. ⓣ01.53.89.90.91. Seg-sex 12h-14h e 19h-21h30, sáb-dom 19h-21h30; fecha ago. Elegante e concorrido restaurante de Johnny Hallyday. A luz indireta e a decoração em vermelho e amarelo criam o ambiente para a moderna cozinha francesa, servida em porções grandes ou pequenas (*petit modèle* ou *grand modèle*). Cerca de €50 por pessoa.

Taillevent

Rue Lamennais. 15 Ⓜ George V. ⓣ01.44.95.15.01. Seg-sex 12h30-14h30 e 19h30-23h30; fecha ago. Um dos finos restaurantes gourmets de Paris. Cardápio com influência provençal e lista de vinhos excepcional, além da decoração elegante. Há um menu fixo por €70 só no almoço, ou se gastam em média €150 por pessoa, fora o vinho. Reserve com muita antecedência.

Bares

Costes

Hotel Costes, Rue St-Honoré 239. Ⓜ Concorde/Tuileries. Diariam. até 2h. O favorito dos famosos e modernos para um aperitivo a dois ou um último drinque, em meio à decadente decoração do século 19 de veludo vermelho, com festões e colunas ao redor de um pátio italianado. Coquetéis por volta de €15.

Impala Lounge

Rue de Berri 2. Ⓜ George V. Diariam. até 4h. Bar da moda decorado com temas africanos e música animada – muito reggae, funk e afro-jazz.

Nirvana

Av Matignon 3. Ⓜ St-Philippe-du-Roule. Diariam. até 4h. Bar-restaurante-clube com decoração indiana, onde você pode beber ao lado de modelos exaustas munidas de suas bolsas Hermès e dançar até de manhã no clube do subsolo. Coquetéis por €13.

Renoma Café Gallery

Av George V. 32. Ⓜ George-V. ⓣ01.47.20.46.19. Diariam. 9h-2h. Bar-café-restaurante decorado com fotos do designer de moda *avant-garde* Maurice Renoma. De dia você pode se sentar no confortável lounge e folhear revistas de design e arquitetura. À noite, tomar um coquetel de vodca (€9). Tem também um concorrido e bem servido *brunch* aos domingos (12h-17h; €28).

Música ao vivo

Théâtre des Champs-Elysées

Av Montaigne 15. Ⓜ Alma Marceau. ⓣ01.49.52.50.50, ⓦwww.theatredeschampselysees.fr. Construído em 1913, este teatro histórico foi onde Stravinsky estreou a sua *Sagração da primavera*. É a casa da Orchestre National de France e hospeda balés e concertos internacionais. Os ingressos baratos de €5 são para os lugares sem vista. Para os demais, de €12 a €115.

Trocadéro

A estreita faixa do 16º arrondissement que corre paralela ao Sena é especialmente bem servida de bons museus, mesmo se tratando de Paris. Entre a place de l'Alma, cenário do acidente fatal sofrido pela princesa Diana, e a place du Trocadéro estendem-se amplos e arborizados bulevares residenciais, em sua maior parte, ladeados por casas de parisienses ricos e seus cães pequenos e caros. A atmosfera do bairro não é das mais animadas, mas as vistas da Torre Eiffel, do outro lado do rio, e do 7º arrondissement são maravilhosas, especialmente as dos terraços do Palais de Chaillot.

Palais de Chaillot

Por trás de seus elaborados parques e fontes, os arcos imponentes do Palais de Chaillot parecem querer abraçar a Torre Eiffel, que se ergue na outra margem do rio. A arquitetura modernista-clássica do palácio é claramente predominante e data de 1937, quando ele foi construído por ocasião da Exposition Universelle, um dos eventos de negócios e cultura tão freqüentes em Paris. O terraço central deste Palais de Chaillot que interliga suas duas alas é uma plataforma perfeita para fotógrafos, vendedores de curiosidades e skatistas.

Cité de l'Architecture et du Patrimoine

Palais de Chaillot, place du Trocadéro 17. Ⓜ Trocadéro. Ⓦwww.citechaillot.org. Abre na primavera de 2007.

Ocupa toda a ala leste do Palais de Chaillot e é uma combinação de instituto, biblioteca e museu de arquitetura. No último andar há maquetes e projetos de arquitetura moderna e contemporânea, além da reconstituição

▲ PALAIS DE CHAILLOT

de um apartamento completo da Cité Radieuse, de Le Corbusier, em Marselha. Ainda mais impressionante é a **Galerie des Moulages**, que fica sob os arcos do andar inferior e abriga gigantescos moldes de gesso de importantes edifícios franceses do fim do século 19. A intenção é contar a história da arquitetura francesa da Idade Média até o século 19, além de ser também um exercício de educação e orgulho nacional. A **Galerie des Peintures Murales**, no último andar do pavilhão central de Tête, exibe cópias em tamanho natural de grandes afrescos e murais franceses. As exposições temporárias da Cité de l'Architeture incluem estudos de arquitetura contemporânea, enquanto os dois terraços da cobertura oferecem uma vista deslumbrante da Torre Eiffel, na outra margem do rio.

Musée de la Marine

Palais de Chaillot, place du Trocadéro 17. Ⓜ Trocadéro. www.musee-marine.fr. Seg e qua-dom 10h-18h. €8. Vale a pena visitar o belo Musée de la Marine pelas réplicas em tamanho natural de navios franceses, que vão das antigas galés aos navios napoleônicos de três deques, e das grandes traineiras a submarinos nucleares.

Musée Guimet

Place d'Iéna. Ⓜ Iéna. Ⓦwww.museeguimet.fr. Seg e qua-dom 10h-18h. €6. O arejado e bem iluminado átrio do Musée National des Arts Asiatiques-Guimet é habitado por estupendas estátuas de Buda e figuras da antiga dinastia Khmer, do Camboja. É apenas uma incrível introdução à famosíssima coleção de arte budista e asiática do museu: são quatro andares repletos de reluzentes estátuas de Buda e deuses.

A rotunda no terceiro andar foi usada por Emile Guimet, o filantropo e fundador do acervo, para a primeira cerimônia budista realizada na França. A coleção original de Guimet, trazida para a França de suas viagens à Ásia em 1876, está exposta nas **Galeries du Panthéon Bouddhique**, que lembram um templo, logo virando a esquina (entrada pela avenue d'Iéna 19; mesmo horário e mesmo ingresso do museu).

Musée de la Mode et du Costume

Palais Galliera, Av Pierre 1er de Serbie 10. Ⓜ Iéna/Alma-Marceau. Ⓣ01.56.52.86.00, Ⓦwww.galliera.paris.fr. Ter-dom 10h-18h. €7. No suntuoso Palais Galliera está o Musée de la Mode et du Costume, que todos os anos faz duas ou três exposições de roupas e moda, em geral selecionadas da excepcional coleção do museu. Os temas vão desde o trabalho individual dos costureiros a mostras históricas focando o estilo de uma época em particular. Entre uma mostra e outra o museu fica fechado, por isso cheque antes.

Musée d'Art Moderne de la Ville de Paris

Palais de Tokyo, Av du Président Wilson 13. Ⓜ Iéna/Alma-Marceau. Ⓦwww.mam.paris.fr. Ter-dom 10h-18h, qua até 22h com exposições; fecha feriados. Grátis. O Musée d'Art Moderne de la Ville de Paris abriga uma coleção de arte moderna da própria cidade. Não chega a rivalizar com o Centre Pompidou no que diz respeito às supercelebridades, mas suas telas têm excelentes temas parisienses. As instalações no elegante e moderno Palais de Tokyo são perfeitas, assim como o são as importantes coleções de artistas do início do século 20 – como Braque, Chagall, Delaunay, Derain, Léger, Modigliani e Picasso. Os destaques são a salle Matisse, dedicada à *Dança de Paris*, de Matisse, e o imenso mural de Dufy, *A fada eletricidade*, que ocupa uma sala curva com 250 painéis coloridos e líricos que contam a história da eletricidade de Aristóteles aos anos 1930. Desde a década de 1960 a coleção se mantém atualizada graças a uma ativa política de aquisições, e a visita costuma terminar com as últimas aquisições em vídeo e instalação. No pátio ajardinado você pode tomar um drinque admirando as colunas lisas que emolduram a vista da Torre Eiffel.

Site de Création Contemporaine

Palais de Tokyo, Av. du Président Wilson 13. Ⓜ Iéna/Alma-Marceau. www.palaisdetokyo.com. Ter-dom 12h-24h. €6. A semideserta ala oeste do Palais de Tokyo parece ter sido atingida por uma bomba, com toda a fiação, os blocos de concreto e os canos expostos e espalhados. O efeito é proposital; trata-se de um protesto *avant-garde* "antimuseu" dos ocupantes do prédio, o Site de Création Contemporaine. Este é o prin-

MUSÉE D'ART MODERNE DE LA VILLE DE PARIS

cipal espaço oficial francês para eventos artísticos de vanguarda, com um fluxo constante de exposições de arte conceitual francesa. A parisiense Louise Bourgeois já expôs aqui. O local tem sido usado – com a sanção oficial – por grupos tão diversos quanto os sem-teto com uma mostra coletiva e uma turma de artistas de pranchas de skate. Artistas e estudantes de arte pagam só €1 para entrar.

Place de l'Alma

Sob todos os aspectos, a place de l'Alma é como qualquer outro movimentado cruzamento parisiense, com os carros rodando por ruas de pedra e uma entrada do metrô na calçada. Numa das esquinas, porém, há uma réplica da tocha da Estátua da Liberdade, doada pela França aos EUA em 1987 como símbolo das boas relações entre os países.

A tocha dourada foi adotada pelos fãs inconsoláveis de todo o mundo como um memorial à princesa Diana, que morreu no túnel em 1997. Um muro baixo fica coberto de mensagens amorosas grafitadas, que são apagadas periodicamente por autoridades contrárias à prática.

▲ TOCHA, PLACE DE L'ALMA

Cafés

Aux Marchés du Palais

Rue de la Manutention 5. Ⓜ Iéna/Alma-Marceau. ☎01.47.23.52.80. Seg-sex 12h-14h e 19h30-22h30. Este tradicional e simpático bistrô é uma ótima opção para um almoço em suas mesas espalhadas na calçada, oposta ao Palais de Tokyo. Oferece um cardápio de pratos básicos e muito bem-feitos. Come-se muito bem por cerca de €25.

Salon de Porcelain

Musée Guimet, Place d'Iéna. Ⓜ Iéna. Seg e qua-dom 10h-17h30. O café do museu tem um surpreendente menu com especialidades da casa e chás asiáticos – dim sum, tailandeses e japoneses. Contudo, o ambiente no subsolo não tem o mesmo estilo. Pratos por menos de €20.

Tokyo Eat & Tokyo Idem

Site de Création Contemporaine, Palais de Tokyo. Ⓜ Iéna/Alma-Marceau. Ter-dom 12h-1h. O café e o restaurante que há no interior da galeria são locais assumidamente hip – a colorida decoração dos dois ambientes faz parte, na verdade, do acervo permanente da galeria. O restaurante Tokyo Eat serve a moderna cozinha mediterrânea com uma profusão de sabores. Um bom almoço nos dias de semana sai por €12. O café no andar de baixo, Tokyo Idem, serve excelentes bebidas e petiscos.

Os Grands Boulevards e as passages

Construídos sobre as muralhas da cidade velha, os Grands Boulevards são oito ruas largas que se estendem formando um longo arco a partir da Eglise de la Madeleine para leste. No século 19, era nos bulevares que a *Paris vivant* podia ser encontrada, ou nos cafés da moda do lado oeste ou no movimentado lado leste com seus teatros de rua e espetáculos de marionetes. Hoje, não resta mais nada digno de nota nos bulevares, mas vestígios desse passado ainda resistem nas brasseries, nos cafés, nos teatros e nos cinemas (como nos esplêndidos cinemas Art Déco Grand Rex e Max Linder, pág. 217).

Ao sul dos Grands Boulevards fica o principal centro comercial e financeiro de Paris. Mais ao norte, adiante da fulgurosa Opéra Garnier estão as grandes lojas de departamentos Galeries Lafayette e Printemps. Um centro comercial ainda mais elegante concentra-se na rue St-Honoré, a oeste, e nas ruas ao redor da aristocrática place Vendôme e seus ateliês de alta-costura, joalherias e comerciantes de arte. Espalhadas por toda a área há bonitas *passages* – as arcadas do século 19 que remetem ao comércio de outras épocas.

Musée Grévin

Bd Montmartre. Ⓜ Grands-Boulevards. Seg-sex 10h-17h30, sáb-dom 10h-19h. €17, crianças €10. Este museu rememora os bons tempos dos Grands Boulevards com seus trabalhos. Exibe personalidades francesas e hollywoodianas. O que há de melhor aqui são as suas salas originais: o Palais des Mirages (Palácio dos Espelhos), construído para a Exposition Universelle de 1900; o teatro com as esculturas de Bourdelle; e a barroca Sala das Colunas, de 1882, onde, entre outras combinações improváveis, Lara Croft está pronta para agir ao lado de um digníssimo Charles de Gaulle, enquanto Voltaire sorri ao ver a saia de Marilyn Monroe ser erguida pelo vento.

GALERIES LAFAYETTE

Opéra Garnier

Ⓜ Opéra. Diariam. 10h-16h30. €7; informações sobre reservas pág. 100.

A decoradíssima Opéra Garnier, construída por Charles Garnier para Napoleão III, é um ótimo exemplo da ostentação de riqueza com toques de vulgaridade do Segundo Império. A fachada do teatro é uma fantástica mistura de mármores branco, rosa e verde, colunatas, cavalos empinados, anjos alados e reluzentes bustos dourados. Não menos luxuoso é o interior com seus saguões espelhados e mármores decorados. No auditório, todo de veludo vermelho e folheado a ouro, há um lustre que pesa seis toneladas e um teto colorido pintado por Chagall em 1964 com cenas de óperas e balés famosos em meio a monumentos parisienses. É possível visitar o teatro por dentro, inclusive o auditório, quando não há ensaios (o melhor horário é entre 13h e 14h).

Paris-Story

Rue Scribe. 11 bis Ⓜ Opéra. Sessões diariam. 9h-19h (a cada hora). €10.

Paris-Story é um espetáculo multimídia que percorre a his-

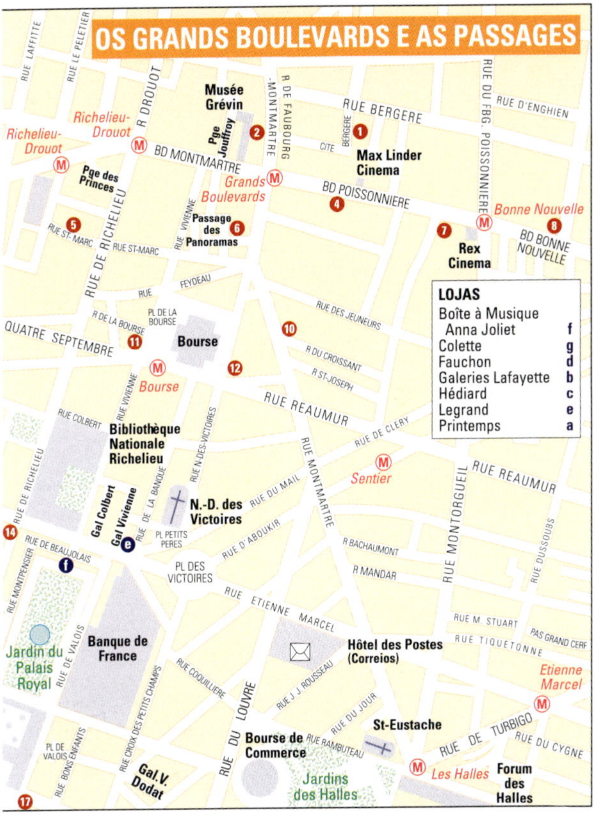

tória de Paris – é uma versão resumida e altamente romantizada, mas é também muito interessante. Vale a pena conferir esse filme com 45 minutos de duração que é "narrado" por Victor Hugo, com tradução simultânea em inglês. O espetáculo é um caleidoscópio de imagens geradas por computador e de arquivo, com trilha sonora de música clássica.

▲ OPÉRA GARNIER

Eglise de la Madeleine

Ⓜ Madeleine. Seg-sáb 7h30-19h, dom 8h-13h e 16h-19h; informações sobre os concertos pág.100. A Eglise de la Madeleine, com seu porte imperial, é a preferida da alta sociedade parisiense. Originalmente construída como monumento ao exército de Napoleão, foi inspirada no Parthenon. A Eglise de la Madeleine é rodeada por colunas coríntias e tem na fachada um imenso frontão triangular representando o Juízo Final. Dentro da igreja existe uma ampla e única nave decorada com colunas jônicas e coroada por três grandes domos – a única fonte de luz natural de La Madeleine. A dramática estátua de pedra de Madalena sendo levada aos céus por dois anjos atrai a atenção para o altar-mor, sobre o qual há um meio-domo com um afresco comemorativo do acordo assinado pela Igreja Católica e Napoleão pondo fim à cisão após a Revolução Francesa.

Place de la Madeleine

Ⓜ Madeleine. Mercado de flores. Ter-sáb 8h-7h30. Nesta praça estão algumas das mais importantes lojas da alta gastronomia parisiense, sendo as mais conhecida Fauchon e a Hédiard (págs. 97-8). Do lado leste há um dos mais antigos mercado de flores, de 1832. Perto dali, os bonitos toaletes públicos Art Nouveau merecem ser visitados.

Place Vendôme

Ⓜ Opéra. Obra do arquiteto de Versailles, Hardouin-Mansart, a octogonal place Vendôme é um dos conjuntos mais impressionantes de Paris. Harmoniosamente simétrica, é cercada por um agradável conjunto de mansões elegantes, com pilastras coríntias e telhados em ponta. Outrora residências de coletores de impostos e financistas, hoje elas abrigam estabelecimentos de luxo, como o Hotel Ritz, as lojas Cartier, Bulgari e outras joalherias famosas, que conferem à praça um ar de absoluta exclusividade. No nº 12, onde fica a joalheria Chaumet, morreu Chopin em 1849.

Um tanto desproporcional ao resto, no centro da praça ergue-se uma coluna triunfal sustentando uma estátua de Napoleão vestido de César. Foi construída em 1806 para celebrar a Batalha de Austerlitz. As cenas que se enrolam na coluna da base até o topo são relevos de bronze dos 1.200 canhões austro-russos reciclados.

▲ PLACE VENDÔME

Rue St-Honoré

A rue St-Honoré – especialmente no extremo oeste e na sua continuação, o Faubourg St-Honoré – é o reduto dos designers de alta-costura e das galerias de arte. Nos últimos anos, novos designers passaram a ocupar a extensão entre a rue Cambon e a rue des Pyramides – tendência que começou com o chiquérrimo Hôtel Costes no fim dos anos 1990, seguida pela moderna butique Colette (pág. 97).

Palais Royal

Ⓜ Palais-Royal-Musée-du-Louvre. Jardins diariam. amanhecer-anoitecer. Grátis. O Palais Royal foi construído pelo cardeal Richelieu em 1624, embora pouco reste hoje em dia do palácio original. O prédio atual, em sua maior parte do século 18, abriga vários órgãos do governo e a Comédie Française, há muito tempo palco dos clássicos do teatro francês. Na parte de trás há um tranqüilo jardim com fontes e alamedas de limeiras recortadas, delimitadas por majestosas mansões do século 18 sobre as arcadas que abrigam principalmente lojas de antiguidades e de design. Ninguém poderia imaginar que tempos atrás essas tranqüilas arcadas e seus jardins eram antros de jogatina, bordéis e atrações ilícitas, até que a proibição do jogo em locais públicos, em 1838, pôs fim à farra. Alguns diriam que a farra voltou – nas colunas listradas em preto-e-branco do artista contemporâneo Daniel Buren, como bastões de açúcar de alturas variadas, espalhadas pelo pátio na frente do Palais Royal.

Galerie Véro-Dodat

Entre a rue Croix-des-Petits-Champs e a rue Jean-Jacques Rousseau. Ⓜ Palais-Royal-Musée-du-Louvre. Com o piso de ladrilhos, o teto decorado e a fachada de mogno das lojas separadas por colunas que imitam mármore, a Galerie Véro-Dodat é uma das passages mais bonitas e homogêneas. Grifes da moda disputam o espaço com antigas lojas.

Galerie Vivienne

Liga a rue Vivienne com a rue des Petits-Champs. Ⓜ Bourse. A vistosa decoração com motivos gregos e

▲ PALAIS ROYAL

As passages

Concebidas no início do século 19 para proteger os pedestres da lama e dos veículos puxados a cavalo, as passages, arcadas de compras cobertas com telhados de vidro, ficaram por muito tempo abandonadas e decadentes, mas começaram a ser reformadas e restauradas, recuperando parte de sua antiga glória, com modernas butiques funcionando lado a lado com antigas lojas de objetos usados. A maioria delas fecha à noite e aos domingos.

marinhos da encantadora Galerie Vivienne cria o ambiente perfeito para adquirir produtos de Jean-Paul Gaultier ou folhear um livro antigo na tradicional Librairie Jousseaume, que aqui se estabeleceu desde que a passage foi inaugurada.

Passage des Panoramas

Próxima à rue Vivienne. Ⓜ Grands-Boulevards. A série de arcadas conhecida como Passage des Panoramas anda meio decadente, embora ainda conserve sua elegância. Em meio a lojas de quinquilharias, de venda de selos e cartões-postais de segunda mão há um salão de chá, o L'Arbre à Cannelle (pág. 98), com belos painéis de madeira esculpida, e uma gráfica de 1867, ainda com as máquinas originais.

▲ GALERIE VIVIENNE

Passages Jouffroy e Verdeau

Perto do bd Montmartre. Ⓜ Grands-Boulevards. Na frente do boulevard Montmartre, a passage Jouffroy tem lojas bastante curiosas que fazem das compras mais uma aventura que uma tarefa. A loja M. Segas vende bengalas especiais e objetos antigos de teatro. Em frente à Segas, outra loja tem tudo para vestir e decorar uma casa de boneca. Perto do romântico Hôtel Chopin (pág. 201), também nesta passage, Paul Vulin espalha seus livros de segunda mão pelo corredor, e a Ciné-Doc atrai os cinéfilos com sua coleção de cartazes de filmes antigos. Cruzando a rue de la Grange-Batelière, entra-se na passage Verdeau, onde os vende-dores de cartões-postais e de câmeras fotográficas negociam ao lado das novas galerias de arte instaladas aqui.

Passage du Grand-Cerf

Entre a rue St-Denis e a rue Dessoubs. Ⓜ Etienne-Marcel. No que se refere a estilo, a passage do Grand-Cerf é imperdível e merece uma visita. O trabalho de ferro batido, o telhado de vidro e as fachadas das lojas de madeira de lei foram restaurados, atraindo lojas de arte, objetos e design contemporâneos.

Bibliothèque Nationale Richelieu

Ⓜ Bourse. www.bnf.fr. Exposições ter-dom 10h-19h; €4,50-7. Cabinet des Monnaies, Médailles et Antiques seg-sex 13h-17h45, sáb 13h-16h45, dom 12h-18h. Grátis. A Bibliothèque Nationale Richelieu, ou Biblioteca Nacional da França, fica em um prédio imenso, de aparência intimidadora, que data dos anos 1660. Quem visita as suas exposições temporárias tem acesso a bonitas partes do prédio, particularmente a Galerie Mazarine, com os painéis do teto pintados por Romanelli. Também é possível ver uma rica e interessante coleção de moedas e tesouros antigos no Cabinet des Monnaies, Médailles et Antiques. Não há restrições ao ingresso à biblioteca nem a dar uma espiada nos solenes salões de leitura, mesmo que muitos livros já tenham sido transferidas para o 13º andar da Biblioteca François Mitterrand (pág. 156).

Lojas

Além das lojas indicadas, não deixe de conferir as passages, terreno fértil em curiosidades e artigos exclusivos.

Boîte à Musique Anna Joliet

Rue de Beaujolais 9, Jardin du Palais Royal. Ⓜ Palais Royal-Musée du Louvre. Seg 13h-19h, ter-sáb 10h-19h. Esta minúscula e deliciosa loja oferece caixas de música de todo tipo, dos inexpressivos modelos de corda aos grandes gabinetes que custam milhares de euros.

Colette

Rue St-Honoré 213. Ⓜ Tuileries. Seg-sáb 11h-19h. Os parisienses jovens e antenados disputam os últimos modelos de bolsa Anya Hindmarch e artigos Prada nesta moderníssima loja que combina a alta-costura com design. A grande novidade é o Water Bar, no subsolo, que oferece 80 tipos de água engarrafada.

Fauchon

Place de la Madeleine 24-30. Ⓜ Made-leine. Seg-sáb 9h30-19h. Grande variedade de produtos de mercearia, salsicharia e vinhos. É o melhor lugar para comprar chás, geléias, trufas, chocolates, vinagres exóticos e mostardas.

Galeries Lafayette

Bd Haussmann 40. Ⓜ Chaussée d'Antin. Seg-sáb 9h30-19h (qui até 21h). O forte desta respeitada loja de departamentos é a alta-costura, com dois andares dedicados às últimas criações dos princi-

↑ CAIXAS DE MÚSICA DA ANNA JOLIET

▲ DOMO DAS GALERIES LAFAYETTE

pais estilistas e quase um andar inteiro á lingerie. Há também grandes nomes em acessórios para homens e mulheres e uma ampla perfumaria – tudo sob um domo espetacular de 1900. Na mesma rua, pouco mais abaixo, no nº 35 fica a nova Lafayette Maison, com cinco andares de artigos de qualidade para a casa.

Hédiard

Place de la Madeleine 21. Ⓜ Madeleine. Seg-sáb 8h-22h. Desde 1850 esta aristocrática mercearia vende comida de alta qualidade.

Legrand

Rue de la Banque 1. Ⓜ Bourse. Seg 11h-19h, ter-sex 10h-19h30, sáb 10h-19h. Esta loja de vinhos com uma bonita decoração antiga é onde você encontra as suas marcas favoritas da bebida e ainda conhece marcas novas. Há também uma adega (12h-19h) onde se podem degustar vinhos e beliscar saucisson e patê.

Printemps

Bd Haussmann 64. Ⓜ Havre-Caumartin. Seg-sáb 9h30-19h (qui até 22h). Livros, discos, perfumaria e um excelente departamento de moda masculina e feminina. O restaurante do sexto andar fica embaixo de um bonito domo de vidro Art Nouveau.

Cafés

L'Arbre à Cannelle

Passage des Panoramas 57. Ⓜ Grands-Boulevards. Seg-sáb 11h30-18h. Este café, salão de chá e antiga brasserie data do início do século 20, tem magníficos painéis de madeira e afrescos no teto e é uma excelente escolha para almoçar ou tomar um chá.

Verlet

Rue St-Honoré 256. Ⓜ Palais-Royal-Musée-du-Louvre. Seg-sáb 9h-19h. Um forte aroma de café recém-moído recebe você nesta cafeteria e antigo mercado de café. Há 25 opções, como o Mokka Harar, da Etiópia. Vende também chás e bolos selecionados.

Restaurantes

Chartier

Rue du Faubourg-Montmartre 7. Ⓜ Grands-Boulevards. Diariam. 11h30-15h e 18h-22h. Piso de linóleo marrom, madeira escurecida, porta-chapéus de bronze, garçons com aventais longos – a decoração original de um refeitório do início do século 20. Embora esteja sempre cheio e movimentado, a comida é boa e barata (pratos de €7 a €9).

Gallopin

Rue Notre-Dame-des-Victoires 40. Ⓜ Bourse. ☎01.42.36.45.38. Diariam. 12h-24h. Antiga brasserie, com instalações originais de bronze e mogno, e um belo teto de vidro pintado no salão dos fundos. Pratos clássicos franceses e cardápio fixo a €23.

Aux Lyonnais

Rue St-Marc 32. Ⓜ Bourse/Richelieu-Drouot. ☎01.42.96.65.04. Ter-sex 12h-14h e 19h30-23h, sáb 19h30-23h. O comando deste elegante bistrô com azulejos belle époque e paredes espelhadas foi assumido pelos *chefs* Alain Ducasse e Thierry de la Brosse. Como diz o nome, o forte são as especialidades da região de Lyon, como os quenelles (delicados bolinhos de peixe). Serviço simpático e ambiente descontraído. Oferece cardápio fixo por €28. É preciso reservar antes.

Le Vaudeville

Rue Vivienne 29. Ⓜ Bourse. ☎01.40.20.04.62. Diariam. 12h-15h e 19h-1h. Há sempre fila para conseguir uma mesa nesta animada e boêmia brasserie decorada com mármores e mosaicos. Cozinha de ótima qualidade por cerca de €30 por pessoa.

Bares

Bar Hemingway

Hotel Ritz, place Vendôme. Ⓜ Tuileries/Opéra. Seg-sáb 18h30-2h. Recolhido nos fundos do Ritz, este bar discretamente elegante com poltronas de couro e uma atenciosa equipe de garçons vestidos de branco era o refúgio freqüente de Hemingway: as paredes estão cobertas com fotos dele. Seu drinque favorito, o dry martini, consta do cardápio, mas se você preferir pode experimentar os coquetéis mais inusitados (€24) criados pelo premiado barman Colin Field.

De La Ville Café

Bd de la Bonne Nouvelle 34. Ⓜ Bonne-Nouvelle. Diariam. 11h-2h (sex-sáb até 4h). Este ex-bordel com escadaria grandiosa, mosaicos dourados e colunas de mármore atrai centenas de clubbers para um ou dois mojitos antes de irem para um dos clubes da região. Nos fins de semana os DJs giram os discos até o amanhecer. Serve coquetéis a €8.

Le Fumoir

Rue de l'Amiral-Coligny 6. Ⓜ Louvre-Rivoli. Diariam. 11h-2h. O Le Fumoir é um relaxante e moderno bar-restaurante localizado ao lado do Louvre. A conversa animada é embalada pela trilha sonora de um soft jazz e pelo som das coqueteleiras. Serve coquetéis a €8.

Juveniles

Rue de Richelieu 47. Ⓜ Palais-Royal-Musée-du-Louvre. Seg-sáb 12h-23h. O Juveniles é uma adega pequena mas muito popular, dirigida por um escocês. Uma ótima seleção de vinhos a €13 a garrafa. Serve o prato do dia por €11 e tábuas de queijo e petiscos a €7.

Le Rubis

Rue du Marché-St-Honoré 10. Ⓜ Pyramides. Seg-sex 7h30-22h, sáb 9h-15h; fecha meados ago. Muito pequena e concorrida, esta antiga adega é famosa em toda Paris por seus ótimos vinhos e *rillettes* (espécie de patê de carne de porco) caseiras.

▲ O LOUVRE VISTO DO BAR LE FUMOIR

Clubes

Le Cab

Pl. du Palais Royal 2. Ⓜ Palais-Royal. Ⓦwww.cabaret.fr. Seg-sáb 23h30-5h. Entrada €20. Um dos locais mais célebres da cidade atualmente, está conseguindo atrair até os mais estilosos da Champs-Elysées – nas noites de fins de semana é preciso estar muito bem apresentado para conseguir entrar. Há uma rede de salas subterrâneas embaixo do café-restaurante anexo, com uma pequena pista de dança e muitas mesas baixas em nichos e recantos. A decoração é lounge retrô-futurista, com música pertinente.

Le Pulp

Bd Poissonnière 25. Ⓜ Bonne-Nouvelle. Ⓣ01.40.26.01.93. Qua-sáb 24h-6h. Sex-sáb. €9. O principal clube lésbico de Paris, toca desde techno até Madonna. É tão democrático que atrai uma multidão de héteros nas noites livres às quartas (rock) e às quintas (eletrônica).

Rex Club

Bd Poissonnière 5. Ⓜ Bonne-Nouvelle. Ⓣ011.42.36.28.83. Qua-sáb 23h30-5h. €10-13. É o clube dos clubbers: leva música a sério, que é estritamente eletrônica e basicamente techno. Atrai DJs famosos.

Le Triptyque

Rue Montmartre 142. Ⓜ Bourse. Ⓦwww.letriptyche.com. Horários variam entre 20h-6h. De €6 a €10, eventualmente grátis. Os seguranças não vão barrá-lo neste clube grunge despretensioso e inovador, freqüentado por todos, de estudantes a largados. Aqui, o que interessa é a música. Mais cedo apresenta um eclético mix de concertos e lounge sessions conduzidas por DJs, e lá pela meia-noite noitadas com temas que mudam constantemente – de música eletrônica a pós-rock e drum'n'bass inglês. Consulte a página do clube antes de sair.

Música ao vivo

Au Limonaire

Cité Bergère 18. Ⓜ Grands-Boulevards. Ⓣ01.45.23.33.33, Ⓦhttp://imonaire.free.fr. Ter-sáb. Situado em uma rua tranqüila, este pequeno espaço íntimo e informal é o palco perfeito para a canção parisiense, sempre apresentando jovens cantores e números de música/poesia/performance dos palhaços nos intervalos. O jantar (tradicional, relativamente barato e sempre muito bom) garante lugar para assistir ao show às 22h, ou você terá de se espremer no balcão – se conseguir entrar.

Eglise de la Madeleine

Ⓜ Madeleine. Ⓣ01.42.50.96.18, Ⓦwww.eglise-lamadeleine.com. Freqüentes recitais de órgão e apresentações de corais. Ingressos de €15 a €23.

Ópera Garnier

Ⓜ Opéra. Ⓣ08.36.69.78.68, Ⓦwww.opera-de-paris.fr. A Opéra Garnier costuma ser palco de balés e óperas com produções menores do que as que são levadas na Opéra Bastille. Para a programação e detalhes sobre reservas, consulte on-line ou ligue para a bilheteria. Ingressos baratos a €7 se você não se importa de sentar-se longe do palco, caso contrário custam de €40 a €60.

Beaubourg e Les Halles

Um dos marcos mais conhecidos e populares da cidade, o Centre Pompidou, ou Beaubourg, como os franceses o conhecem, atrai grande número de visitantes para o seu excelente museu de arte moderna e importantes exposições. Sua arquitetura provocou uma enxurrada de controvérsias na inauguração, em 1977, mas desde então ele tem ganhado elogios não só da crítica como também do público. Em compensação, o Les Halles, um complexo de compras construído na mesma época e próximo do Centre Pompidou, no lugar do antigo mercado que ali existia, jamais chegou a ganhar a simpatia dos habitantes locais, embora valha a pena ser visitado pelos antigos bistrôs e bancas de alimentos que ainda sobrevivem e preservam a atmosfera do velho mercado.

Centre Pompidou
Ⓜ Rambuteau/Hotel-de-Ville. Ⓦwww.cnac-gp.fr. Construído no centro de um dos mais antigos distritos

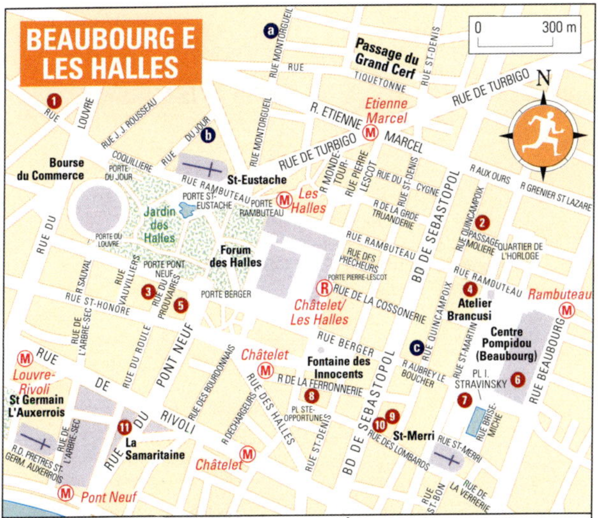

RESTAURANTES, CAFÉS E BARES	
Café Beaubourg	7
Au Chien qui Fume	5
A la Cloche des Halles	1
Georges	6
L'Imprévu	9
Kong	11
Le Petit Marcel	4
La Tour de Montlhéry	3
Au Vieux Molière	2

MÚSICA AO VIVO	
Le Duc des Lombards	10
Le Sunset & Le Sunside	8

LOJAS	
Agnès b.	b
Comptoir des Ecritures	c
Pâtisserie Stohrer	a

de Paris, o moderníssimo Centre Pompidou está entre as obras arquitetônicas mais radicais do século 20. Com a intenção de afastar-se do conceito de galerias tradicionais fechadas como arcas de tesouro e criar algo mais aberto e acessível, os arquitetos Renzo Piano e Richard Rogers arrancaram a "pele" do prédio e deixaram seus "ossos" visíveis. A infra-estrutura foi deixada do lado de fora: os tubos de escadas rolantes e todo o encanamento, seguindo um código de cor de acordo com a função, enrolam-se como serpentes do lado de fora do prédio. As principais atrações do Centre Pompidou são o museu e as exposições de arte moderna, mas há ainda dois cinemas e espaço para apresentações. Um dos prazeres adicionais oferecidos nessa visita ao museu é subir a escada rolante transparente e desfrutar vistas incríveis da cidade.

Musée National d'Art Moderne

Centre Pompidou. Ⓜ Rambuteau/ Hotel-de-Ville. Diariam. 11h-21h (exceto ter). €10, grátis até 18 anos (retirar o passe na bilheteria) e todo 1º dom do mês. O acervo do Musée National d'Art Moderne está distribuído pelo quarto e quinto andares do Centre Pompidou, é um dos melhores do mundo e é tão grande que apenas uma parte dos mais de 50 mil trabalhos fica exposta de cada vez (eles são mudados freqüentemente).

A seção que vai dos anos 1905 a 1960 é um ensaio praticamente completo sobre a história da arte moderna: fauvismo, cubismo, dadaísmo, arte abstrata, surrealismo e expressionismo abstrato estão todos muito bem representados. Há uma coleção importante de Matisse, desde os seus primeiros trabalhos fauvistas às suas últimas obras-primas – o destaque é o *A tristeza do rei*, uma comovente reflexão sobre a velhice e a memória. Outras atrações incluem várias pinturas cubistas de Picasso e Braque e uma coleção substancial de Kandinsky, incluindo seus primeiros trabalhos abstratos, *Com o arco negro* e *Pintura com mancha vermelha*. Há uma sala inteira dedicada às telas de Robert e Sonia Delaunay, mas a atmosfera se adensa nas últimas salas com

▲ CENTRE POMPIDOU

▲ PASSAGE MOLIÈRE

os trabalhos perturbadores dos surrealistas Magritte, Dalí e Ernst.

Na seção de Pop Art está o conhecidíssimo *Ten Lizes*, de Andy Warhol, no qual a atriz Elizabeth Taylor exibe um sorriso de Mona Lisa. Em outro lugar, Yves Klein pressagia a arte performática com seus *Grande antropofagia azul* e *Homenagem a Tennessee Williams*, da série "body prints", quando o artista transforma suas modelos em telas humanas, cobrindo-as de tinta para criar suas obras de arte.

Entre os artistas sabidamente contemporâneos há Claes Oldenburg, Christian Boltanski – conhecido pelas grandes instalações dramatizadas, com referências veladas ao Holocausto – e Daniel Buren, cujos trabalhos são facilmente identificados: todos eles têm as suas famosas faixas com exatos 8,7 cm de largura.

Atelier Brancusi

Centre Pompidou Ⓜ Rambuteau/Hotel-de-Ville. Diariam. 14h-18h (exceto ter). Grátis. O Atelier Brancusi é o estúdio e a casa restaurados de Constantin Brancusi, um dos grandes escultores do século 20. Ele legou ao Estado tudo o que havia em seu ateliê sob a condição de que fosse mantido exatamente como deixou, o que nos permite ter uma visão fascinante de como o artista vivia e trabalhava. Os estúdios estão repletos dos famosos pássaros abstratos e das colunas de bronze e mármore altamente polidos, enquanto os estúdios 3 e 4 compreendem os aposentos privados de Brancusi.

Quartier Beaubourg

Ⓜ Rambuteau/Hotel-de-Ville. O animado quartier Beaubourg, ao redor do Centre Pompidou, também tem muito a oferecer em termos de artes visuais. As coloridas e rodopiantes esculturas da fonte em frente à Eglise St-Merri, na **place Igor Stravinsky**, ao sul do Centre Pompidou, foram criadas por Jean Tinguely e Niki de St-Phalle e prestam homenagem a Stravinsky – os chafarizes ornamentais foram inspirados em suas composições (*O pássaro de fogo*, *O rito da primavera* e outras) –, embora demonstrem pouco respeito pelos transeuntes.

Ao norte do Centre, várias galerias comerciais retomam o tema da arte contemporânea na **rue Quincampoix**, a mais bonita da região: é estreita, só para pedestres e ladeada por antigas mansões. Também vale a pena explorar a **passage Molière**, um corredorzinho simpático que abriga algumas lojas curiosas, como a Des Pieds et des Mains, onde você pode fazer um molde de gesso dos pés e das mãos.

Les Halles

Ⓜ Les-Halles/RER Châtelet-Les-Halles. Descrito por Zola como "*le ventre* (o estômago) *de Paris*", Les Halles foi por mais de 800 anos o mercado central da cidade, até ser transferido, apesar do protesto geral, para os subúrbios em 1969 e substituído por um grande complexo subterrâneo de compras e lazer, conhecido como Forum des Halles, bem como o importante entroncamento do metrô/RER (Ⓜ Châtelet-les Halles). Feio, decadente e até mesmo malcheiroso, o complexo é reconhecido por muitos como um desastre arquitetônico – tanto que há planos de submetê-lo a uma reforma geral. O arquiteto francês David Mangin, cujo projeto de reforma venceu a concorrência, pretende construir um imenso telhado de vidro sobre o fórum, para permitir a entrada de luz natural, e redesenhar os jardins para criar um imenso passeio público nos moldes das ramblas de Barcelona. A obra deve começar em 2007 e terminar em 2012.

O Forum des Halles se estende sob a superfície desde a rotatória da Bourse du Commerce até a rue Pierre-Lescot e ocupa quatro níveis. Na superfície ele compreende as arcadas de lojas distribuídas ao redor de um pátio ensolarado e jardins panorâmicos. As lojas são em sua maioria dedicadas à alta-costura, mas há também uma grande loja FNAC e o Forum des Créateurs, um espaço para jovens designers de moda.

Resta pouca coisa do antigo bairro operário, mas ainda é possível se encantar em alguns bares e bistrôs do antigo mercado, e também na rue Montorgueil, ao norte, exclusiva para pedestres, onde os tradicionais merceeiros, peixeiros e açougueiros continuam praticando seu comércio, disputando espaço com os cafés da moda que nos últimos anos se instalaram na região.

▲ LES HALLES

St-Eustache

Ⓜ Les-Halles/RER Châtelet-Les-Halles. Como um antídoto aos subterrâneos de aço e vidro de Les Halles, visite as abóbadas suspensas da bela igreja de St-Eustache. Construída entre 1532 e 1637, tem uma estrutura gótica, com naves imponentes, arcobotantes elevados graciosos e decoração renascentista – de colunas, pilastras e arcadas coríntias. Molière foi bati-zado nesta igreja, e aí estão também os túmulos de Rameau e Marivaux.

Fontaine des Innocents

Ⓜ Les-Halles/RER Châtelet-Les-Halles. A Fontaine des Innocents é uma bonita fonte renascentista, toda decorada com baixos-relevos, e a mais antiga que existe em Paris desde 1549. Leva o nome do cemitério que existia nesse mesmo lugar, o Cimetière des Innocents.

Lojas

Agnès b.
Rue du Jour 2, 3, 6 e 19. Ⓜ Les-Halles/RER Châtelet-Les-Halles. Seg-sáb 10h-19h. A Agnès b. dá pouca atenção às tendências da moda, criando roupas duráveis para homens, mulheres e crianças. Seus carros-chefes são os cardigãs com colchetes de pressão e as camisetas indeformáveis.

Comptoir des Ecritures
Rue Quincampoix 35. Ⓜ Les-Halles/RER Châtelet-Les-Halles. Ter-sáb 11h-19h. Loja inteiramente dedicada à arte da caligrafia, com uma grande coleção de papéis, canetas, pincéis e tintas.

Pâtisserie Stohrer
Rue Montorgueil 51. Ⓜ Sentier. Diariam. 7h30-20h; fecha duas 1as semanas ago. Descubra o verdadeiro sabor do *pain aux raisins* na Pâtisserie Stohrer, fundada em 1730.

Cafés

Café Beaubourg
Rue St-Merri 43. Ⓜ Rambuteau/Hôtel-de-Ville. Seg-qua e dom 8h-1h, qui-sáb 8h-2h. Sentar-se sob os grandes toldos deste elegante café, que exibe as linhas fluidas do arquiteto Christian Portzamparc, é o melhor lugar para assistir ao movimento da praça no Centre Pompidou. É ótimo para um relaxado *brunch* no domingo (€22 pela refeição completa), incluindo ovos, hash browns (carne com batata) e salsicha. Bebidas a partir de €5.

L'Imprévu
Rue Quincampoix 7. Ⓜ Châtelet. Seg-sáb 12h-2h, dom 13h-2h. A decoração deste artístico café-bar certamente é um tanto imprevisível, com sua mistura de estilos, desde um aconchegante salão de chá na parte da frente até uma saleta nos fundos imitando uma tenda árabe. Há vários recantos íntimos onde você pode beber um chá ou um bom coquetel a preços razoáveis.

Restaurantes

Au Chien qui Fume
Rue du Pont-Neuf 33. Ⓜ Châtelet-Les Halles. ☎01.42.36.07.42. Seg-sex 12h-1h, sáb-dom 12h-2h. Batizada com o nome de um poodle local que se dizia fumar cigarros, esta brasserie bastante popular existe há séculos. Garçons de smoking servem especialidades da casa como ostras frescas, fricassê de lagosta e coxa de pato com lentilhas. Cardápio fixo a €28.

Georges
Centre Pompidou, último andar. Ⓜ Rambuteau/Hôtel-de-Ville. ☎01.44.78.47.99. Diariam. 12h-24h (exceto ter). Restaurante minimalista com vistas fantásticas sobre Paris (as mesas para fumantes têm as melhores vistas). O cardápio franco-asiático é razoável mas muito caro (os pratos principais variam de €20 a €30) – e não é o que mais atrai. Faça reservas no jantar.

La Tour de Montlhéry (Chez Denise)
Rue des Prouvaires 5. Ⓜ Louvre-Rivoli/Châtelet. ☎01.42.36.21.82. Seg-sex 12h-15h e 19h30-5h; fecha meados jul-meados ago. Antigo bistrô, ainda da época do mercado, abre a noite toda e serve pratos fortes de carne como *andouillette* (tripa), vísceras e costela, além do peculiar peixe com batatas fritas. No La Tour de Montlhéry, os pratos custam por volta de €22. Come-se em grandes

mesas coletivas e o ambiente é baru-lhento e enfumaçado. Reservas com antecedência.

Au Vieux Molière

Passage Molière, Rue Saint-Martin 157. Ⓜ Etienne-Marcel/Rambuteau/Châtelet. ☎01.42.78.37.87. Seg-sex 12h-14h e 20h-22h, sáb 20h-22h. Canções francesas tocadas ao fundo contribuem para o clima harmonioso deste aconchegante restaurante à luz de velas que serve a clássica culinária francesa. Comer no Au Vieux Molière custa cerca de €40 por pessoa.

Bares

A la Cloche des Halles

Rue Coquillière 28. Ⓜ Châtelet-Les Halles/Louvre. 12h-22h; fecha sáb fim de tarde e dom. O sino pendurado nesta pequena adega servia para marcar o fim do expediente no recinto do mercado, e a atmosfera geral é dada pelos comerciantes locais que aqui se reúnem depois do trabalho. Os vinhos deste bar são muito bons e podem vir acompanhados de presunto de Auvergne ou algum dos excelentes queijos. Os preços do A la Cloche des Halles são bastante razoáveis.

Kong

Rue du Pont Neuf 1, 5º andar. Ⓜ Pont-Neuf. ☎01.40.39.09.00, Ⓦwww.kong.fr. Diariam. 12h30-2h e clube noturno sex-sáb 23h-3h. Suba de elevador ao moderníssimo bar-restaurante projetado por Philippe Starck no alto do prédio da marca Kenzo. Decoração japonesa antiga e moderna: pense em gueixas e mangás. Happy hour diariam. 18h-20h. Bebidas de €6 a €11.

Le Petit Marcel

Rue Rambuteau 63. Ⓜ Rambuteau. Seg-sex 7h-2h, sáb-dom 11h-12h. No Le Petit Marcel há mesas, espelhos e azulejos Art Nouveau manchados, teto rachado e desbotado e um bar de, no máximo, 8 m², mas com um serviço e clima simpáticos.

Música ao vivo

Le Duc des Lombards

Rue des Lombards 42. Ⓜ Châtelet. ☎01.42.33.22.88, Ⓦwww.ducdeslombards.com. Seg-sáb 19h30-3h. Jazz-bar pequeno e despretensioso onde se ouvem gypsy jazz, blues, baladas e fusion jazz. Performances às 21h. Entrada a partir de €16.

▲ LE SUNSET

Le Sunset & Le Sunside

Rue des Lombards 60. Ⓜ Châtelet. ☎01.40.26.46.20, Ⓦwww.sunset-sunside.com. Dois clubes em um: o Le Sunside, no piso térreo, apresenta principalmente jazz tradicional; no subsolo, o Sunset é palco de jazz eletrônico e fusion jazz. Atrai grandes nomes. Performances todos os dias às 21h ou 22h. Entrada de €18 a €25.

Marais

Depois de escapar à sanha do barão Haussmann e ser poupado pelos progressos modernos, o Marais é uma das regiões mais sedutoras do centro, repleta de esplêndidas mansões renascentistas, ruas estreitas e restaurantes e bares lotados. Originalmente pouco mais que um charco à beira-rio (*marais*), a área foi drenada e tornou-se a preferida da aristocracia no início dos anos 1600, depois da construção da place des Vosges – ou place Royale, como era então conhecida. Contudo, essa fase áurea foi relativamente curta, e após a Revolução as mansões foram transformadas em cortiços miseráveis e as ruas degeneraram em uma imundície – hoje é difícil acreditar que seja uma das áreas mais cobiçadas de Paris.

A desocupação e a recuperação tiveram início nos anos 1960, e o bairro é hoje conhecido não só por sua sofisticação e tendências artísticas, mas por ser o preferido dos gays parisienses. No Marais, fica o antigo bairro judeu da cidade, concentrado na rue des Rosiers.

As melhores ruas para caminhar são a rue des Francs-Bourgeois, ladeada por butiques de moda e design de interiores, e a rue Vieille-du-Temple e a rue des Archives, por seus animados cafés e bares que ficam lotados dia e noite. Há também excelentes museus, entre eles o Musée Picasso, o Musée Carnavalet e o Musée d'Art et d'Histoire du Judaïsme, todos eles instalados em belas mansões renascentistas.

▼ MUSÉE D'ART ET D'HISTOIRE DU JUDAÏSME

Musée d'Art et d'Histoire du Judaïsme

Rue du Temple 71. Ⓜ Rambuteau. ⓦwww.mahj.org. Seg-sex 11h-18h, dom 10h-18h. €6,80. Ocupando o esplendidamente restaurado Hôtel de Saint-Aignan, o Musée d'Art et d'Histoire du Judaïsme percorre a cultura e a história judaicas, principalmente na França. O resultado é uma coleção bastante abrangente, não apenas bonita de ver mas bastante didática.

Entre os destaques há uma lâmpada Hanukkah em estilo gótico, um dos únicos artefatos franco-judaicos que sobreviveram do período anterior à

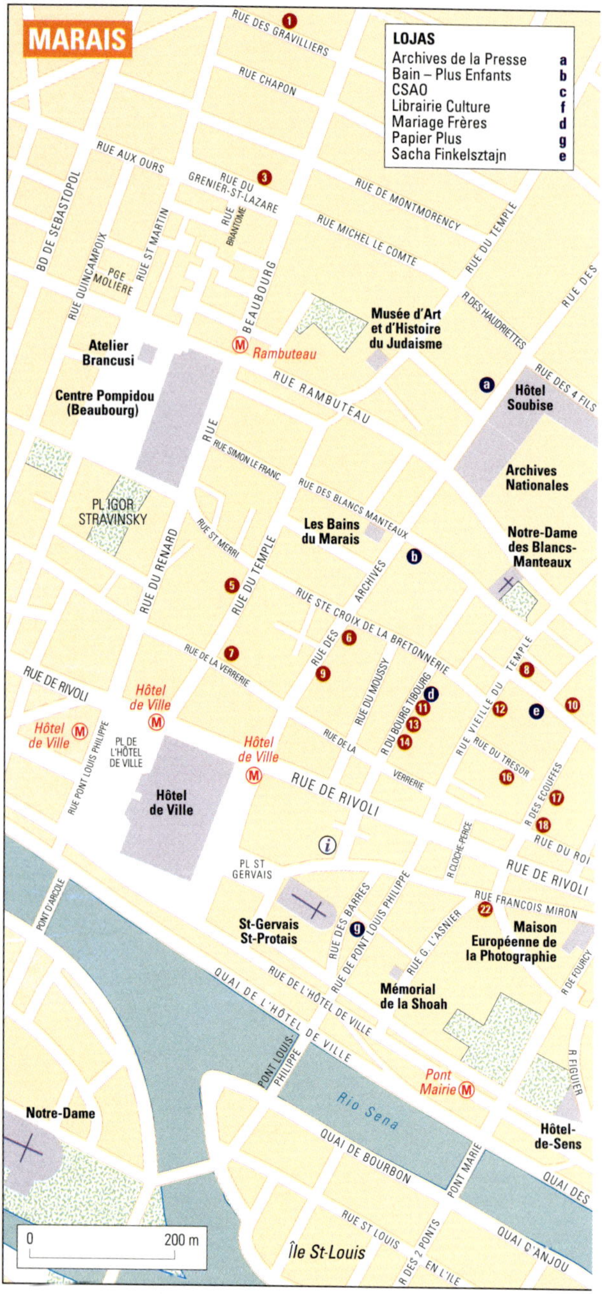
MARAIS
LOJAS
Archives de la Presse a
Bain – Plus Enfants b
CSAO c
Librairie Culture f
Mariage Frères d
Papier Plus g
Sacha Finkelsztajn e
RUE DES GRAVILLIERS
RUE CHAPON
RUE AUX OURS
RUE DU GRENIER-ST-LAZARE
RUE DE MONTMORENCY
RUE MICHEL LE COMTE
RUE BRANTÔME
BD DE SEBASTOPOL
RUE QUINCAMPOIX
PGE MOLIÈRE
RUE ST MARTIN
BEAUBOURG
RUE DU TEMPLE
R DES HAUDRIETTES
Musée d'Art et d'Histoire du Judaisme
Atelier Brancusi
Rambuteau
RUE RAMBUTEAU
RUE DES 4 FILS
Hôtel Soubise
Centre Pompidou (Beaubourg)
RUE SIMON LE FRANC
RUE DES BLANCS MANTEAUX
Archives Nationales
PL IGOR STRAVINSKY
Les Bains du Marais
RUE ST MERRI
Notre-Dame des Blancs-Manteaux
RUE DU RENARD
ARCHIVES
RUE STE CROIX DE LA BRETONNERIE
RUE DE LA VERRERIE
RUE DE RIVOLI
Hôtel de Ville
RUE DU MOUSSY
R DU BOURG TIBOURG
RUE VIEILLE DU TEMPLE
RUE DU TRESOR
RUE PONT LOUIS PHILIPPE
PL DE L'HÔTEL DE VILLE
RUE DE LA VERRERIE
R DES ECOUFFES
RUE DU ROI
R CLOCHE-PERCE
PL ST GERVAIS
RUE FRANCOIS MIRON
PONT D'ARCOLE
St-Gervais St-Protais
RUE DES BARRES
RUE DE PONT LOUIS PHILIPPE
RUE G. L'ASNIER
Maison Européenne de la Photographie
R DE FOURCY
Mémorial de la Shoah
RUE DE L'HÔTEL DE VILLE
QUAI DE L'HÔTEL DE VILLE
PONT LOUIS-PHILIPPE
Pont Marie
R FIGUIER
Rio Sena
Notre-Dame
Hôtel-de-Sens
QUAI DE BOURBON
PONT MARIE
QUAI DES
QUAI D'ANJOU
RUE ST LOUIS EN L'ILE
R DES 2 PONTS
Île St-Louis
0
200 m

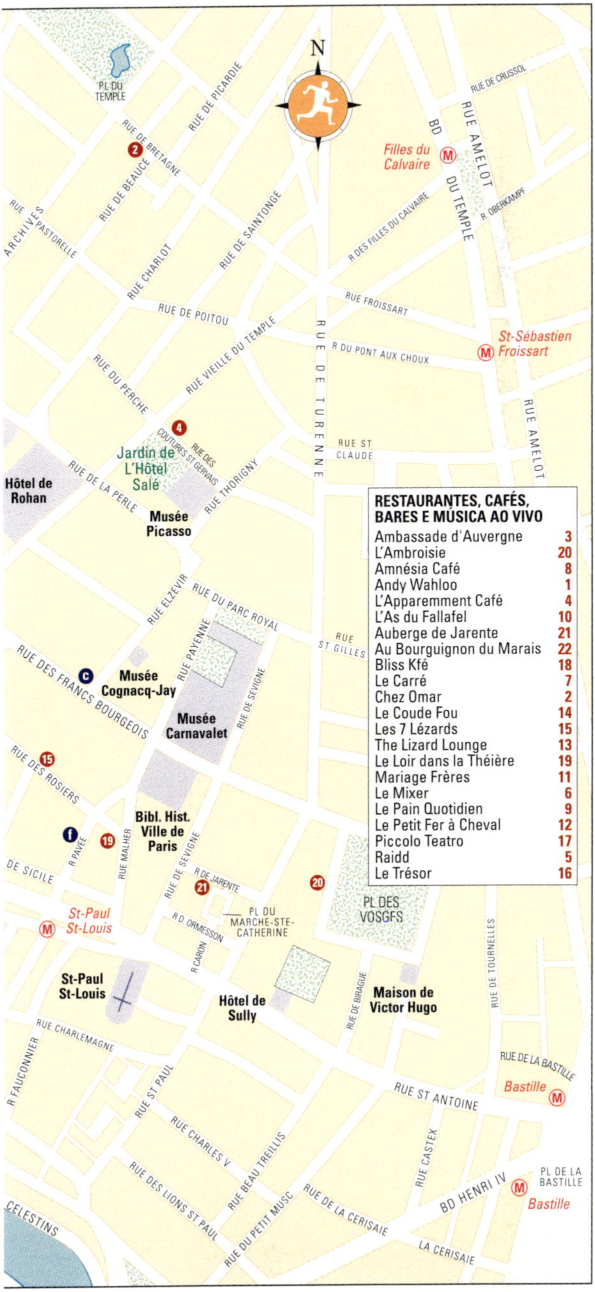
RESTAURANTES, CAFÉS, BARES E MÚSICA AO VIVO
Ambassade d'Auvergne 3
L'Ambroisie 20
Amnésia Café 8
Andy Wahloo 1
L'Apparemment Café 4
L'As du Fallafel 10
Auberge de Jarente 21
Au Bourguignon du Marais 22
Bliss Kfé 18
Le Carré 7
Chez Omar 2
Le Coude Fou 14
Les 7 Lézards 15
The Lizard Lounge 13
Le Loir dans la Théière 19
Mariage Frères 11
Le Mixer 6
Le Pain Quotidien 9
Le Petit Fer à Cheval 12
Piccolo Teatro 17
Raidd 5
Le Trésor 16
N
PL DU TEMPLE
Filles du Calvaire
St-Sébastien Froissart
Jardin de L'Hôtel Salé
Hôtel de Rohan
Musée Picasso
Musée Cognacq-Jay
Musée Carnavalet
Bibl. Hist. Ville de Paris
St-Paul St-Louis
PL DU MARCHE-STE-CATHERINE
PL DES VOSGES
Hôtel de Sully
Maison de Victor Hugo
Bastille
PL DE LA BASTILLE
RUE DE BRETAGNE
RUE DE PICARDIE
RUE DE BEAUCE
RUE DE SAINTONGE
RUE CHARLOT
RUE PASTORELLE
ARCHIVES
RUE DE POITOU
RUE VIEILLE DU TEMPLE
RUE DU PERCHE
RUE DES COUTURES ST GERVAIS
RUE DE LA PERLE
RUE THORIGNY
RUE DE TURENNE
RUE DE CRUSSOL
RUE AMELOT
BD DU TEMPLE
R. OBERKAMPF
R DES FILLES DU CALVAIRE
RUE FROISSART
R DU PONT AUX CHOUX
RUE ST CLAUDE
RUE DU PARC ROYAL
RUE ELZEVIR
RUE PAYENNE
RUE DE SEVIGNE
RUE ST GILLES
RUE DES FRANCS BOURGEOIS
RUE DES ROSIERS
R PAVEE
RUE MALHER
DE SICILE
R DE JARENTE
R.D. ORMESSON
R CARON
RUE DE BIRAGUE
RUE DE TOURNELLES
RUE DE LA BASTILLE
RUE ST ANTOINE
RUE CHARLEMAGNE
R FAUCONNIER
RUE ST PAUL
RUE CHARLES V
RUE BEAU TREILLIS
RUE DES LIONS ST PAUL
RUE DU PETIT MUSC
RUE DE LA CERISAIE
LA CERISAIE
RUE CASTEX
BD HENRI IV
CELESTINS

expulsão dos judeus do país em 1394; uma cadeira de circuncisão dourada italiana do século 17; e uma sukkah austríaca ou residência temporária para a celebração da colheita, do fim do século 19, completamente intacta.

O museu também abriga os arquivos Dreyfus, com uma sala dedicada ao famoso caso Dreyfus, segundo o qual a injusta condenação por traição do capitão judeu Alfred Dreyfus provocou uma profunda divisão na sociedade francesa, despertando, de um lado, simpatias socialistas e anticlericais, e, de outro, sentimentos conservadores e anti-semitas.

As últimas salas contêm uma importante coleção de pinturas e esculturas de artistas judeus – Marc Chagall, Samuel Hirszenberg, Chaïm Soutine e Jacques Lipchitz – que vieram morar em Paris no início do século 20.

A única referência ao Holocausto no Musée d'Art et d'Historie du Judaïsme é uma instalação do artista contemporâneo Christian Boltanski: a própria ausência do tema causa um impacto poderoso em uma visita a este museu da história do judaísmo.

Hôtel Soubise e Hôtel de Rohan

Rue des Francs-Bourgeois 60. Ⓜ Rambuteau/St-Paul. Seg e qua-sex 10h-12h30 e 14h-17h30, sáb-dom 14h-17h30. Admissão varia. O bairro todo, da rue des Quatre Fils e rue des Archives, e da rue Vieille-du-Temple até a rue des Francs-Bourgeois, era repleto de magníficos palácios do início do século 18. Hoje, existe apenas a metade desses palácios no Marais, mas todos esplendorosos, especialmente o Hôtel Soubise com um grande pátio cercado por colunas, rococós fabulosos em seus interiores e vestígios de torres do século 14 na rue des Quatre Fils. O Hôtel Soubise abriga os arquivos da cidade e monta exposições temporárias de seu extenso acervo. O contíguo Hôtel de Rohan também costuma expor seus arquivos, mas seus interiores são ainda mais luxuosos que os do Hôtel Soubise. É o caso do Cabinet des Singes, de inspiração chinesa, cujas pinturas das paredes são macacos representando várias cenas aristocráticas.

▲ HÔTEL SOUBISE

Musée Picasso

Rue de Thorigny 5. Ⓜ Chemin Vert/ St-Paul. ⓦwww.musee-picasso.fr. Diariam. (exceto ter): abr-set 9h30-18h; out-mar 9h30-17h30. €9,50, grátis para menores de 18 anos e no 1º dom do mês. Atrás da elegante fachada clássica do século 17 do Hôtel Salé está o Musée Picasso. É a maior coleção que existe de obras do artista, representando quase todos os principais períodos de sua vida, de 1905 em diante. Muitos trabalhos pertenciam ao próprio Picasso, e depois de sua morte, em 1973, foram confiscados pelo Estado para quitar dívidas de impostos. O resultado é um corpo de obras inédito, o qual, embora talvez não estejam incluídas nele as mais reconhecidas obras-primas de Picasso, dá uma idéia da evolução do artista e uma visão da pessoa que existia por trás do mito em que se transformara.

Os trabalhos mais atraentes da exposição são aqueles que retratam suas mulheres, amantes e filhos. Os retratos de suas amantes Dora Maar e Marie-Thérèse, exibidos lado a lado na sala 13, mostram como duas mulheres inspiraram Picasso de maneira diferente: elas estão na mesma pose, mas Dora é pintada com linhas longas e cores vibrantes, sugerindo uma personalidade forte e apaixonada, enquanto as cores sóbrias e os contornos suaves de Marie-Thérèse transmitem serenidade e paz.

O museu também possui um número substancial de gravuras, cerâmicas e esculturas, refletindo a notável facilidade com que Picasso ia de um meio a outro. Entre as esculturas que mais chamam a atenção, na sala 17, do Musée Picasso estão as criadas com objetos domésticos, como a cativante *A cabra*, cuja barriga é feita com uma cesta, e *Cabeça de boi*, engenhosa combinação de selim e guidão de bicicleta.

Musée Cognacq-Jay

Rue Elzévir 8. Ⓜ St-Paul. Ter-dom 10h-16h. Grátis. O compacto Musée Cognacq-Jay está no bonito Hôtel Donon. A família Cognacq-Jay possuía a loja de departamentos Samaritaine e seus membros eram conhecidos filantropos e amantes da arte européia. O acervo de peças do século 18 do Musée Cognacq-Jay inclui alguns trabalhos de Canaletto, Fragonard, Rubens e Rembrandt, bem como uma bela natureza-morta de Chardin, exibido em salas com belos painéis de madeira esculpidos, repletas de porcelana de Sèvres e móveis estilo Luís XV.

▲ MUSÉE PICASSO

▲ MUSÉE CARNAVALET

Musée Carnavalet

Rue de Sévigné 23. Ⓜ St-Paul. Ter-dom 10h-18h. Grátis. O Musée Carnavalet mapeia a história de Paris desde a origem até a belle époque, através de uma extraordinária coleção de pinturas, esculturas, artes decorativas e descobertas arqueológicas espalhadas por 140 salas. O museu ocupa duas bonitas mansões renascentistas, o Hôtel Carnavalet e o Hôtel Le Peletier, e é rodeado por um bonito jardim que por si só vale uma visita.

Entre os detaques do andar térreo, dedicado em sua maior parte à história antiga de Paris, há uma estufa de plantas que abriga importantes achados do período Neolítico, incluindo várias pirogas de madeira que foram desenterradas por ocasião da recuperação da área ribeirinha de Bercy nos anos 1990.

No primeiro andar dominam as artes decorativas, com inúme-ros salões e boudoirs repletos de painéis de madeira esculpida e tapeçarias do período de Luís XII a Luís XVI, recuperados dos prédios que foram derrubados para dar lugar aos bulevares de Haussmann. A sala 21 é dedicada à famosa escritora de cartas Madame de Sévigné, que vivia na mansão Carnavalet e escreveu uma série de cartas a sua filha retratando em detalhes o seu privilegiado estilo de vida sob o reinado de Luís XIV. As salas 128 a 148 são praticamente todas voltadas para a belle époque, evocada através de inúmeras telas do período e alguns belos interiores Art Nouveau, entre os quais os suntuosos interiores verde-pavão desenhados por Alphonse Mucha para a joalheira Fouquet na rue Royal. Outro bem preservado é o salão de baile Art Déco de José-Maria Sert, com sua extra-vagante decoração folheada a ouro e pinturas em tamanho natural, dentre elas a da rainha de Sheba com um séquito de elefantes. Perto daí há uma seção dedicada à vida literária no início do século 20 que inclui uma re-construção do quarto de Proust (sala 147).

As salas do segundo andar têm recordações da Revolução Francesa: declarações originais dos Direitos do Homem e do Cidadão, modelos incríveis de guilhotina, louça com slogans revolucionários e até ordens de execução, para que você também enxugue uma lágrima pelos monarquistas.

▲ DELICATESSEN NO BAIRRO JUDEU

Bairro judeu: rue des Rosiers

Ⓜ St-Paul. Recheada de lojas de comida kosher, mercearias, restaurantes e livrarias hebraicas, a estreita e agitada rue des Rosiers tem sido o centro do bairro judeu desde o século 12 e continua sendo, apesar da invasão de bares da moda e de lojas de roupas. O bairro tem um sabor distintamente mediterrâneo, como se pode perceber nas muitas bancas de falafel, testemunhas da influência dos sefarditas do norte da África, os quais, desde o término da Segunda Guerra Mundial, aí buscaram refúgio das incertezas da vida nas antigas colônias francesas.

▼ PLACE DES VOSGES

Place des Vosges

Ⓜ St-Paul. Grande quadra de simétricos tijolos rosados e mansões de pedra sobre as arcadas, esta praça é uma obra-prima de elegância aristocrática e o primeiro exemplo de desenvolvimento planejado na história de Paris. Ela foi construída por Henrique IV e inaugurada em 1612 para o casamento de Luís XIII com Ana da Áustria; a réplica da estátua de Luís ergue-se à sombra das castanheiras em um jardim de grama e cascalho, no centro da praça, onde é possível deitar, algo raro na cidade.

Apesar das vicissitudes da história, a praça jamais perdeu seu status de endereço exclusivo. Hoje, os parisienses endinheirados freqüentam as lojas de arte, antiguidades e moda sob as arcadas, e almoçam nos restaurantes ao ar livre ouvindo os músicos de rua tocar os clássicos.

Maison de Victor Hugo

Ⓜ St-Paul. Ter-dom 10h-18h, fecha feriados. Grátis. Entre as inúmeras celebridades que moraram na place des Vosges estava Victor Hugo; sua casa, no nº 6, onde ele escreveu grande parte de *Os miseráveis*, é hoje um museu, a Maison de Victor Hugo. A vida de Hugo, incluindo os 19 anos de exílio em Jersey e Guernsey, é evocada através de uma coleção de *memorabilia*, retratos e fotografias. O que o museu pretende, contudo, é dar uma idéia de sua prodigiosa criatividade: além de ser um escritor prolífico, ele gostava de desenhar e projetar os próprios móveis. Alguns desses desenhos e móveis em estilo gótico estão expostos, e uma sala de jantar em estilo chinês que ele desenhou para a sua casa em Guernsey foi toda recriada.

Hôtel de Sully

Rue St-Antoine 62. Ⓜ St-Paul. Ter-sex 12h-19h, sáb-dom 10h-19h. €5.
O magnífico Hôtel de Sully renascentista é irmão do Jeu de Paume (pág. 84) e monta exposições fotográficas temporárias. O jardim formal da mansão, sua estufa e seus bancos de madeira são um irresistível convite a um tranqüilo repouso.

Quartier St-Paul-St-Gervais

Ⓜ St-Paul. O setor sul do Marais, abaixo das ruas de Rivoli e St-Antoine, é mais silencioso que a parte norte e tem recantos mais atraentes, como a rue des Barres com seu calçamento de pedras e impregnada pelo perfume das rosas dos jardins vizinhos ou de uma ocasional onda de incenso vinda da igreja de St-Gervais-St-Protais, antiga construção gótica cujo exterior está bem danificado depois de ter sido atingido por um projétil lançado de um canhão Big Bertha em 1918. Em seu interior há belos vitrais, genuflexórios entalhados e um órgão do século 17 – o mais antigo de Paris.

Mémorial de la Shoah

Rue Geoffroy l'Asnier 17. Ⓜ St-Paul/ Pont-Marie. www.memorialdelashoah.org. Seg-sex e dom 10h-18h (qua até 22h). Grátis. Desde 1956 este é o Mémorial du Martyr Juif Inconnu (Memorial do Mártir Judeu Desconhecido), uma cripta sombria contendo uma grande estrela-de-davi de mármore negro com uma vela no centro. Em 2005 o presidente Jacques Chirac inaugurou aí um novo museu e descerrou um Muro de Nomes: quatro gigantescas pedras de mármore gravadas com os nomes dos 76 mil judeus enviados a campos de concentração de 1942 a 1944. O peso desses nomes é insuportável. O novo museu faz um relato contundente da história dos judeus na França, especialmente em Paris, durante a ocupação alemã. Aí estão as últimas cartas dos deportados à família, testemunhos gravados de sobreviventes, inúmeras carteiras de identidade e fotos.

Maison Européenne de la Photographie

Rue de Fourcy 4. Ⓜ St-Paul. www.mep-fr.org. Qua-dom 11h-20h. €6, grátis qua após as 17h. Ocupando uma suntuosa mansão do início do século 18 no Marais, o Hôtel Hénault de Cantobre foi transformado em um amplo espaço dedicado à arte da fotografia contemporânea. Mostras temporárias combinam-se com a exposição cíclica do acervo permanente do museu. Jovens fotógrafos ganharam o seu espaço, bem como artistas que usam a fotografia em criações multimídia ou instalações artísticas.

Hôtel de Ville

Ⓜ Rambuteau/Hotel-de-Ville. O Hôtel de Ville, onde fica a prefeitura da cidade, é uma mansão de proporções gigantescas em floreado estilo neo-renascentista, idêntica ao prédio anterior destruído por um incêndio durante a Comuna de 1871. A imensa praça na frente do Hôtel de Ville, onde ficava a guilhotina na época da Revolução Francesa, transforma-se numa popular pista de skate no gelo (dez-fev). É grátis e é particularmente mágico à noite – abre até a meia-noite nos fins de semana, quando você pode alugar skates por cerca de €5.

Lojas

Archives de la Presse

Rue des Archives 51. Ⓜ Rambuteau. Seg-sáb 10h30-19h. Uma loja fascinante de se entrar para folhear antigos jornais e revistas franceses – *Vogues* antigas e outras.

Bain – Plus Enfants

Rue des Blancs Manteaux 23. Ⓜ Hotel-de-Ville. Ter-sáb 11h-19h30. Voltada para crianças até 12 anos, esta loja tem uma irresistível variedade de itens de cama e banho: pijamas chiques, robes com capuz, toalhas macias e ursos fofinhos.

▼ HÔTEL DE VILLE

▲ VITRINE CHIQUE DO MARAIS

empório de chás e cafés (casa de chá na pág. seguinte).

Papier Plus

Rue du Pont-Louis-Philippe 9. Ⓜ Hotel-de-Ville. Seg-sáb 12h-19h. Papelaria colorida de alta qualidade, além de cadernos, álbuns de fotos e portfólios para artistas.

Sacha Finkelsztajn

Rue des Rosiers 27. Ⓜ Hotel-de-Ville. Seg e ter-dom 10h-14h e 15h-19h; fecha ago. Maravilhosa delicatessen judaica para comprar salgados e doces: pães do Leste Europeu, strudel de maçã, peixe gefilte, purê de berinjela, tarama, *blinis* e *borsch*.

CSAO (Compagnie du Sénégal et de l'Afrique de l'Ouest)

Rue Elzévir 1 & 3. Ⓜ St-Paul. Seg-sáb 11h-19h, dom 14h-19h. Arte e artesanato da África ocidental a preços justos, incluindo lenços maleses de algodão em cores vibrantes e vidro pintado do Senegal.

Librairie Culture

Rue Pavée 17 bis. Ⓜ St-Paul. Seg-sáb 10h30-19h. Caverna de Aladim, ocupando três andares, com livros por toda parte – a maioria de segunda mão e devoluções. Boas ofertas em títulos de arte.

Mariage Frères

Rue du Bourg-Tibourg 30. Ⓜ Hotel-de-Ville. Loja diariam. 10h30-19h30. Centenas de chás em lindas latas alinhadas do chão ao teto nas prateleiras deste centenário

Hammams (Banhos turcos)

Les Bains du Marais

Rue des Blancs-Manteaux 31-33. Ⓜ Rambuteau/St-Paul. www.lesbainsdumarais.com. Só mulheres seg 11h-20h, ter 11h-23h, qua 10h-19h; só homens qui 11h-23h, sex 10h-20h; sessões mistas qua 19h-23h, sáb 10h-20h, dom 11h-23h. Sauna e sala de vapor. €35. É mais um spa da moda do que um hammam, com clientela sofisticada e instalações gloriosas.

▼ LOJA DE CHÁS MARIAGE FRÈRES

Tem esteticistas, massagistas e cabeleireiros, e você pode ficar por ali relaxando, enrolado num robe, bebendo chá de menta e lendo jornal. Use maiô nas sessões mistas.

▲ RUE VIEILLE-DU-TEMPLE

Cafés

L'Apparemment Café

Rue des Coutures-St-Gervais 18. Ⓜ St-Sébastien-Froissart. Seg-sex 12h-14h, sáb 16h-2h, dom 12h30-24h. Café elegante e muito aconchegante, com várias salas de estar com cantinhos íntimos e sofás confortáveis. Recomedam-se as saladas, que você mesmo monta ticando os ingredientes escolhidos e entregando o pedido ao garçom.

L'As du Falafel

Rue des Rosiers 34. Ⓜ St-Paul. Seg-ter e dom 12h-24h. Há sempre fila para este ás do falafel; pedidos para viagem a partir de €3,50, ou pague um pouco mais e sente-se lá dentro.

Le Loir dans la Théière

Rue des Rosiers 3. Ⓜ St-Paul. Seg-sex 11h-19h, sáb-dom 10h-19h. Salão de chá moderno e festivo, onde você se afunda em sofás macios e se lança sobre desafiadoras fatias de deliciosos bolos caseiros. É muito concorrido no *brunch* de domingo (a partir de €15); chegue bem cedo ou conforme-se com uma longa espera.

Mariage Frères

Rue du Bourg-Tibourg 30. Ⓜ Hôtel-de-Ville. Diariam. 12h-19h. Elegante salão de chá em estilo colonial no piso térreo do empório de chás Mariage Frères, com uma oferta de mais de 500 sabores (pág. anterior).

Le Pain Quotidien

Rue des Archives 18. Ⓜ Hotel-de-Ville. Diariam. 8h-20h. Café-padaria da moda, onde se pode sentar para comer numa longa mesa comunitária. Com saladas substanciosas, *tartines* (sanduíches abertos), pães excelentes e um bom *brunch* de domingo (€15).

Restaurantes

Ambassade d'Auvergne

Rue de Grenier St-Lazare 22. Ⓜ Rambuteau. ☎01.42.72.31.22. Diariam. 12h-14h e 17h30-22h; fecha duas últimas semanas ago. Garçons de bigode e traje típico servem um cardápio de Auvergne tão bom que deixaria Vercingétorix orgulhoso. Cardápio fixo por €27, ou as especialidades como a *blanquette d'agneau* (cozido de cordeiro branco roquefort por €18).

L'Ambroisie

Place des Vosges 9. Ⓜ St-Paul. ☎01.42.78.51.45. Ter-sáb 12h-14h e 19h-22h15; fecha ago. O 19° entre os 20 da bíblia dos gourmets *Gault et Millau*, com comida excelente em salão de jantar decorado com tapeçarias. É preciso reservar antes. Espere conta acima de €200 neste elegante restaurante.

Auberge de Jarente

Rue Jarente 7. Ⓜ St-Paul. ☎01.42.77.49.35. Ter-sáb 12h-14h30 e 19h30-22h30; fecha ago. Simpático restaurante basco, serve pratos fortes como *cassoulet*, cozido de lebre, *magret de canard*, *pipérade* e outros. Cardápios fixos por €21 e €30.

Au Bourgignon du Marais

Rue François Miron 52. Ⓜ St-Paul. ☎01.48.87.15.40. Seg-sex 12h-15h e 20h-23h; fecha duas semanas ago. Lugar simpático e descontraído, com decoração contemporânea e mesas externas no verão. Excelentes pratos borgonheses e vinhos selecionados. Pratos de €15 a €25 e vinhos a partir de €20.

Chez Omar

Rue de Bretagne 47. Ⓜ Temple/Filles-du-Calvaire. ☎01.42.72.36.26. Seg-sáb 12h-14h30 e 19h-23h30, dom 19h-23h30; não aceita cartões ou reserva. Restaurante concorrido, serve cuscuz norte-africano em bonita e antiga brasserie. O cuscuz leve e solto vem em porções generosas. O *merguez* custa €12, ou peça direto o *royal* (€22).

Le Coude Fou

Rue du Bourg-Tibourg 12. Ⓜ Hôtel-de-Ville. ☎01.42.77.15.16. Diariam. 12h-14h45 e 19h30-24h. Popular e descontraído bistrô de vinhos, com vigas de madeira e murais coloridos. Serve pratos tradicionais e outros mais criativos como entrecôte au bleu d'Auvergne. Cardápio de €20 a €30.

Piccolo Teatro

Rue des Ecouffes 6. Ⓜ St-Paul. ☎01.42. 72.17.79. Ter-dom 12h-15h e 19h15-23h; fecha ago. Aconchegante restaurante vegetariano com luz indireta, paredes de pedra e vigas de madeira. Especialista em gratinados, que têm nomes poéticos como *douceur et tendresse* (espinafre, menta, mozarela e gruyère). Há poucas mesas, portanto reserve. Pratos de €15 a €20, sem bebida.

Bares

Amnésia Café

Rue Vieille-du-Temple 42. Ⓜ Hotel-de-Ville/St-Paul. Diariam. 10h-2h. Um dos bares gays mais descontraídos e simpáticos no Marais, com clientela predominantemente parisiense e elegante jogada nos confortáveis sofás. Pouco iluminado, íntimo e aberto a héteros.

Andy Wahloo

Rue des Gravilliers 69. Ⓜ Arts-et-Métiers. Seg-sáb 12h-2h. Este bar popular, com decoração inspirada na pop art original, e tocando uma ampla variedade de música para dançar, fica lotado nos fins de semana. As bebidas custam cerca de €10 e deliciosos petiscos são servidos até meia-noite.

Bliss Kfé

30 Rue du Roi de Sicile. Ⓜ Hotel-de-Ville/St-Paul-St-Louis. Diariam.17h-2h. Este agradável e dilapidado bar de lésbicas fica numa antiga *boulangerie* no centro do triângulo rosa. É freqüentado por mulheres jovens e modernas, mas os gays também são bem-vindos. Nas noites de terça, sexta e sábado os DJs aquecem a temperatura, mas é um endereço sempre simpático e relaxado.

Le Carré

Rue du Temple 18. Ⓜ Hotel-de-Ville. Diariam. 10h-4h. O Le Carré é um café com estilo. Oferece boa comida, poltronas confortáveis, iluminação suave e excelente terraço na rua. Está sempre cheio de parisienses sofisticados e elegantes, e tem uma fiel clientela gay local.

The Lizard Lounge
Rue du Bourg-Tibourg 18. Ⓜ Hôtel-de-Ville/St-Paul. Diariam. 12h-2h. Bar animado e barulhento, com parede de pedra e dois andares; é dirigido e freqüentado por americanos. Tem 50 opções de coquetéis relativamente caros.

Le Mixer
Rue Ste-Croix de la Bretonnerie 23. Ⓜ Hôtel-de-Ville. Diariam. 17h-2h. Este popular e sempre cheio bar do Marais aumenta a pulsação dos pré-clubbers gays e héteros com sua trilha de techno e house.

Le Petit Fer à Cheval
Rue Vieille-du-Temple 30. Ⓜ St-Paul. Seg-sex 9h-2h, sáb-dom 11h-2h. Pequeno e bonito bistrô-bar com decoração fin-de-siècle original. Coma um sanduíche ou uma refeição leve na salinha dos fundos mobiliada com antigas cadeiras rétro de madeira. Serve refeições (12h-24h).

Raidd
Rue du Temple 23. Ⓜ Hotel-de-Ville. Diariam. 17h-2h. O Raidd é o primeiro bar gay da cidade, famoso pelos garçons sem camisa e corpos esculturais, pelos shows de go-go boys no chuveiro e muita diversão. Pode recusar héteros e caretas.

Le Trésor
Rue Trésor 7. Ⓜ St-Paul. Diariam. 9h-2h. Este bar-restaurante antigo, freqüentado por jovens, foi reformado e ganhou muitas cores luminosas, veludos, espelhos côncavos e nichos aconchegantes. Os peixinhos dourados das cisternas do toalete farão você pensar que bebeu demais, mas não se preocupe que eles não irão embora quando você der descarga.

Música ao vivo

Les 7 Lézards
Rue des Rosiers 10. Ⓜ St-Paul. ☎01.48. 87.08.97, Ⓦwww.7lezards.com.Diariam. até 2h.: concertos às 19h e às 22h. €10-18. Aconchegante e íntimo jazz-club com atrações locais e internacionais. Também recebe músicos de world music e tem um restaurante decente.

▼ LE PETIT FER À CHEVAL

Quartier Latin

O Quartier Latin sempre esteve associado aos estudantes desde que a Sorbonne foi fundada, no século 13. Seu nome se deve à língua latina falada na universidade medieval, encravada nas encostas da Montagne Ste-Geneviève. Até hoje há muitas escolas na região, ao lado de fascinantes vestígios da cidade medieval como os que se vêem na igreja gótica de St-Séverin e no Hôtel de Cluny, do período renascentista, onde está o museu nacional da Idade Média. O bairro, antes habitado por estudantes ricos, começou a definhar nos últimos anos – notadamente em torno da hoje famosa place St-Michel – devido aos altos aluguéis que empurram artistas e intelectuais para além de seus limites, mas seus cafés, restaurantes e cinemas de arte até hoje ficam lotados de jovens, fazendo desta área uma das mais tranqüilas de Paris para circular.

Bairro de Huchette

Ⓜ St-Michel. A agitação turística nunca esteve tão em baixa nas imediações da rue de la Huchette, a oeste da place St-Michel, mas esqueça os bares baratos e as caríssimas tavernas gregas de frutos-do-mar e disco music e você encontrará saudosas reminiscências da Paris medieval. A rue de la Huchette liga-se à beira-rio através de uma estreita viela, a rue du Chat-qui-Pêche, que lembra como era Paris antes de o barão Haussmann destruí-la para rasgar os seus amplos bulevares.

A igreja de **St-Séverin** (seg-sáb 11h-19h15, dom 9h-20h30), basicamente do século 15, é uma das mais bonitas. Seu coro em gótico *flamboyant* apóia-se sobre um pilar central espiralado – trabalho em pedra de um virtuose – e suas janelas exibem vitrais do pintor francês moderno Jean Bazaine. Os entalhes em forma de labaredas que dá nome ao estilo *flamboyant* bruxuleiam no arco da janela sobre a porta de entrada, enquanto, interiormente, os primeiros três pilares da nave traem a origem mais antiga da igreja, que remonta ao século 13.

▲ ABÓBADA *FLAMBOYANT* NA ST-SÉVERIN

Margem do rio Sena

Ⓜ St-Michel. A faixa à beira-rio a leste da place St-Michel é ideal para passear e explorar os livros, postais, gravuras e os vários objetos vendidos pelos *bouquinistes* (livreiros), que exibem suas mercadorias em caixas com tampa verde penduradas no parapeito. A vista de Notre-Dame, na outra margem do Sena, é maravilhosa, especialmente da praça Viviani – uma agradável área verde com uma velha árvore quebrada que dizem ser a mais antiga de Paris, uma falsa acácia trazida da Guiana em 1680. A igreja mutilada que existe atrás é a **St-Julien-le-Pauvre** (diariam. 9h30-12h30 e 15h-18h30), outrora palco de assembléias universitárias, até ser destruída por estudantes descontrolados em 1524. Para ter uma vista ainda melhor da Notre-Dame, caminhe pela margem do rio até a ponta da Île St-Louis e a Ponte de Sully.

Institut du Monde Arabe

Rue des Fossés St-Bernard 1. Ⓜ Jussieu. ⓦwww.imarabe.org. Ter-dom 10h-16h. Museu €5. Muitos vêm ao Institut du Monde Arabe (IMA) só para admirar o belo design – trabalho de um grupo de arquitetos, entre eles o famoso Jean Nouvel. Do lado de fora, o IMA é uma grossa fatia de vidro e aço que evidencia a obsessão de Nouvel pela luz – a fachada sul contém milhares de portinholas sensíveis à luz que regulam o nível de luminosidade interior e, ao mesmo tempo, simulam uma *moucharabiyah* (tradicional sacada de treliça árabe).

Há, no interior, um centro cultural voltado para a maior compreensão do mundo árabe. Há ótimas exposições temporárias de arte e cultura árabe e islâmica, programação regular de filmes e de concertos, em geral apresentados por importantes artistas do mundo árabe. E, o mais importante, o **museu**, que traça a evolução da arte e da civilização islâmica. Globos celestes de bronze, astrolábios, compassos e relógios de sol ilustram a avançada ciência árabe medieval, enquanto as cerâmicas lindamente gravadas, os trabalhos em metal e a tapeçaria de todo o mundo muçulmano compõem o lado artístico. No nono andar, há um terraço com sua vista inesquecível da abside de Notre-Dame, do outro lado do Sena, além de um café-restaurante (pág. 128).

Musée National du Moyen Age

Entrada pela place Paul-Painlevé 6. Ⓜ Cluny-La Sorbonne. ⓦwww.musee-moyenage.fr. Seg e qua-dom 9h15-17h45. €6,50, (dom €4,50). Concertos sex 12h30 e sáb 16h. O Hôtel de Cluny é uma magnífica mansão do século 16, que foi construída pelos abades do poderoso mosteiro de Cluny para ser seu pouso em Paris, e hoje abriga o importante Musée National du

▲ INSTITUT DU MONDE ARABE

Moyen Age. O museu é depositário de preciosas tapeçarias, cadeiras de coro entalhadas, retábulos, marfins, vitrais, livros de horas ornados com iluminuras, jogos, bronzes e suntuosos objetos artísticos de toda espécie. A maior atração do acervo é a magnífica série de tapeçarias do século 15 conhecida como *Dama com o unicórnio*, exposta em uma câmara em forma de capela, especialmente sombreada, no primeiro andar. Mesmo que você entenda imediatamente o significado alegórico das tapeçarias – elas representam os cinco sentidos –, é difícil não se dei-

xar levar pela riqueza de detalhes e de cores. O significado da sexta e última tapeçaria é um mistério: a cena é uma mulher tirando o colar para guardá-lo em uma caixa de jóias que está nas mãos da criada. No alto, lê-se a frase "A Mon Seul Désir" ("Ao meu único desejo").

O prédio também é uma das atrações: algumas salas são decoradas em estilo original e a capela gótica *flamboyant* preserva as abóbadas originais que se irradiam de um pilar central. Você também pode explorar as ruínas dos banhos romanos em Paris, do século 3°, as **Thermes**

ENTRADA DO MUSÉE DU MOYEN AGE

de Cluny, cujos característicos arcos arredondados e as barras em alvenaria podem ser vistos também do boulevard St-Michel.

Marque o horário de sua visita de modo a coincidir com um dos excelentes concertos de música medieval que acontecem duas vezes por semana no interior do museu.

Place de la Sorbonne

Ⓜ Cluny-La Sorbonne / RER Luxembourg. Livre dos carros, a place de la Sorbonne é um ótimo lugar para se sentar e curtir a atmosfera do Quartier Latin, com suas limeiras, fontes, cafés e o vaivém dos estudantes. Assistindo a tudo isso erguem-se os altos muros da **Sorbonne**, que era a mais importante universidade medieval, encravados no alto da Montagne Ste-Geneviève. Mais recentemente teve grande destaque nas revoltas estudantis de 1968 – e novamente na primavera de 2006. A fachada é dominada pela Chapelle Ste-Ursule, construída na década de 1640 pelo importante cardeal Richelieu, cujo túmulo está em seu interior. Uma obra de enorme influência em Paris por se contrapor descaradamente ao estilo romano da Contra-Reforma. Ajudou a estabelecer uma tendência por domos, muitos dos quais passaram a dominar os horizontes da cidade na última parte do século 17.

Panthéon

Ⓜ Cardinal Lemoine/RER Luxembourg. Diariam.: abr-set 10h-18h30; out-mar 10h-18h. €7,50. Coroando o topo da Montagne Ste-Geneviève, o maior e mais visível domo parisiense que embeleza o Panthéon foi construído por Luís XV em agradecimento a Santa Geno-

CHAPELLE STE-URSULE, NA SORBONNE

veva, a santa padroeira de Paris, por curá-lo de uma doença. A construção foi concluída em 1789, mas logo em seguida a Revolução Francesa prontamente o transformou em mausoléu, gravando na fachada as palavras "Aux grands hommes la patrie reconnaissante" ("A nação honra seus grandes homens") sob o frontão triangular do gigantesco pórtico. Sob a imensa cripta abobadada você pode visitar os túmulos de ícones culturais franceses, como Voltaire, Victor Hugo e Émile Zola, ao lado de outros mais recentes, como Marie Curie – a única mulher – e Alexandre Dumas, autor de *Os três mosqueteiros.* (que está aqui desde 2002). Na nave há também um protótipo do pêndulo de Foucault pendurado no alto do domo. Foi em 1851 que o físico francês Léon Foucault conduziu aí o seu famoso experimento para demonstrar que, enquanto o pêndulo parecia girar por um período de 24 horas, era, na verdade, a Terra embaixo dele que girava.

▲ PANTHÉON

St-Etienne-du-Mont

Ⓜ Cardinal Lemoine. Os restos mortais de dois gigantes do século 17, Blaise Pascal e Jean Racine, estão nesta igreja, ao lado de algumas relíquias da santa padroeira de Paris, Santa Genoveva, abrigados em uma capela luxuosamente equipada. A principal atração, contudo, está em seu etéreo interior, formado por um coro gótico *flamboyant* ligado a uma nave renascentista, ambos interligados por uma sinuosa passarela que percorre todo o interior, curvando-se na largura da nave na forma de uma tela com moldura entalhada – uma rara sobrevivente, pois muitas dessas telas francesas foram vítimas de protestantes iconoclastas, reformadores e revolucionários.

▲ ST-ETIENNE-DU-MONT

Place de la Contrescarpe e rue Mouffetard

Ⓜ Cardinal Lemoine/Monge. Rodeada de cafés, a pequena place de la Contrescarpe é o centro da vida noturna do Quartier Latin e lugar muito agradável para um drinque ou café durante o dia.

No fim da praça, a estreita e medieval rue Mouffetard (rue Mouff, para os parisienses) pode não ser mais uma rua comercial, mas ainda é autêntica com suas lojas de roupas e calçados, um grande centro de alimentação orgânica e muitos bares e restaurantes despretensiosos. Da metade para baixo, ainda conserva algumas bancas de verdureiros, açougueiros e lojas de queijos especiais, além de uma feira de frutas e legumes nas manhãs de terça e sábado.

Mesquita de Paris

Entrada pela rue Daubenton, na es-quina sudeste da mesquita. Ⓜ Jussieu/Censier-Daubenton. Diariam. 9h-12h e 14h-18h (exceto sex e feriados muçulmanos). €3. Mesmo situada em uma tranqüila área residencial, a mesquita de Paris é um oásis de serenidade por trás de seus muros altos guarnecidos com ameias. Pode-se caminhar por seus jardins e pátios revestidos de azulejos coloridos e tetos esculpidos, mas não-muçulmanos não devem entrar no salão de orações – embora ninguém se importe que se assistam às preces a distância.

Hammam da mesquita de Paris

Rue Geoffrey-St-Hilaire 39. Ⓜ Jussieu/Censier-Daubenton. Mulheres: seg, qua, qui e sáb 10h-21h, sex 14h-21h; homens: ter 14h-21h, dom 10h-21h. €15 mais a toalha. O excelente hammam (banho turco) na mesquita de Paris, cuja entrada é pelo portão sudeste, é um dos melhores balneários da cidade, com seu saguão abobadado e sauna revestida de mármore. Lá dentro é muito tranqüilo, os clientes concentrados em banhar-se ou em apenas relaxar, um ambiente que não intimida, mesmo a quem nunca esteve em um balneário público. A um preço razoável é possível fazer uma excelente massagem ou uma *gommage* (espécie de esfoliação com luva de borracha). Depois, dirija-se ao agradável

▲ FEIRA NA RUE MOUFFETARD

e ajardinado salão de chá (aberto a todos, mesmo que não se use o hammam; pág. 129).

Jardin des Plantes

Entradas nas esquinas do parque e na frente da rue Jussieu. Ⓜ Jussieu/Censier-Daubenton. Diariam.: verão 8h-19h30; inverno 8h-anoitecer. Os belos canteiros de flores do Jardin des Plantes eram originalmente, em 1626, uma plantação de ervas medicinais que aos poucos foi se transformando no jardim botânico de Paris, com estufas, alamedas arborizadas, gramados, um par de museus e um zoológico. É um agradável lugar para caminhar durante o dia. Próximo ao portão da rue Cuvier, na frente da rue Jussieu, há um belo exemplar de cedro-do-líbano, cuja semente vinda de Oxford foi plantada em 1734. Há também um pedaço de sequóia americana com mais de 2 mil anos de idade, em cujos anéis foram gravados o nascimento de Cristo e outros fatos históricos. Nos dias frios é ótimo refugiar-se no seu quente e úmido **jardim-de-inverno**, uma estufa repleta de palmeiras, cactos e pássaros.

Grande Galerie de l'Evolution

Muséum National d'Histoire Naturelle, Jardin des Plantes. Ⓜ Censier-Daubenton/Gare d'Austerlitz. Ⓦwww.mnhn.fr. Seg e qua-dom 10h-18h. €8. A Grande Galerie de l'Evolution faz parte do Muséum National d'Histoire Naturelle e é de longe a sua seção mais impressionante. Ela ocupa a Galerie de Zoologie do século 19, um espaço enorme e escuro rodeado por galerias sobrepostas de vidro e aço, iluminadas por holofotes. O museu conta a história da evolução e as relações entre os seres humanos e a natureza com a ajuda de um grande elenco de animais que desfilam pelo espaço central. A princípio, esse fator surpresa pode prender a atenção das crianças, mas você terá de procurar pelos cartazes de tradução para percorrer a maior deste museu de história natural.

Ménagerie

Esquina nordeste do Jardin des Plantes. Ⓜ Jussieu. Verão: seg-sáb 9h-18h30, dom 9h-18h; inverno: seg-sáb 9h-17h30, dom 9h-17h. €7. O Ménagerie é o zológico mais antigo da França – e parece ser mesmo. As jaulas de ferro dos grandes felinos, o malcheiroso viveiro e o abrigo envidraçado dos primatas estão claramente ultrapassados, mas é um agradável espaço arborizado habitado por veados, antílopes, cabras, búfalos e outros animais bonitos que parecem apreciar esse cativeiro ao ar livre.

Arènes de Lutèce

Ⓜ Jussieu. A Arènes de Lutèce é uma inesperada e tranqüila ruína escondida nas ruas. Antigo anfiteatro romano com 10 mil lugares, hoje é a única estrutura do período que restou em Paris além dos balneários galo-romanos (pág. 124). Algumas fileiras de bancos de pedra assistem do alto aos meninos jogando bola enquanto atrás há um jardim com bancos e um playground para crianças.

Lojas

Abbey Bookshop/ La Librairie Canadienne

Rue de la Parcheminerie 29. Ⓜ St-Michel. Seg-sáb 10h-19h. Livraria canadense com muita ficção inglesa e norte-americana de segunda mão, e funcionários gentis e bem informados – o café é grátis.

Crocodisc

Rue des Ecoles 40-42. Ⓜ Maubert-Mutualité. Ter-sáb 11h-19h. Discos de música folk, oriental, afro-antilhana, raï, funk, reggae, salsa, hip-hop, soul e country, novos e usados, com um dos melhores preços da cidade.

Gibert Jeune

Place St-Michel 10 & quai St-Michel 27. Ⓜ St-Michel. Seg-sáb 9h30-19h30. A maior e mais tradicional livraria de livros didáticos e acadêmicos do Quartier Latin, com vasta coleção de obras francesas. Há outra ótima coleção de obras em língua inglesa em sua filial, a Gibert Joseph, no boulevard St-Michel 26.

Librairie Gourmande

Rue Dante 4. Ⓜ Maubert-Mutualité. Diariam. 10h-19h. A última palavra em livros de culinária e receitas em geral, com ótima coleção em língua inglesa.

Rendez-Vous de la Nature

Rue Mouffetard 96. Ⓜ Cardinal-Lemoine. Ter-sáb 9h30-19h30, dom 9h30-13h. Uma das lojas de produtos alimentícios mais completas da cidade. Tem de produtos orgânicos a chás de ervas.

Shakespeare & Co

Rue de la Bûcherie 23. Ⓜ Maubert-Mutualité. Diariam. 12h-24h. Refúgio literário dirigido por um norte-americano, com a maior coleção de livros usados da cidade – e camas no andar superior para escritores americanos famintos que queiram fortalecer o caixa. Há também leituras de poesia e outros eventos.

Cafés

Café de l'Institut du Monde Arabe

Institut du Monde Arabe. Ⓜ Jussieu. Ter-dom 10h-18h. Incrível café-restaurante de cobertura onde se pode beber chá de menta e beliscar bolos vendo o pôr-do-sol. Dentro do prédio, a cafeteria self-service Moucharabiyah oferece um bom cuscuz na hora do almoço e a chance de deliciar-se com a abertura das janelas.

▲ GIBERT JEUNE

▲ SHAKESPEARE & CO

Café de la Mosquée

Rue Geoffroy-St-Hilaire 39. Ⓜ Jussieu/Censier-Daubenton. Diariam. 9h-24h. Beba chá de menta e coma bolos deliciosos ao lado da fonte, à sombra das figueiras no pátio da mesquita de Paris – um paraíso de tranqüilidade. O salão de chá tem bonita decoração arábica, enquanto o restaurante contíguo serve refeições completas.

Café de la Nouvelle Mairie

Rue des Fossés-St-Jacques 19. Ⓜ Cluny-La Sorbonne/RER Luxembourg. Seg, qua e sex 9h-22h, ter e qui 9h-23h. Café e adega com clima descontraído graças à sua clientela mais velha e universitária. Serve comida boa a preços razoáveis, como o *curry d'agneau*, linguine e saladas, além de ser permitido beber nas mesas ao ar livre em dias de sol.

La Fourmi Ailée

Rue du Fouarre 12 na praça Viviani. Ⓜ Maubert-Mutualité. Diariam. 12h-24h. Antiga livraria que foi transformada em um relaxante lugar para comer ou demorar-se saboreando um café. Teto alto, decorada com excelente mural, lareira (no inverno) e paredes repletas de livros contribuem com a atmosfera do local. Serve excelentes pratos do dia (de €8 a €15).

Le Reflet

Rue Champollion 6. Ⓜ Cluny-La Sorbonne. Diariam. 10h-2h. Café e cinema com forte ar de nouvelle vague, todo pintado de preto, luzes pendentes de uma ponte de grua e mesas bambas repletas de cinéfilos e jogadores de xadrez. Boas carnes, quiches, saladas e outros pratos de uma pequena lista de especialidades escritas em um quadro-negro.

Restaurantes

Les 5 Saveurs d'Anada

Rue Cardinal-Lemoine 72. Ⓜ Cardinal-Lemoine. ☎01.43.29.58.54. Diariam. 12h-14h30 e 19h30-22h30. Restaurante arejado e informal de comida orgânica vegetariana a preços rezoáveis. Há boas saladas e criativos pratos que substituem a carne (por volta de

€12), como o suflê de tofu, o confit de tempeh com gengibre ou o seitan com aipo-rábano e manjericão.

L'Atelier Maître Albert

Rue Maître Albert 1. Ⓜ Maubert-Mutualité. ①01.56.81.30.01. Diariam. 12h-14h30 e 19h-23h. Elegante rôtisserie decorada com ares de château medieval. É um visual bem adequado para a especialidade da casa, as carnes grelhadas no espeto, embora também tenha pratos mais leves e modernos, como a tainha vermelha frita com penne gratinado. Prato do dia por €23, ou praticamente o dobro à la carte.

Au Bistro de la Sorbonne

Rue Toullier 4. RER Luxembourg. ①01.43.54.41.49. Diariam. 12h-2h30 e 19h-23h. Pratos franceses tradicionais e do norte da África bem-feitos e a preços razoáveis atraem multidões de estudantes e moradores. Os murais são agradavelmente coloridos.

Brasserie Balzar

Rue des Ecoles 49. Ⓜ Maubert-Mutualité. ①01.43.54.13.67. Diariam. 8h-23h30. Brasserie com teto alto e paredes espelhadas. É decorada com vasos de plantas à moda clássica. Mais cedo, o ambiente é bem turístico, mas se você chegar mais tarde encontrará um lugar tão parisiense que chega a intimidar – o que combina com a decoração e o menu. Comer à la carte custa €35 por pessoa.

L'Ecurie

Rue de la Montagne Ste-Geneviève 58, esq. rue Laplace. Ⓜ Maubert-Mutualité/Cardinal-Lemoine. ①01.46.33.68.49. Seg-sáb 12h-15h e 19h-24h, dom 19h-24h. Encravado num antigo estábulo, em um lindo recanto da Montagne Ste-Geneviève, este restaurantezinho de propriedade familiar é animado e adorável. Os pratos de carne não são caros e são muito bem-feitos (no máximo €15), servidos sem acompanhamentos.

Les Fontaines

Rue Soufflot 9. RER Luxembourg. ①01.43.26.42.80. Seg-sáb 12h-15h e 19h30-22h30. De fora, o aspecto da brasserie chega a ser desanimador, mas a recepção no interior desta propriedade familiar é calorosa e genuína. A cozinha segue o mesmo espírito, com pratos honestos de carne e peixe, ou a caça da estação, tudo a preço razoável.

Le Grenier de Notre-Dame

Rue de la Bûcherie 18. Ⓜ Maubert-Mutualité. ①01.43.29.98.29. Seg-sáb 12h-2h30 e 18h30-22h. Restaurante vegetariano, apertado e despretensioso, serve os substanciais pratos da cozinha francesa com tofu e outros substitutos da carne, como o cassoulet vegetariano por €10. Lanternas coloridas ajudam a aquecer a atmosfera um tanto asséptica.

Perraudin

Rue St-Jacques 157. RER Luxembourg. ①01.46.33.15.75. Seg-sex 12h-14h e 19h30-22h15; fecha nas duas últimas semanas ago. Clássico bistrô da Rive Gauche. A atmosfera é densa, com a conversa parisiense pairando no ambiente claro com mesas amontoadas. Comida ótima e pratos não muito caros. Não aceita reservas.

La Petite Légume

Rue Boulangers 36. Ⓜ Jussieu. ①01.40 46.06.85. Seg-sáb 12h-14h30 e 19h30-22h. Mercearia de produtos orgânicos é também restaurante vegetariano e salão de chá, servindo pratos orgânicos baratos e caseiros, com vinhos orgânicos do Loire.

Le Pré-Verre

Rue Thénard 8. Ⓜ Maubert-Mutualité. ☎01.43.54.59.47. Ter-sáb 12h-14h e 19h30-22h30; fecha três semanas ago. Bistrô moderno, meio esnobe, com excelente carta de vinhos. Os pratos no quadro-negro têm ingredientes e temperos raros – peixe-espada em cama de grãos de quinoa, guisado de javali com marmelo, bananas assadas com musse de manga e calda de chili. Pratos a €25 no jantar.

Le Reminet

Rue des Grands Degrés 3. Ⓜ Maubert-Mutualité. ☎01.44.07.04.24. Seg-dom 12h-14h30 e 19h30-23h; fecha duas semanas ago. Toalhas de mesa branquíssimas e lustres requintados dão um toque de classe a este bistrô-restaurante cujos molhos criativos levam ingredientes franceses de alta qualidade. Em geral um bistrô caro, fazendo jus ao cardápio.

Tashi Delek

Rue des Fossés-St-Jacques 4. RER Luxembourg. ☎01.43.26.55.55. Seg-sáb 12h-14h30 e 19h-23h; fecha duas semanas ago. Elegante restaurante tibetano, serve sopas fortes de macarrão noodle e o indispensável *momok* (espécie de raviόli). Tem até o chá de manteiga de iaque, uma mistura salgada e consistente com um sabor inusitado. Come-se bem e paga-se pouco.

Bares

Le Bateau Ivre

Rue Descartes 40. Ⓜ Cardinal-Lemoine. Diariam. 18h-2h. Pequeno, escuro e antigo, este bar de estudantes está afastado da região da rue Mouffetard, a preferida dos turistas, mas atrai um número significativo de ingleses à noite, principalmente depois das 22h. Se estiver lotado, vá ao bar ao lado, o Pub River. É menos atraente, mas é maior.

Le Piano Vache

Rue Laplace 8. Ⓜ Cardinal-Lemoine. Seg-sex 12h-2h, sáb-dom 21h-2h. Bar antigo lotado de estudantes bebendo em pequenas mesas, com rock francês ou música para dançar e uma atmosfera entediada, porém descontraída.

Les Pipos

Rue de l'Ecole-Polytechnique. Ⓜ Maubert-Mutualité. Seg-sáb 8h-1h; fecha duas semanas ago. Bar antigo, de madeira entalhada, está ali há muito tempo na frente dos portões da antiga *grande école*. Serve vinhos relativamente caros com pratos simples de charcutaria de Auvergne, queijos e outros.

Le Violon Dingue

Rue de la Montagne Ste-Geneviève 46. Ⓜ Maubert-Mutualité. Diariam. 18h-2h30. Comprido e escuro, este pub de estudantes também faz sucesso entre jovens viajantes. É barulhento, os atendentes falam inglês e a bebida é barata. O bar no subsolo abre até as 4h30 nas noites de maior movimento.

Música ao vivo

Caveau de la Huchette

Rue de la Huchette 5. Ⓜ St-Michel. ☎01.43.26.65.05, www.caveaudelahuchette.fr. Diariam. 21h30-2h. Ingresso cerca de €13. Uma fatia da antiga noite parisiense numa área turística. Jazz ao vivo para dançar numa pista rodeada por fileiras de bancos. É melhor no fim de semana.

St-Germain

St-Germain, no extremo oeste da Rive Gauche, há muito tem sido o refúgio dos boêmios e intelectuais. Os cafés mais conhecidos preservam a forte atmosfera dos velhos tempos, mas o espírito que hoje domina é a elegância, o relaxamento e o consumismo. Nas extremidades do bairro estão duas das mais agitadas e amadas atrações da cidade: a leste, contornando o Quartier Latin, estendem-se os belíssimos gramados do Jardin du Luxembourg, enquanto a oeste se ergue o Musée d'Orsay, uma estação de trem adaptada que abriga a maior coleção de pinturas impressionistas do mundo. Entre uma e outra, pode-se visitar as igrejas de St-Sulpice e St-Germain-des-Prés ou os intrigantes museus dedicados aos artistas Delacroix e Maillol, mas nada se iguala às compras. As ruas ao redor de place St-Sulpice reúnem as grandes marcas da moda internacional, enquanto no lado norte do boulevard St-Germain dominam as lojas de antiguidade e o comércio de arte. Entre uma loja e outra você pode explorar os excelentes bares e cafés desse bairro que incluem os mais clássicos de Paris.

Pont des Arts

A delicada Pont des Arts foi instalada na época de Napoleão. É nela que se tem a clássica vista da Île de la Cité, rio acima, e é também a principal porta de entrada para St-Germain sob os olhos atentos do Institut de France, respeitável instituição acadêmica cujos membros são conhecidos como "imortais".

▲ JARDIN DU LUXEMBOURG

Jardin du Luxembourg

Ⓜ Odéon e RER Luxembourg. Diariam. amanhecer-anoitecer. Voltado para a rue de Vaugirard, a mais longa rua de Paris, o Jardin du Luxembourg é o pulmão da Rive Gauche. Sua atmosfera mistura o formal com o mais completo relaxamento. No centro do parque, um lago perfeitamente redondo e os desenhados canteiros de flores são vistos do alto pelo sóbrio Palais du Luxembourg, que abriga o Senado francês. Aqui e ali, os estudantes espalham-se pelas famosas cadeiras de metal do jardim, as crianças navegam em barcos de brinquedo, olham os fantoches no *guignol* ou brincam nos playgrounds, e os velhos jogam *boules* ou xadrez. No verão, os mais disputados são a sombreada Fontaine de Médicis, do lado nordeste, e a faixa gramada mais ao sul – a única em que se pode deitar na grama. O lado sudoeste, mais tranqüilo e arborizado, abriga esculturas de artistas famosos. O Jardin du Luxembourg termina com um pomar de pereiras em miniatura elaboradamente plantadas em espaldeiras.

Musée du Luxembourg

Rue de Vaugirard 19. Ⓜ St-Sulpice. ☎01.42.34.25.95, www.museedu luxembourg.fr. O Musée du Luxembourg fica no fim da rue de Vaugirard, de costas para o parque. Tem exposições temporárias que são consideradas as mais ambiciosas de Paris – as mais recentes incluíram auto-retratos de artistas do século 20, os profanos Veronese, Rafael, Gauguin, Modigliani e Botticelli. Confira on-line os horários de abertura do museu.

Place St-Germain-des-Prés

Ⓜ St-Germain-des-Prés. O eixo central do bairro é a place St-Germain-des-Prés, onde está o famoso café Les Deux Magots, em uma das esquinas, e o Café Flore e a Brasserie Lipp, mais adiante (págs. 139-40). Todos eles são famosos pelo grande número de intelectuais e literatos que os honraram com suas presenças. Mas são muito caros e ficam lotados no verão.

St-Germain-des-Prés

Place St-Germain-des-Prés. Ⓜ St-Germain-des-Prés. Diariam. 7h30-19h30.
A antiga torre que se ergue sobre a place St-Germain-des-Prés na frente do café Les Deux Magots foi o que restou de um imenso mosteiro beneditino. No interior da igreja contígua a St-Germain-des-Prés, a nave românica transformada em coro do início do gótico é apenas perceptível sob a pesada pintura verde e dourada do século 19. A última capela do lado sul abriga o túmulo do filósofo René Descartes, ao passo que no canto do pátio da igreja, do lado da rue Bonaparte, uma pequena escultura de Picasso, uma cabeça de mulher, é dedicada ao poeta Apollinaire.

Musée Delacroix

Rue de Furstenberg 6. Ⓜ Mabillon. www.musee-delacroix.fr. Diariam. 9h30-17h (exceto ter). €5.
O Musée Delacroix ocupa a mesma casa em que viveu e trabalhou o artista de 1857 até a sua morte, em 1863, e ainda exibe sua caixa de pintura e outros objetos e curiosidades pessoais. Embora os principais trabalhos de Delacroix estejam expostos permanentemente no Louvre (pág. 74) e no Musée d'Orsay (pág. 136), neste museu há uma coleção menor mas muito interessante de pinturas, aquarelas, desenhos e afrescos, além de organizar exposições temporárias de Delacroix e seus contemporâneos.

▼ DETALHE DA RUE ST-GERMAIN

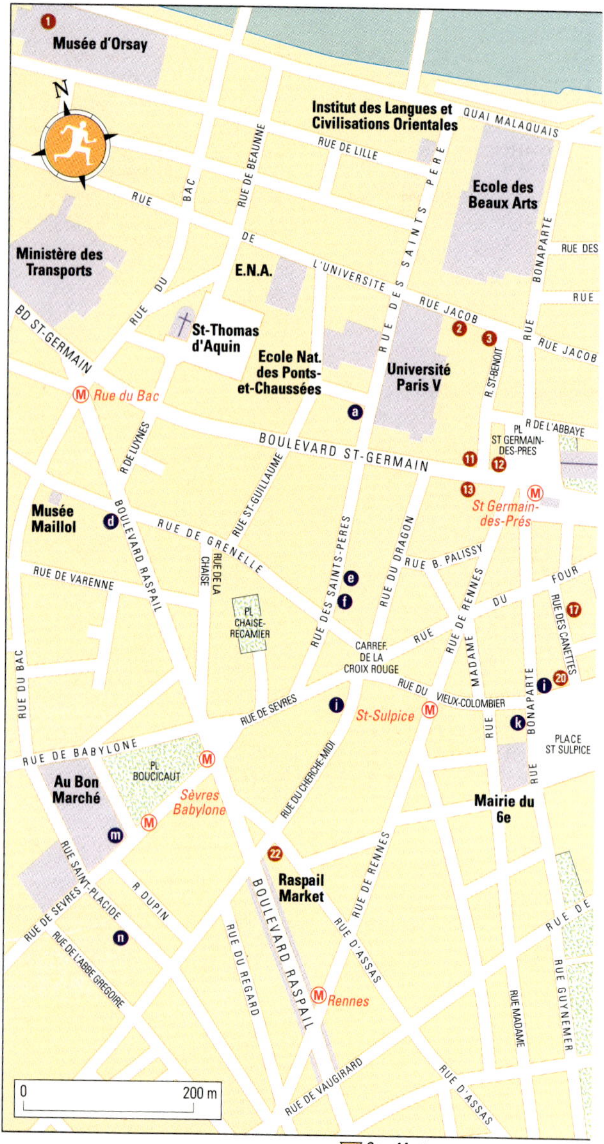

Gare Montparnasse

RESTAURANTES, CAFÉS E BARES

Le 10	19	Café Flore	11	Fubar	18
Au 35	2	Café du Luxembourg	23	La Mezzanine de l'Alcazar	6
Allard	10	Café de la Mairie	20	Musée d'Orsay restaurant e café	1
L'Atlas	8	Chez Georges	17	Le Petit St-Benoît	3
Bar du Marché	7	Les Deux Magots	12	Polidor	21
Brasserie Lipp	13	Les Etages St-Germain	9		

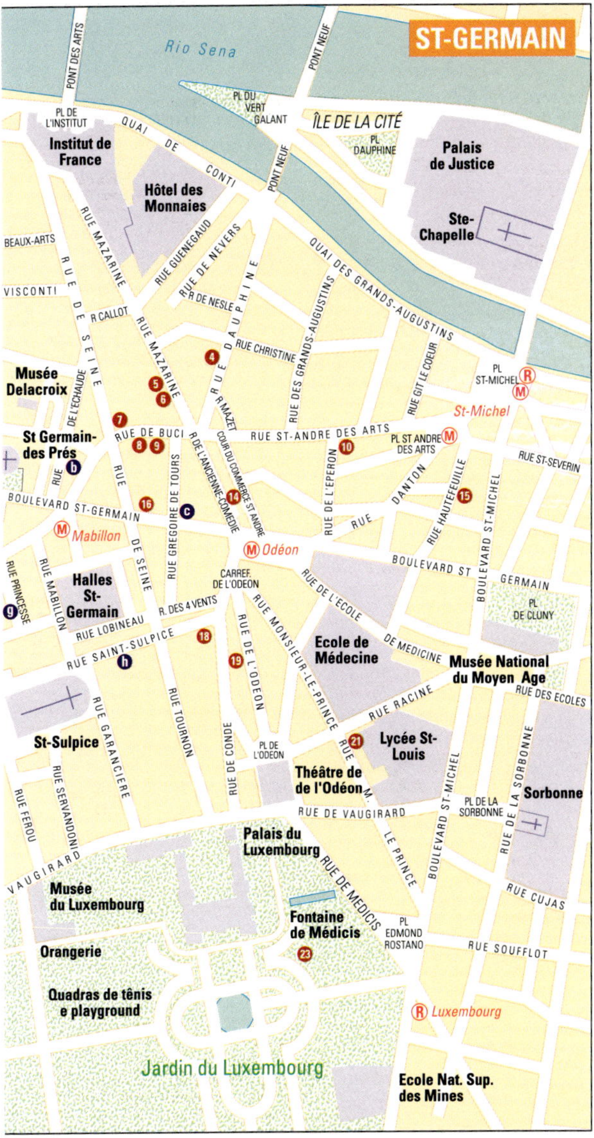

Le Procope **14**
Le Salon d'Hélène **22**
La Taverne de Nesle **4**
La Tourelle **15**
Vagenende **16**

CLUBE

Le Wagg **5**

LOJAS

Barthélémy	**d**
Au Bon Marché	**m**
Comptoir des Cotonniers	**b & i**
Debauve & Gallais	**a**
Le Mouton à Cinq Pattes	**c & n**
Poilâne	**j**
Sabbia Rosa	**f**
Sonia/Sonia Rykiel	**e**
Vanessa Bruno	**h**
Village Voice	**g**
Zadig & Voltaire	**k**

St-Sulpice

Place St-Sulpice. Ⓜ St-Sulpice. Diariam. 7h30-19h30. A enorme igreja de St-Sulpice demorou mais de cem anos para ser construída, e ainda não foi concluída, como se vê nos blocos de pedra bruta que ainda se projetam da torre sul, esperando pelo cinzel do escultor. A fachada é exageradamente clássica, mas toda a severidade é suavizada pelas castanheiras e a fonte que existem na tranqüila place St-Sulpice, e pelas mesas lotadas do Café de la Mairie (pág. 139) que ocupam todo o lado ensolarado da praça. O que há de melhor no interior da igreja são três murais de Delacroix, sendo um deles São Miguel derrotando um dragão, na primeira capela à direita.

Grade da rue Mabillon

Ⓜ Mabillon. As ruelas imediatamente ao norte de St-Sulpice – rue des Canettes, rue Princesse e rue Mabillon – são particularmente atraentes, com seus inúmeros e caríssimos bistrôs e restaurantes, pequenas butiques e bares montados no interior de bonitas casas antigas. A principal atração, contudo, é a longa seqüência de butiques de moda, que se espalham a oeste, começando por Agnès b e pela elegantíssima Yves Saint Laurent da Rive Gauche, na esquina da própria place St-Sulpice.

"Marché Bio" no boulevard Raspail

Boulevard Raspail. Ⓜ Sèvres-Babylone/Rennes. Dom rigorosamente das 9h-14h. Entre a rue du Cherche Midi e a rue de Rennes, a reserva central do amplo boulevard Raspail fica tomada por barracas de alimentos nas manhãs de terça e sexta. O melhor dia, contudo, é domingo, devido ao famoso "Marché Bio", ou mercado de produtos orgânicos. Mesmo que você não pretenda comprar frutas e legumes de primeira, poderá encontrar excelentes queijos e carnes frias para levar para casa, bem como vários produtos à base de ervas, sucos de trigo-selvagem, azeites, entre outros itens do gênero.

Musée Maillol

Rue de Grenelle 61. Ⓜ Rue du Bac. www.museemaillol.com. Diariam. 10h-18h (exceto ter). €8. A discreta fachada de uma casa do século 18 que hoje abriga este museu esconde em seu interior uma explosão de rechonchudas esculturas femininas de Aristide Maillol, entre as quais a curvilínea *Mediterrânea* é mais famosa. Outras salas abrigam desenhos de Matisse, Dufy e Bonnard, as bem-humoradas pinturas eróticas de Bombois e surpreendentes trabalhos de Picasso, Degas, Kandinsky e Gauguin. O museu organiza excelentes exposições de arte do século 20 – as mais recentes foram de Frida Kahlo e Diego Rivera.

Musée d'Orsay

Rue de la Légion d'Honneur 1. Ⓜ Solferino e RER Musée d'Orsay. Ⓦ www.musee-orsay.fr. Ter-dom 9h30-18h (qui até 21h45). Seg-sáb €7,50, dom €5,50, grátis para menores de 18 anos e no 1° dom do mês. Na beira do rio Sena, imediatamente a oeste de St-Germain, o Musée d'Orsay preenche completamente toda uma estação de trem antiga com pinturas e esculturas de 1848 a 1914, incluindo a coleção de impressionistas e pós-impressionistas sem precedentes em todo o mundo. O **andar térreo** do museu, que se estende sob um gigantesco arco de vidro, é dedicado a trabalhos anteriores a 1870, contrastando Ingres, Delacroix e outros pintores solenes com obras mais ousadas de Puvis de Chavannes, Gustave Moreau e o jovem Degas. Do outro lado dos trilhos, como não poderia deixar de ser, a escola Barbizon e os realistas preparam o terreno para o impressionismo, ao lado da intensamente iluminada *Mulher no jardim* (1867), de Monet, e a provocativa *Olympia* (1863), de Manet, que anunciam a chegada da nova escola.

O impressionismo ocupa com muita propriedade o **andar superior** com as imagens célebres das *Papoulas* e *Mulher com sombrinha*, de Monet, *Almoço na grama*, de Manet, *O absinto*, de Degas, e *O baile no Moulin de la Galette*, de Renoir. Aí estão também as belas esculturas das bailarinas de Degas e as pequenas paisagens e cenas externas de Renoir, Sisley, Pissarro e Monet, cuja romântica luminosidade se deve à singular prática de armar os cavaletes ao ar livre. Podem ser encontradas outras importantes obras-primas dos períodos médio e tardio de Monet e Renoir, Van Gogh e Cézanne, bem como a pouco iluminada seção dedicada aos pastéis de Degas, Redon, Manet, Mondrian e outros. A última seqüência de salas desse andar começa com a onírica *A encantadora de serpentes* (1907), de Henri Rousseau, e prossegue com as pinturas taitianas de Gauguin até o pontilhismo de Seurat, Signac e outros, para terminar com os bordéis e bares de Toulouse-Lautrec.

Ao longo do **mezanino** do Musée d'Orsay há pinturas do grupo simbolista Nabis, notadamente as de Bonnard e de Vuillard, algumas pinturas simbolistas internacionais e muitas telas do fim do século 19 das escolas naturalistas.

Interligando os terraços de esculturas, o **terraço Rodin** praticamente supera todo o resto. Por fim, procure poupar energia para a meia dúzia de salas contíguas repletas de soberbos móveis e objetos Art Nouveau. Informe-se também sobre as exposições temporárias, incluindo as grandes mostras de artistas impressionistas e pós-impressionistas.

Lojas

Barthélémy

Rue de Grenelle 15. Ⓜ Rue du Bac. Ter-sáb 8h-13h e 16h-19h15; fecha ago. Fornecedores de queijos para ricos e poderosos. Todas as manhãs, madame Bathélémy aconselha e ensina a escolher e tratar do seu queijo.

▲ MUSÉE D'ORSAY

Au Bon Marché

Rue de Sèvres 38. Ⓜ Sèvres-Babylone. Seg-qua e sex 9h30-19h, qui 10h-21h, sáb 9h30-20h. A mais antiga loja de departamentos de Paris, fundada em 1852, é uma das mais caras – sua fama se deve ao fato de o nome significar o oposto do que realmente é (*bon marché* em francês significa "barateiro"). A praça de alimentação é lendária e o setor destinado às crianças é excelente.

Comptoir des Cotonniers

Rue de Buci 30 e rue Bonaparte 58. Ⓜ Mabillon/St-Germain-des-Prés. Seg 11h-19h, ter-sáb 10h-19h30. Respeitada rede de lojas voltada para roupas básicas e bem-feitas para mulheres que preferem modelos contemporâneos sem aderir a modismos. Saias, blusas e vestidos por cerca de €100. Existem umas 20 filiais em Paris.

Debauve & Gallais

Rue des Sts-Pères 30. Ⓜ St-Germain-des-Prés. Ⓦwww.debauve-et-gallais.com. Seg-sáb 9h30-19h; fecha ago. A Debauve & Gallais é uma bonita e antiga loja especializada em chocolates especiais e muito caros. Foi inaugurada em 1800 e hoje oferece um serviço de vendas on-line.

▲ PADARIA POILÂNE

Le Mouton à Cinq Pattes

Bd St-Germain 38 e rue St-Placide 18; mulheres Rue St-Placide 8. Ⓜ Odéon. Ⓣ01.43.26.49.25. Seg-sáb 10h-19h. Clássico endereço de roupas (masculinas e femininas) à base de troca, com araras e mais araras de fim de coleção e pontas de estoque de grandes e pequenos nomes do design de moda. Ou você encontra um clássico de Gaultier manchado (sempre sem a etiqueta), ou não encontra nada. A preços tão baixos, vale a pena tentar.

Poilâne

Rue du Cherche-Midi 8. Ⓜ Sèvres-Babylone. Seg-sáb 6h15-20h15. Esta clássica padaria é a principal fonte do famoso Pain Poilâne, e ótimo lugar para encontrar outras especialidades do ramo.

Sabbia Rosa

Rue des Saints-Pères 71-73. Ⓜ St-Germain-des-Près. Seg-sáb 10h-19h. Calções das supermodelos – literalmente, todas compram aqui – a preços de supermodelos. Belas lingeries de seda, algodão fino e renda de Calais. Um conjunto custará em torno de €150, ou até o triplo desse valor.

Sonia/Sonia Rykiel

Rue des Saints-Pères 61. Ⓜ Sèvres-Babylone. Seg-sáb 10h30-19h. Sonia Rykiel é uma instituição em St-Germain desde que sua loja foi inaugurada no boulevard St-Germain 175, na primavera de 1968. Desde então, sua filha Nathalie deu início a esta animada, mais juvenil e menos cara descendente da marca Rykiel original.

Vanessa Bruno

Rue St-Sulpice 25. Ⓜ Odéon. Seg-sáb 10h30-21h30. Vanessa Bruno é especializada em roupa feminina colorida, arejada e naturalmente bonita – roupas esportivas, vestidos e sacolas – com um toque hippie-chique.

Village Voice

Rue Princesse 6. Ⓜ Mabillon. Seg 14h-19h30, ter-sáb 10h-19h30, dom 13h-18h. Excelente recriação da livraria original norte-americana, com boa seleção de ficção e não-ficção contemporâneas e uma boa lista de poesia e clássicos ingleses e norte-americanos.

Zadig & Voltaire

Rue du Vieux Colombier 1 e 3. Ⓜ St-Sulpice. Seg-sáb 10h-19h. As roupas um pouco mais caras desta pequena cadeia de lojas parisiense são bonitas e bem femininas. Quanto ao estilo, não se aproximam nem de longe das da Agnès b – e sua loja bem em frente –, mas tem toques inesperados. A Zadig & Voltaire tem filiais por toda a cidade.

Cafés

Bar du Marché

Rue de Seine 75. Ⓜ Mabillon. Diariam. 7h-2h. Café movimentado cujos garçons usam bonés e aventais coloridos, mas paga-se um pouco mais pela localização perto da rue de Buci e seu movimentado comércio.

Café Flore

Bd St-Germain 172. Ⓜ St-Germain-des-Prés. Diariam. 7h-1h30. Maior concorrente e vizinho de porta do Les Deux Magots. Sartre, De Beauvoir e Camus costumavam freqüentar o Café Flore, e sua reputação vagamente intelectual e moderna se mantém. É melhor mais no final da tarde ou no andar de cima, onde ficam os freqüentadores. Atente-se aos preços deste tradicional café.

Café du Luxembourg

Depende dos horários de abertura do Jardin du Luxembourg. Este excelente café à sombra das árvores serve bebidas geladas e quentes o dia todo. Situa-se a nordeste do lago, no centro do Jardin du Luxembourg. Os preços são altos, mas justificados.

Café de la Mairie

Place St-Sulpice. Ⓜ St-Sulpice. Seg-sáb 7h-2h. Situado do lado norte da praça, este café não muito caro é famoso por atrair pessoas bonitas que se sentam ao sol em seu terraço ao ar livre.

Les Deux Magots

Bd St-Germain 170. Ⓜ St-Germain-des-Prés. Diariam. 7h30-1h. Na esquina da place St-Germain-des-Prés, este café caríssimo é vítima da própria reputação como ponto histórico dos intelectuais da Rive Gauche, mas ainda é um ótimo lugar para ver as pessoas.

Musée d'Orsay Restaurant e Café

Musée d'Orsay, andar superior. Ⓜ Solferino e RER Musée d'Orsay. Seg-qua e sex-dom 10h30-17h, qui 10h30-21h. O café no andar superior do Musée d'Orsay tem terraço de verão e uma vista incrível de Montmartre através do imenso relógio da estação. O restaurante

▼ LES DEUX MAGOTS

– que antes pertencia ao hotel da estação – só vale a visita pela decoração. Ambos servem bons chás e bolos à tarde.

Le Procope

Rue de l'Ancienne-Comédie 13. Ⓜ Odéon. Diariam. 12h-1h. Inaugurado em 1686 como o primeiro lugar a servir café em Paris, ainda é ótimo para se sentar e saborear, já que ao longo dos anos Voltaire, Benjamin Franklin, Rousseau, Marat e Robespierre, entre outros, fizeram a mesma coisa. Também serve refeições decentes, mas um pouco caras.

Restaurantes

Au 35

Rue Jacob 35. Ⓜ St-Germain-des-Prés. ①01.42.60.23.24. Seg-sex 12h-14h30 e 19h30-23h, sáb 19h30-23h. Bistrô bastante discreto, mas a comida é insuperável – o peito de pato perfeito ou a exótica e substancial *pastilla* de cordeiro com mel e temperos (€30 sem vinho).

Allard

Rue St-André-des-Arts 41. Ⓜ Odéon. ①01.43.26.48.23. Seg-sáb 12h-14h30 e 19h30-23h. Restaurante intencionalmente não reformado, com pratos mais fortes e condimentados do que sofisticados ou criativos. O toque de antiguidade é impecável: não fosse a clientela internacional, você juraria que está jantando em outro século. Cerca de €30.

L'Atlas

Rue de Buci 11. Ⓜ Mabillon. ①01.40.51. 26.30. Diariam. 6h30-1h. Apesar dos detalhes Art Déco, a decoração é mais funcional do que clássica, mas isso é só parte do charme desta simpática brasserie. Bons frutos-do-mar e pratos de carne simples por volta de €17.

Brasserie Lipp

Bd St-Germain 151. Ⓜ St-Germain-des-Prés. ①01.45.48.53.91. Diariam. 9h-1h. A mais célebre entre as clássicas brasseries de Paris, ainda freqüentada por bem-sucedidos e famosos, tem o interior todo de madeira e vidro dos anos 1900. Os pratos do dia, incluindo o famoso chucrute, são decentes e não muito caros (abaixo de €20), mas pedir o menu completo pode ter um custo elevado. Carnes só a partir do meio-dia. Não aceita reservas, prepare-se para esperar.

Le Petit St-Benoît

Rue St-Benoît 4. Ⓜ St-Germain-des-Prés. ①01.42.60.27.92. Seg-sáb 12h-14h30 e 19h-22h30. Outra instituição manchada de tabaco de St-Germain, com mesas de madeira instáveis e cabides de bronze no estilo vagão de trem. Serve o tipo de comida caseira e substancial, a preços razoáveis.

Polidor

Rue Monsieur-le-Prince 41. Ⓜ Odéon. ①01.43.26.95.34. Seg-sáb 12h-14h30 e 19h-24h30, dom 12h-14h30 e 19h-23h. Clássico da Rive Gauche. Movimentado e tradicional, o bistrô existe desde 1845 e lota até tarde de locais e turistas que buscam os pratos clássicos de seu excelente cardápio (€20 e €30 ou só €12 no almoço durante a semana). Não aceita reservas.

Le Salon d'Hélène

Rue d'Assas 4. Ⓜ St-Sulpice/Sèvres-Babylone. T 01.42.22.00.11. Ter 19h30-22h15, qua-sáb 12h30-14h15 e 19h30-22h15; fecha ago. No subsolo do célebre restaurante gastronômico da *chef* Hélène Darroze fica este moderno e descontraído bistrô. Oferece pratos criativos (e caros, €100 por pessoa, sem vinho) inspirados na cozinha basca. Reserve com bastante antecedência.

La Tourelle
Rue Hautefeuille 5. Ⓜ St-Michel. ☎01. 46.33.12.47. Seg-sex 12h15-14h15 e 19h-22h, sáb 19h-22h; fecha ago. Bistrô aconchegante e quase medieval, oferece cardápio diferente, simples e substancial. Serviço excelente e custo-benefício melhor ainda. Não aceita reservas, portanto é só chegar e aguardar por uma mesa vaga.

Vagenende
Bd St-Germain 142. Ⓜ Mabillon. ☎01. 43.26.68.18. Diariam. 12h-1h. O deslumbrante interior Art Nouveau tem registro de monumento histórico. A comida não corresponde, mas é honesta se você não for além dos pratos típicos de brasserie (cerca de €20) ou dos especiais de frutos-do-mar.

Bares

Le 10
Rue de l'Odéon 10. Ⓜ Odéon. Diariam. 18h-2h. Pôsteres clássicos Art Déco alinham-se nas paredes deste pequeno e escuro bar; o mesmo tema permanece no bar do subsolo, lotado de estudantes e estrangeiros.

Chez Georges
Rue des Canettes 11. Ⓜ Mabillon/St-Germain-des-Prés. Ter-sáb 12h-2h; fecha ago. Bar totalmente fora de moda, um tanto malcheiroso, com a fachada ainda original. O bar no subsolo atrai jovens bebedores de cerveja que permanecem animados até altas horas da madrugada. Relativametne barato para a região.

Les Etages St-Germain
Rue de Buci 5. Ⓜ Mabillon. Diariam. 11h-2h. Posto avançado da tendência boho (boêmia) ao lado do mercado da rue de Buci, com certo glamour decadente. O café-bar no andar de baixo tem vista para a rua. À noite você pode circular no andar superior com um drinque.

Fubar
Rue St-Sulpice 5. Ⓜ Odéon. Diariam. 17h-2h. Ambiente descontraído muito freqüentado por jovens que bebem até a hora do último metrô. O salão superior é bastante aconchegante, com sofás e paredes vermelho-escuras.

La Mezzanine de l'Alcazar
Rue Mazarine 62. Ⓜ Odéon. Diariam. 19h-2h. A decoração e o ambiente deste coquetel-bar são bastante modernos. Está instalado no mezanino do restaurante Alcazar do Conran. É caro mas exclusivo – assim como a sua clientela. Há DJs (qua-sáb).

La Taverne de Nesle
Rue Dauphine 32. Ⓜ Odéon. Seg-qui e dom 18h-4h, sex-sáb 18h-5h. Fica lotado de corujões locais já abastecidos de coquetéis da happy hour (cerca de €7) e cerveja (pouco mais que €3). Fica mais cheio nos fins de semana, quando os DJs assumem o comando da música na casa.

Clubes

Le Wagg
Rue Mazarine 62. Ⓜ Odéon. www.wagg.fr. Sex-sáb 23h30-amanhecer, dom 17h-24h. Ingresso € 15, grátis no dom. Clube intimista e moderno do Conran, ocupa um antigo celeiro com paredes de pedra. Jovens executivos de St-Germain circulam entre os móveis de designer, bebem coquetéis e dançam ao som de house e disco-funk de influência britânica – ou clássicos dos anos 1970 na festa Friday Carwash.

Torre Eiffel e arredores

A atmosfera da Rive Gacuhe se transforma entre St-Germain e a Torre Eiffel. Desaparecem as pequenas butiques, os bares e os bistrôs-restaurantes, e em seu lugar entram elegantes mansões aristocráticas e magníficos monumentos públicos. A Torre Eiffel domina toda a área, seu tamanho descomunal adequando-se ao imenso gramado do Champs de Mars, um arco com 109 m formado pela Pont Alexandre III e os imponentes edifícios militares Les Invalides e a Ecole Militaire. Além do tamanho, tem muito a oferecer: ao pé da torre há um pequeno oásis de lojas, cafés e restaurantes ao redor do mercado da rue Cler.

Torre Eiffel

RER Champ de Mars-Tour Eiffel. ⓦwww.tour-eiffel.fr. Diariam.: meados jun-meados ago. 9h-24h; meados set-meados jun 9h30-23h. Último andar €11; 2º andar €7,70, ou €3,80 pelas escadas (acessos fecham às 18h); 1º andar €4.20. Difícil imaginar que a Torre Eiffel, o maior símbolo de Paris e da engenharia industrial, tenha sido projetada como estrutura temporária de uma feira, a Exposition Universelle de 1889. A torre de 300 m era, então, a construção mais alta do mundo. Críticos furiosos protestaram contra aquela "chaminé de fábrica cinzenta", mas o próprio senhor Eiffel (obviamente) achava-a bela em sua pura eficiência estrutural. Ele escreveu: "Até certo ponto, a torre foi esculpida pelo vento".

A menos que você chegue antes dos horários de abertura, ou vá em um dia nublado ou chuvoso, fatalmente encontrará fila para a plataforma dos elevadores e novamente para descer. Contudo, qualquer sacrifício valerá a pena, não só pela vista, mas pela pura emoção de se ver dentro da estrutura. A vista é geralmente mais nítida do segundo andar, mas é praticamente irresistível tomar o elevador até o ponto mais alto (procure chegar bem antes das 22h30, quando o

▲ A TORRE EIFFEL

TORRE EIFFEL E ARREDORES
RESTAURANTES E CAFÉS
L'Arpège 6
Café du Marché 5
La Fontaine de Mars 2
Jules Verne 4
Le P'tit Troquet 3
Thoumieux 1
Rio Sena
Palais de Chaillot
Jardins du Trocadéro
PL DE VARSOVIE
PONT D'IENA
Torre Eiffel
Champ de Mars Tour Eiffel
Maison de la Culture du Japon
Bir Hakeim
Pont de l'Alma
PASSERELLE DEBILLY
RUE DE NEW YORK
PONT ALEXANDRE III
PL DE LA RESISTANCE
Entrada Les Égouts
Musée du Quai Branly
QUAI D'ORSAY
QUAI BRANLY
RUE COGNACQ JAY
RUE DE L'UNIVERSITE
AVENUE RAPP
PL RAPP
RUE SEDILLOT
AV DE LA BOURDONNAIS
AV GUSTAVE EIFFEL
AV DE SUFFREN
AV CHARLES RISLER
RUE JEAN REY
RUE DE LA FEDERATION
Parc du Champ de Mars
AVENUE BOSQUET
RUE ST-DOMINIQUE
RUE DE L'EXPOSITION
RUE AUGEREAU
RUE DE GRENELLE
RUE DU CHAMP DE MARS
RUE CLER
RUE MALAR
RUE JEAN NICOT
RUE SURCOUF
RUE DUVIVIER
RUE CHEVERT
Igreja Americana em Paris
BOULEVARD DE LA TOUR MAUBOURG
La Tour Maubourg
Ecole Militaire
AVENUE DE TOURVILLE
PL VAUBAN
Esplanade des Invalides
Invalides
Ministère des Affaires Etrangères
Les Invalides
Musée de l'Armée
Musée des Plans-Reliefs
Eglise des Soldats
Túmulo de Napoleão
BD DES INVALIDES
Varenne
Assemblée Nationale
RUE DE L'UNIVERSITE
Ministère de la Défense
Institut Géographique National
St-Clotilde
RUE DE BOURGOGNE
RUE CASIMIR-PERIER
Musée Rodin
RUE DE VARENNE
Hôtel Matignon
N
0
300 m

acesso aos elevadores fecha; lembre-se também de que as escadas para o segundo andar fecham às 18h (set-meados jun). Paris fica maravilhosamente microscópica lá de cima, os bulevares como cânions arborizados e os parques e cemitérios como verdadeiros oásis verdejantes. Quanto à cor, a torre nada tem de especial, mas a iluminação não poderia ser mais espetacular. A lâmpada de longo alcance que originalmente coroava o topo foi restaurada, e de hora em hora (anoitecer-2h, no inverno até 1h), por dez minutos, milhares de pequenas lâmpadas se acendem e começam a piscar, deixando a estrutura completamente iluminada.

Musée du Quai Branly

Quai Branly. RER Pont de l'Alma/Ⓜ Place d'léna. Consulte em ⓦwww.quaibranly.fr horários de abertura e preços. Não muito distante da torre, e de frente para o Palais de Tokyo na outra margem do rio, está o novo e extravagante Musée du Quai Branly, que reflete a paixão pessoal do presidente Jacques Chirac pela arte não-européia e o seu desejo de deixar um marco duradouro no seu turbulento mandato. O museu reúne a melhor coleção da França de arte não-européia – também chamadas de *arts primitifs* ou *arts premiers* – sob uma obra arquitetônica extremamente vistosa. O design futurista do arquiteto Jean Nouvel de um edifício curvo e envidraçado sobre palafitas por si só vale a visita. Deixando de lado a discutível política de não incluir a arte ocidental, os objetos propriamente ditos são fascinantes e belos, e o museu consegue, até certo ponto, deixar claros os seus contextos culturais e, com mais frequência, rituais. Quatro áreas independentes são dedicadas à Ásia, África, Américas e Oceania.

Le Égouts

RER Pont de l'Alma/Ⓜ Place d'léna. Seg-qua, sáb-dom: mai-set 11h-17h; out-abr 11h-16h. €4. A nordeste do movimentado cruzamento da place de la Résistance fica a entrada de uma das atrações mais inusitadas: a pequena parte visitável dos esgotos (*les égouts*). Lá embaixo é escuro, úmido e há um barulho constante de água correndo, mas as crianças se desapontarão quando descobrirem que não cheira mal. A principal parte da visita é ao longo de uma passarela sobre o esgoto principal, que exibe fotos, lâmpadas, ferramentas dos trabalhadores e antigos destroços e detritos que transformam a história do fornecimento de água e do sistema de esgotos em algo fascinante. O que a visita não mostra é que o trabalho não termina. Umas 30 vezes por ano parte do sistema fica inundado pela água da chuva e os trabalhadores precisam jogar os excessos – o lixo e tudo o mais – diretamente no rio Sena.

▲ RUE ST-DOMINIQUE

Rue Cler e arredores

Seguindo um pouco além rio acima, a Igreja Americana no quai d'Orsay, ao lado do American College, na avenue Bosquet 31, centraliza a bem-organizada vida da grande comunidade norte-americana em Paris, onde há um quadro de avisos repleto de ofertas de acomodações e empregos.

Um pouco mais para o sul, e contrastando radicalmente com a maior parte do bairro, há um enclave tranqüilo e atraente de ruelas do início do século 19, entre a avenue Bosquet e Les Invalides. No meio delas destaca-se a rue Cler, cujas lojas de alimentação funcionam como uma espécie de mercado permanente. As ruas transversais Grenelle e St-Dominique são repletas de lojinhas de bairro, bistrôs elegantes e pequenos hotéis.

Les Invalides

Hôtel des Invalides. Ⓜ Varenne/La Tour-Maubourg. ⓦwww.invalides.org. Não é possível ignorar a imponente fachada do Hôtel des Invalides, coroada por um resplandecente domo dourado. Foi construído por ordem de Luís XIV para receber os soldados feridos, e parte do prédio ainda é usada como abrigo de doentes mentais. O resto abriga o túmulo de Napoleão, na Eglise du Dôme, e uma seqüência de museus. Os mais interessantes serão detalhados a seguir.

Musée de l'Armée

Diariam.: abr-set 10h-18h, out-mar 10h-17h. €7,50, incluindo o Musée des Plans-Reliefs e o túmulo de Napoleão. O setor mais fascinante deste imenso museu do exército nacional é dedicado à Segunda Guerra Mundial. As batalhas, a resistência e a lenta libertação são documentadas através de uma *memorabilia* de guerra exposta com muita criatividade em combinação com extensos videoteipes contemporâneos, muitos deles também em inglês. Você sairá dali chocado, emocionado e com a clara sensação de que o general de Gaulle foi pessoalmente responsável pela libertação da França. A bonita coleção de armaduras medievais e renascentistas na ala oeste do pátio real vale a pena ser admirada, mas o centro do museu, dedicado à história do exército francês de Luís XIV até os anos 1870, está fechado para restauração pelo menos até 2008.

Musée des Plans-Reliefs

Mesmos horários e ingresso do Musée de l'Armée. Embaixo do mesmo teto da ala leste, o Musée des Plans-Reliefs exibe uma extraordinária coleção de maquetes gigantescas de portos franceses e cidades fortificadas, todas elas construídas nos séculos 17 e 18 para auxiliar o planejamento militar. Causa calafrios o longo

▲ LES INVALIDES

átrio em forma de túnel iluminado apenas pelo fantasmagórico reflexo verde das paisagens.

Eglise des Soldats

Diariam.: abr-set 10h-18h, out-mar 10h-19h. Grátis. A altiva "Igreja dos Soldados" é o centro espiritual do exército francês. Sua austera simplicidade contrasta radicalmente com a luxuosa Eglise du Dôme, que está do outro lado de uma divisória de vidro – um design inovador que permitiu que os fiéis compartilhassem o mesmo altar sem correr o risco de ter contato social. Nas paredes estão pendurados quase cem estandartes de inimigos capturados em campos de batalha, parte de uma coleção de quase 3 mil que um dia adornaram Notre-Dame.

Túmulo de Napoleão

Mesmos horários e ingresso do Musée de l'Armée; abre também de meados jun-meados set até 19h. Alguns consideram a Eglise du Dôme suntuosa, outros a julgam muito pomposa. De qualquer maneira é, sem dúvida, exagerada. A antiga Eglise Royale é hoje um monumento a Napoleão. No centro dela, cravado no chão, está o megalomaníaco túmulo de Napoleão, o gigantesco sarcófago de pórfiro vermelho, encerrado em uma galeria ornamentada com citações de conceitos espantosos mas amplamente aceitos. Quando Napoleão foi enterrado, num dia gelado de 1840, meio milhão parisienses veio assistir à sua última jornada. Victor Hugo comentou: "É como se toda a Paris fosse despejada de um lado da cidade, como o líquido que escorre de um recipiente".

▲ TÚMULO DE NAPOLEÃO

Musée Rodin

Rue de Varenne 79. Ⓜ Varenne. Ⓦwww.musee-rodin.fr. Ter-dom: abr-set 9h30-17h45 (jardim fecha 18h45); out-mar 9h30-16h45 (jardim fecha 17h). €6 ou €7 em exposições; €1 só jardim. O cativante Musée Rodin ocupa a mansão do século 18 em que o escultor morreu, em novembro de 1917. As versões de bronze de grandes projetos como *Os burgueses de Calais*, *O pensador* e *A porta do inferno* estão expostas no jardim, enquanto o interior do museu abriga trabalhos menores cuja energia bruta é compensada pelos elegantes painéis de madeira da mansão, seus espelhos envelhecidos e os lustres. O museu geralmente fica lotado de visitantes ansiosos por ver trabalhos famosos como *A mão de Deus* e *O beijo*, mas vale mais a pena percorrer lentamente os trabalhos impressionistas de barro e gesso, pequenos estudos da vida feitos pelas próprias mãos de Rodin – depois que concluiu esse aprendizado, Rodin nunca mais pegou num cinzel, adotando a prática comum entre os artistas do século 19 de delegar aos assistentes a tarefa de fazer as versões de pedra e bronze. No piso térreo há uma sala dedicada a Camille Claudel, discípula, modelo e amante de Rodin – procure a escultura *A idade da maturidade*, que simbo-

▲ MUSÉE RODIN

liza o rompimento definitivo de Camille com Rodin.

Cafés

Café du Marché

Rue Cler 38. Ⓜ La Tour-Maubourg. ☎01.47.05.51.27. Seg-sáb 12h-23h. Este grande e concorrido café-brasserie no agitado centro de mercado da rue Cler serve pratos do dia a preços acessíveis.

Restaurantes

L'Arpège

Rue de Varenne 84. Ⓜ Varenne. ☎01.45.05.09.06. Seg-sex 12h-14h30 e 20h-23h. O *chef* Alain Passard chocou a elite gastronômica em seu restaurante (indicado pelo *Michelin*) transformando os legumes em destaque da sua cozinha. Comida excelente em um ambiente simples e relativamente descontraído. Espere gastar no mínimo €100 e reserve com antecedência.

La Fontaine de Mars

Rue St-Dominique 129. Ⓜ La Tour-Maubourg. ☎01.47.05.46.44. Diariam. 12h-15h e 19h30-23h. Quase todo em tons de rosa – as toalhas de mesa, os guardanapos, as cortinas do café –, é um restaurante formal mas simpático e tem um delicioso terraço sob uma arcada de pedra que é perfeito para um almoço no verão (pratos a €16).

Jules Verne

Pilar Sul, Torre Eiffel Ⓜ Ecole Militaire. ☎01.45.55.61.44. Diariam. 12h15-13h45 e 19h15-21h45. Genuína alta gastronomia servida no segundo andar da Torre Eiffel, em um espaço moderno com recantos românticos. Reserve com três meses de antecedência para saborear este cardápio excepcional e inovador e, é claro, admirar a vista da cidade. Pratos a €49 (no almoço, em dias de semana) e a partir de €114 (no jantar).

Le P'tit Troquet

Rue de l'Exposition 28. Ⓜ Ecole Militaire. ☎01.47.05.80.39. Seg 7h30-22h, ter-sáb 12h30-14h30 e 19h30-22h. Montado como uma elegante loja de antiguidades, este pequeno restaurante familiar é muito discreto e serve pratos refinados para diplomatas e políticos da região. Pratos a partir de €30.

Thoumieux

Rue St-Dominique 79. Ⓜ La Tour-Maubourg. ☎01.47.05.49.75. Diariam. 12h-15h30 e 18h30-24h. Esta brasserie tradicional é repleta de espelhos, madeira entalhada, porta-chapéus e garçons uniformizados de preto-e-branco. É muito popular entre uma fiel clientela local por seus pratos clássicos muito bem-feitos, muitos deles do sudoeste da França. O menu básico no almoço não é caro, mas à noite você gastará mais de €30.

Montparnasse

Montparnasse tem sido há muitos séculos o centro do lazer em Paris. Hoje, os entretenimentos são, em geral, modernos cinemas e os restaurantes que entram pela madrugada, mas em outros tempos os famosos cafés do boulevard du Montparnasse ficavam lotados de escritores e artistas, como Picasso, Matisse, Man Ray, Modigliani, Giacometti e Chagall. O trecho mais animado do boulevard começa no feio arranha-céu cinzento da Tour Montparnasse e termina no boulevard Raspail, onde uma volumosa estátua de Balzac de autoria de Rodin brota do chão. A vista que se tem do alto da torre é fantástica, mas, para um contraste mais radical, desça às catacumbas nas antigas pedreiras de Denfert-Rochereau.

Para explorar o passado artístico de Montparnasse, visite o excelente e intimista museu dedicado aos escultores Zadkine e Bourdelle ou os velhos estúdios que hoje abrigam a galeria e o espaço de exposições do Musée de Montparnasse. A arte moderna – sem mencionar a arquitetura – tem seu lugar na soberba Fondation Cartier, enquanto a Fondation Cartier-Bresson se encarrega das mostras de fotografia.

▲ TOUR MONTPARNASSE

Tour Montparnasse

Av du Maine 33. Ⓜ Montparnasse-Bienvenüe. Ⓦwww.tourmontparnasse56.com. Abr-set: diariam. 9h30-23h; out-mar: seg-qui e dom 9h30-22h; sex-sáb 9h30-23h. €8,70. A Tour Montparnasse com 200 m de altura talvez seja o monumento menos apreciado da cidade, mas oferece uma vista fabulosa do topo – os críticos mais veementes costumam dizer que isso só acontece porque a torre não está lá para estragar a vista. Polêmicas à parte, o panorama é indiscutivelmente melhor do que do alto da Torre Eiffel – afinal, ele inclui a própria torre, além de ser mais barato subir e não haver filas. O pôr-do-sol é o melhor horário para a visita à Tour Montparnasse, e você ainda pode tomar um drinque (bem caro) no bar do 56º andar.

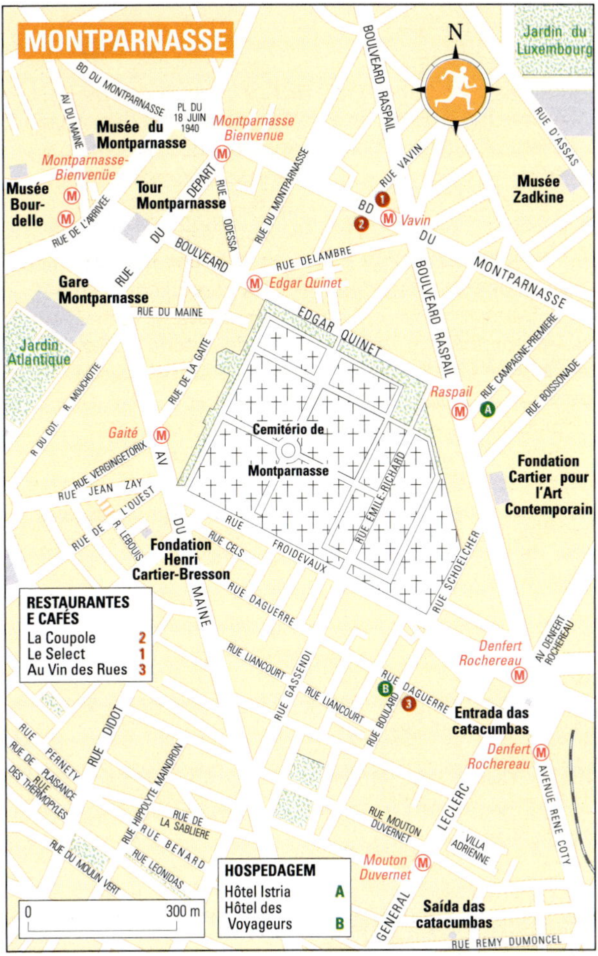

Observatoire de Paris

Jardin Atlantique

Acesso pelos elevadores da Rue Cdt. R. Mouchotte e bd Vaugirard ou por escadas ao lado da plataforma 1 da estação Montparnasse. Ⓜ Montparnasse-Bienvenüe. Aberto diariam. até anoitecer.

A estação Montparnasse já foi o principal ponto de chegada e partida dos viajantes que cruzavam o Atlântico e dos bretões que buscavam trabalho na capital. Essa conexão é comemorada

▲ JARDIN ATLANTIQUE

no extraordinário Jardin Atlantique, um grande parque que os urbanistas da cidade literalmente ergueram sobre os trilhos do trem, entre altíssimos prédios de apartamento. O traçado do parque é um exemplo clássico do talento parisiense, com um campo de grama da costa atlântica, ondulações no gramado, fontes controladas eletronicamente e áreas de esculturas escondidas entre as árvores.

Musée du Montparnasse

Avenue du Maine 21. Ⓜ Montparnasse-Bienvenüe. Ter-dom 12h-19h. €5. Picasso, Léger, Modigliani, Chagall, Braque e outros membros do grupo de artistas de Montparnasse, da primeira metade do século 20, costumavam jantar no que era então a Cantine des Artistes, cantina e estúdio de Marie Vassilieff. O lugar hospeda hoje o Musée du Montparnasse, que expõe trabalhos de artistas do grupo. A galeria fica no fim de uma viela escondida, coberta de hera, uma bonita remanescente dos anos entreguerras que ainda hoje é usada como espaço de estúdio – embora a maioria seja de caros arquitetos atuais.

Musée Bourdelle

Rue A. Bourdelle16-18. Ⓜ Montparnasse-Bienvenüe. Ⓦwww.bourdelle.paris.fr. Ter-dom 10h-18h. €4,50. As grandes e modernas esculturas de aparência heróica que se erguem no pequeno pátio voltado para a rua do Musée Bourdelle são uma mostra do bom gosto que nos aguarda em seu interior. O museu foi criado em torno do antigo ateliê do escultor Antoine Bourdelle, do início do século 20, onde a maior atração é o antigo estúdio do artista, repleto de trabalhos inacabados, ainda exalando o cheiro de um antigo piso de tacos. O resto do museu é mais convencional, dedicado a expor o estilo meio geométrico, meio naturalista de Bourdelle – afinal, ele foi nada menos que discípulo de Rodin e mestre de Giacometti.

Musée Zadkine

Rue d'Assas 100 bis. Ⓜ Vavin/ RER Port-Royal. Ⓦwww.zadkine.paris.fr. Ter-dom 10h-18h. Grátis. O chalé e o jardim do estúdio do escultor cubista Ossip Zadkine, onde ele morou e trabalhou de 1928 a 1967, estão hoje à sombra de altos prédios de ambos os lados e são ocupados pelo pequeno mas competente Musée Zadkine. Figuras esguias e alongadas misturadas aos trabalhos blocados, com acabamento grosseiro, são exibidas em apenas algumas salas intimistas, enquanto os bronzes do escultor cubista ficam espalhados pelo pequeno jardim, abrigados sob árvores ou emergindo de moitas de bambu. O local é discreto e convida a um passeio contemplativo.

Fondation Cartier pour l'Art Contemporain

Bd Raspail 261. Ⓜ Raspail. Ⓦwww.fondation.cartier.fr. Ter-dom 12h-20h. €6,50. A Fondation Cartier pour l'Art Contemporain é uma construção assombrosamente translúcida concebida e projetada por Jean Nouvel em 1994. Uma grossa parede de vidro acompanha a linha da rua, presa por finos tirantes ao prédio principal, que também é inteiramente de vidro. Arte contemporânea de todo tipo – instalações, vídeos e peças multimídia –, em geral de artistas estangeiros pouco conhecidos na França, é mostrada em exposições temporárias que sempre tiram a máxima vantagem da luz natural e dos amplos espaços do prédio. O trabalho do fotógrafo Herb Ritts ficou exposto aqui, Issey Miyake experimentou com desenhos em tecido e um grupo de artistas e fotógrafos colaborou em uma mostra inspirada no povo ianomâmi, da Amazônia brasileira.

Cemitério de Montparnasse

Bd Edgar Quinet. Ⓜ Raspail/Gaîté/Edgar Quinet. 16 mar-5 nov: seg-sex 8h-18h, sáb 8h30-18h, dom 9h-18h; 6 nov-15 mar: fecha às 17h30. Mais fascinante que soturno, o cemitério de Montparnasse tem fileiras e mais fileiras de pequenos templos cuja arquitetura vai do austero ao melodramático. Além disso, abriga os túmulos de diversos nomes ilustres para procurar.

À direita da entrada principal do cemitério, no boulevard Edgar Quinet, encostados no muro estão os túmulos contíguos de Jean-Paul Sartre e Simone de Beauvoir – Sartre morou por muitos anos a poucos metros de distância do boulevard Raspail. Descendo a alameda de l'Ouest, que acompanha o muro oeste do cemitério, você verá os túmulos de Baudelaire, do pintor Soutine, dos dadaístas Tristan Tzara e Zadkine, e do fascista Pierre Laval, membro do governo Pétain que depois da guerra foi executado por traição, logo após ter tentado o suicídio. Para compensar, você pode prestar homenagem a Proudhon, o anarquista e autor da frase "A propriedade é um roubo!"; ele repousa na Division 1, ao lado do Carrefour du Rond-Point.

Na esquina sudoeste do cemitério de Montparnasse há um velho moinho de vento que no século 17 abrigava uma taverna famosa por sua turbulência.

Na frente da rue Emile-Richard, no lado leste do cemitério, estão enterrados o empresário do ramo automobilístico André Citroën, Guy de Maupassant, César Franck e o capitão Alfred Dreyfus, famosa vítima do anti-semitismo francês do fim do século 19. Escondido num canto do ângulo norte há um túmulo ornamentado com uma cópia da escultura de Brancusi *O beijo* – a declaração suprema de luto profundo.

Fondation Henri Cartier-Bresson

Impasse Lebouis. Ⓜ Gaîté. Ⓦwww.henricartierbresson.org. Ter-sex e dom 13h-18h30 (qua 10h30-20h30), sáb 11h-18h45; fecha ago. €5; grátis. Ainda existe uma rede de antigas ruelas nos bairros Pernety e Plaisance, ao sul do cemitério de Montparnasse. A atmosfera local não poderia ser mais apropriada para a Fondation Henri Cartier-Bresson, que monta excelentes exposições de fotos, em geral individuais de fotógrafos famososos, alternadas com mostras dos trabalhos desse grande fotojornalista parisiense. Procure conferir o que está acontecendo, porque a fundação fica fechada entre uma exposição e outra. Consulte a página da fundação antes de visitá-la.

▲ CEMITÉRIO DE MONTPARNASSE

Catacumbas

Place Denfert-Rochereau. Ⓜ Denfert-Rochereau. www.catacombes.paris.fr. Ter-dom 10h-16h. €5. As catacumbas de Paris são mesmo sobrenaturais. A entrada, no meio da movimentada place Denfert-Rochereau – antiga place d'Enfer, ou "praça do inferno" –, leva para dentro do que um dia foi uma pedreira subterrânea, mas hoje é uma rede de túneis em cujas paredes há um número aparentemente infinito de ossos humanos postos lado a lado. Estima-se que os restos mortais de 6 milhões de parisienses estejam ali, mais que o dobro da população atual da cidade (sem incluir os subúrbios). Esses ossos estavam antes em capelas mortuárias e cemitérios superlotados que se tornaram um perigo à saúde pública e foram esvaziados entre 1785 e 1871. Os fêmures e crânios fixados em elaborados padrões geométricos criam um efeito mais bizarro do que fantasmagórico, provocando reações perturbadoras em alguns. Crianças maiores adoram a visita, mas há bons quilômetros para caminhar que logo se tornam claustrofóbicos, sem mencionar a umidade e o piso escorregadio.

▲ CATACUMBAS

Cafés

Le Select

Bd du Montparnasse 99. Ⓜ Vavin. Seg-qui e dom até 3h, sex-sáb até 4h30. Pode não ser tão famoso quanto seus vizinhos próximos – o Dôme, o Rotonde e outros cafés de Montparnasse freqüentados por Picasso, Modigliani, Cocteau e outros –, mas é muito mais bem conservado, muito menos caro e infinitamente mais agradável. Le Select é perfeito para beber um café ou até mesmo um conhaque.

Restaurantes

La Coupole

Bd du Montparnasse 102. Ⓜ Vavin. ☎01.43.20.14.20. Diariam. 8h30-1h. O maior e talvez o mais duradouro ponto parisiense dos ricos e famosos para jantar, dançar e debater. O lugar vibra com o rumor das conversas e o ruído dos talheres das mesas distribuídas sob os lustres do pé-direito alto. Os menus são relativamente baratos no almoço, mas ficam mais caros à noite (a partir de €35). Quem esperar até as 22h30 aproveitará um vantajoso cardápio em termos de custo e benefício (abaixo de €25).

Au Vin des Rues

Rue Boulard 21. Ⓜ Denfert-Rochereau. ☎01.43.22.19.78. Seg-sáb 12h-15h e 19h30-23h, dom 19h30-23h. Esta tradicionalíssima adega e bistrô já foi a favorita do fotógrafo Robert Doisneau e até hoje parece manter as mesmas cadeiras bambas de madeira. Serve refeições clássicas bastante satisfatórias por cerca de €30 por pessoa.

Sul de Paris

Mesmo que não esteja nos seus planos conhecer aquela faixa relativamente amorfa ao sul de Paris, saiba que ela esconde bolsões charmosos e ainda intocados da cidade velha que merecem ser explorados, bem como um excelente mercado-de-pulgas, o Puces de Vanves. Ótimos parques públicos são encontrados nos limites do extremo sul da cidade: o Parc Montsouris está sendo ajardinado com muita criatividade, ao passo que o futurista Parc André-Citroën possui um gigantesco balão de hélio que oferece vistas magníficas. Há poucas vistas assim, embora você possa fazer uma peregrinação a La Ruche, o lar de alguns dos artistas mais *avant-garde*, ou à Bibliothèque Nationale de France, a gigantesca e moderníssima biblioteca nacional. À noite, Chinatown tem as atrações culinárias de sempre, enquanto o Butte-aux-Cailles, um típico bairro parisiense, oferece excelentes e descontraídos bares e restaurantes.

Allée des Cygnes

Ⓜ Bir-Hakeim. De todas as atrações diferentes do sul de Paris, a allée des Cygnes provavelmente é a mais excêntrica. A princípio talvez ela não prometa muito – a "alameda" é basicamente uma avenida estreita e asfaltada, ladeada por árvores – mas se você a percorrer desde a estrada em dois níveis e a ponte de ferro (Pont de Bir-Hakeim), de onde se avista a Torre Eiffell, vir passar as barcaças de carvão e visitar a versão da Estátua da Liberdade em tamanho menor na ponta sul desta ilha no rio Sena, talvez acabe compartilhando a mesma opinião de Samuel Beckett, que escolheu a allée des Cygnes como seu lugar preferido da cidade.

Parc André-Citroën

Quai André-Citroën. Ⓜ Lourmel/Javel-André-Citroën/RER Bd Victor. Seg-sex 8h-anoitecer, sáb-dom 9h-anoitecer. Balão: diariam. 9h até 40min. antes do fechamento do parque; ligue para saber as condições do tempo no dia da visita. ☎01.44.26.20.00. Seg-sex €10 e €5 para menores de 12 anos; sáb-dom €12 e €6 para menores de 12 anos. Se ao sul da Torre Eiffel se enfileiram prédios comerciais e pequenos arranha-céus, o extremo sudoeste da cidade tem o espaço amplo e ajardinado do Parc André-Citroën. Não é um parque tradicional: tem uma área central ajardinada, mas o resto são terraços de concreto e jardins murados com temas abstratos, estufas e uma grande plataforma de onde brota um caprichoso conjunto de jatos d'água que encantam as crianças com seus súbitos e coordenados repuxos. Outra interessante atração do Parc André-Citroën que vale uma experimentação é o balão preso por uma corda que, nos dias claros, sobe e desce com pequenos grupos para admirar surpreendentes vistas da capital francesa.

Puces de Vanves

Av Marc-Sangnier e A. Georges-Lafenestre. Ⓜ Porte de Vanves. Sáb-dom 7h-13h. O Puces de Vanves é o melhor mercado-de-pulgas da cidade. Começa logo cedo nos fins de semana, quando um número incontável de bancas oferecendo bugigangas, penduricalhos e uma miscelânea colecionável é montado nas avenidas Marc-Sangnier e Georges-Lafenestre. A longa distância além dos limites sul da cidade – tome a linha 13 do metrô até a Porte de Vanves e siga as placas – é compensada por uma divertida manhã de compras.

▲ PUCES DE VANVES

Parc Montsouris

RER Cité-Universitaire. No extremo sul da cidade fica o Parc Montsouris. É um lugar agradável para passear, com seus caminhos sinuosos, sua queda-d'água sobre o lago e os trilhos de trem da RER que o cortam de ponta a ponta. Outras atrações incluem uma estação meteorológica, um marco da antiga linha do meridiano perto do boulevard Jourdan e, ao lado do portão sudoeste, um quiosque da Associação Francesa de Astronomia. Em uma caminhada mais longa você poderá explorar as associações artísticas nas redondezas. Le

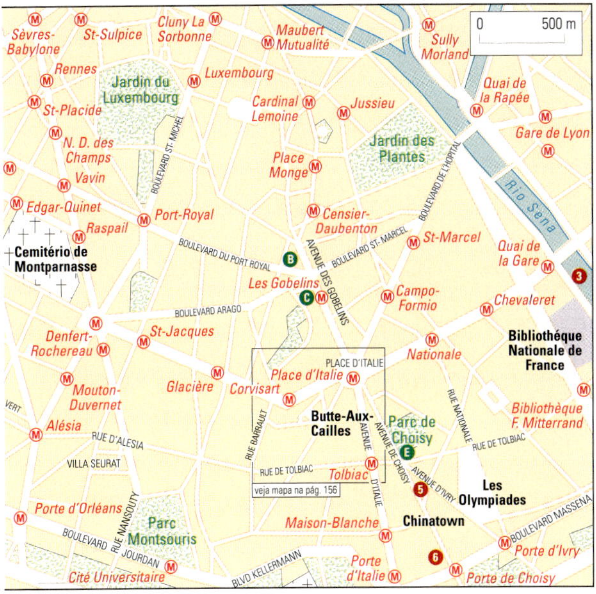

Corbusier montou seu estúdio na avenue Reille 53, que corre paralela ao lado do norte do parque, e perto da rue Nansouty, que acompanha o lado oeste do parque, estão a protegida place du Montsouris e a casa de Georges Braque na rua que leva o seu nome. Mais cinco minutos a pé e você encontrará as casas que foram habitadas por Dalí, Lurçat, Miller e Durrell nas ruelas de pedra da Villa Seurat, ao lado da rue de la Tombe-Issoire.

Butte-aux-Cailles

Ⓜ Corvisart/Place d'Italie. Praticamente intocado, o distrito de Butte-aux-Cailles, com suas ruelas e becos ladeados por casas e estúdios. É um bairro típico da Paris anterior aos anos 1960. A rue de la Butte-aux-Cailles é o efervescente centro da região, com bares e restaurantes da moda. A maioria desses estabelecimentos fica aberta até de madrugada.

Chinatown

Ⓜ Tolbiac. Você encontrará os melhores restaurantes de cozinha asiática de Paris na área conhecida como Chinatown, apesar da presença de várias outras comunidades do leste da Ásia. Lojas e restaurantes chineses, laocianos, cambojanos, tailandeses e vietnamitas enchem as avenues d'Ivry e Choisy até os limites da cidade. A parte mais curiosa do bairro, conhecida como Les Olympiades, é uma plataforma elevada entre duas torres imensas, à qual se tem acesso por escadas rolantes das vizinhas rue Nationale, rue de Tolbiac e avenue d'Ivry. Ao lado do nº 66 da avenue d'Ivry, a escada rolante sobe para uma ruela que dá acesso a um estacionamento subterrâneo; no meio dessa rua há um pequeno templo budista e um centro comunitário fracamente iluminados por um par de lanternas vermelhas pouco visíveis na escuridão.

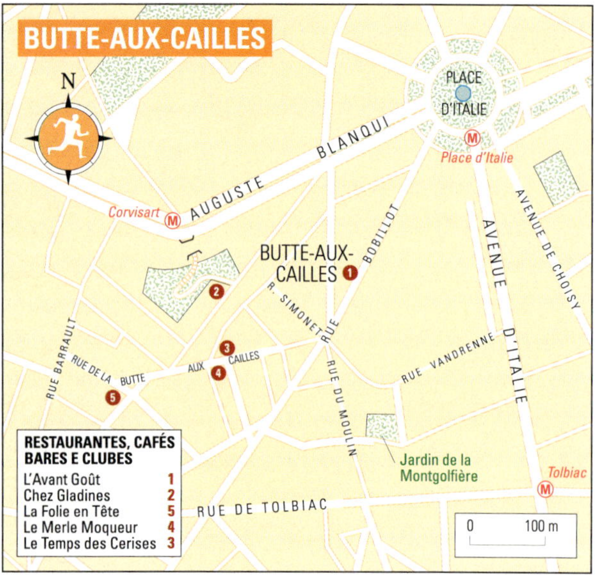

Bibliothèque Nationale de France

Quai de la Gare. Ⓜ Quai de la Gare/Bibliothèque François Mitterrand. Ⓦwww.bnf.fr. Ter-sáb 9h-19h, dom 13h-19h. €3,30 por um dia inteiro. Esta biblioteca, obra do arquiteto Dominique Perault, domina o moderníssimo setor à beira-rio com quatro imensas torres em forma de L. Elas representam livros abertos, refletindo o que há em seu interior: a biblioteca nacional. Estão voltadas para um grande bosque de pinheiros, com paredes de vidro filtrando a luz. Há exposições ocasionais, e as salas de leitura estão abertas a maiores de 16 anos.

▲ BIBLIOTHÈQUE NATIONALE DE FRANCE

Cafés

L'Entrepôt

Rue Francis-de-Pressensé 7-9. Seg-sáb 12h-2h. Cinema de arte com café espaçoso. É uma área de conservação de plantas e lugar para sentar no pátio. Preços altos, cardápio saboroso e um excelente *brunch* no domingo. Música ao vivo e eventos artísticos garantem o movimento.

Restaurantes

L'Avant Goût

Rue Bobillot 37. Ⓜ Place d'Italie. ☎01.45.81.14.06. Ter-sáb 12h-14h30 e 19h30-23h; fecha três semanas ago. Pequeno restaurante de bairro com ótima reputação pela imaginativa cozinha francesa moderna e pelos vinhos combinando. O L'Avant Goüt tem uma decoração contemporânea, com banquetas vermelhas, e os pratos apresentados com estilo são ambos divinos. Há excelentes opções no almoço por menos de €15, e no jantar de €30 a €45, mais o vinho.

Le Bambou

Rue Baudricourt 70. Ⓜ Tolbiac. ☎01.45.70.91.75. Ter-dom 12h-15h e 19h-20h30. Pequeno bistrô em Chinatown lotado de pessoas que querem comida vietnamita com sabor original a preço baixo. Eles têm as bem servidas e condimentadas sopas tradicionais, com carne de boi e macarrão (peça a grande só se você estiver com fome), um menu completo de especialidades e o delicioso café vietnamita com leite condensado.

Le Café du Commerce

Rue du Commerce 51. Ⓜ Emile Zola. ☎01.45.75.03.27. Diariam. 12h-24h. Le Café du Commerce é uma antiguíssima brasserie localizada em um átrio central bastante movimentado, com mesas em terraços nos três andares. O menu inclui todos os clássicos, com forte ênfase na carne de alta qualidade. Os pratos do almoço são incrivelmente baratos, mas os preços sobem consideravelmente à noite, embora a conta jamais chegue a assustar.

Chez Gladines

Rue des Cinq-Diamants 30. Ⓜ Corvisart. ☎01.45.80.70.10. Seg-ter 12h-15h e 19h-24h, qua-dom 12h-15h e 19h-1h. Este pequeno e acolhedor bistrô de esquina tem uma clientela jovem espalhada por mesas bambas dispostas entre o bar e as janelas. Serve ótimos vinhos e suculentos pratos bascos e do sudoeste, como o *magret de canard* ou a salada quente com *saucisson* e ovo. Sempre cheio e de excelente qualidade.

Le Merle Moqueur

Rue de la Butte-aux-Cailles 11. Ⓜ Place d'Italie/Corvisart. Diariam. 17h-2h. Bar pequeno e exageradamente chique, oferece música tranqüila e rum aromatizado na casa para jovens parisienses.

L'Os à Moëlle

Rue Vasco de Gama 3. Ⓜ Lourmel. ☎01.45.57.27.27. Ter-sáb 12h-14h e 19h-24h; fecha ago. No extremo sudoeste da cidade, este descontraído bistrô de bairro do *chef* Thierry Faucher oferece excelentes pratos franceses a preços razoáveis (no jantar a €38). Sua Cave de l'Os à Moëlle (☎01.45.57.28.88), do outro

▲ L'OS À MOËLLE

lado da rua, é uma simpática adega onde duas grandes mesas comunitárias oferecem os mesmos pratos do bistrô. Por meros €20, é possível comer à vontade.

Le Temps des Cerises

Rue de la Butte-aux-Cailles 18-20. Ⓜ Place d'Italie/Corvisart. ☎01.45. 89.69.48. Seg-sex 12h-14h15 e 19h30-23h45, sáb 19h30-24h. Restaurante simpático – funciona como cooperativa de trabalhadores – onde as pessoas se sentam lado a lado e todo dia tem diferentes opções de pratos bem criativos. Almoço barato e pratos um pouco mais caros no jantar.

Tricotin

Av de Choisy 15. Ⓜ Porte-de-Choisy. ☎01.45.85.51.52 e ☎01.45.84.74.44. Diariam. 9h-23h30. Envidraçados como dois aquários gigantes, os restaurantes gêmeos Tricotin dão as costas para a grande avenue de Choisy, no extremo sul de Chinatown (ao lado do McDonald's chinês). Ambos cobrem basicamente as mesmas regiões, e o fazem bem e a preços justos. O restaurante 1 (fecha ter) serve comida tailandesa e peixes grelhados; o 2 tem um longo cardápio vietnamita e cambojano e comida feita no vapor.

Bares

La Folie en Tête

Rue de la Butte-aux-Cailles 33. Ⓜ Place d'Italie/Corvisart. Seg-sáb 17h-2h. Um endereço clássico do distrito de Butte-aux-Cailles, este bar alternativo toca world music e moderna música francesa, e serve cervejas e cafés para uma clientela jovem e esquerdista. Bebidas e petiscos baratos são servidos o dia todo.

Clubes

Batofar

Quai de la Gare. Ⓜ Quai de la Gare. Diariam. 21h-3h. Entrada de €10 a €12. Este velho barco-farol ancorado na frente da Bibliothèque Nationale é ótima opção para uma noitada relativamente barata, com atmosfera excêntrica, música eclética e clientela diversificada. Se a música que se ouve do cais não agradar, confira também o Péniche Makara ou La Guinguette Pirate, ambos vizinhos.

Montmartre e norte de Paris

Montmartre é um dos bairros mais românticos de Paris e sua fama se deve principalmente ao fato de ter sido lar e local de trabalho e lazer de artistas como Renoir, Degas, Picasso e Toulouse-Lautrec. Durante muito tempo Montmartre foi só uma aldeia montanhosa situada fora dos muros da cidade. Hoje, suas ruas íngremes ao redor da Butte Montmartre, o ponto mais alto de Paris, preservam uma agradável atmosfera de cidade pequena – embora a place du Tertre, no topo da montanha, viva apinhada de turistas. A Butte é coroada pela igreja do Sacré-Cœur cujas cúpulas brancas são vistas de qualquer ponto da cidade. Embora Montmartre venha sendo restaurada e urbanizada a cada dia, Pigalle ainda resiste aos avanços da Butte, seus bulevares ainda zunindo com as luzes noturnas, suas lojas de fast-food étnico, os cabarés, os clubes e, claro, os bordéis. Mais ao sul, e em radical contraste com o resto, está o delicado 9º arrondissement com seus dois elegantes museus: o Musée de la Vie Romantique e o Musée Moreau. E, nos limites norte da cidade, a feira de St-Ouen vende tudo, de antiguidades excêntricas a quinquilharias de segunda mão.

Butte Montmartre

Ⓜ Anvers/Abbesses. É provável que a palavra Montmartre seja uma corruptela de Mons Martyrum – Montanha do Martírio –, mas sua origem talvez remonte a Mons Martis, antigo templo romano dedicado a Marte. Sente-se a presença desse passado pagão quando se sobe ao topo da Butte Montmartre, o ponto mais alto de Paris, a 130 metros, para ver o sol se pôr no vale do Sena. É mais fácil subir pelo funicular, que pertence ao sistema de metrô da cidade e usa os mesmos bilhetes. Também é possível ir pela escadaria que começa na place Willette, diretamente abaixo da Sacré-Cœur, embora o caminho pelas ruas sinuosas de Montmartre, poucos mais a oeste, seja bem mais interessante.

Place des Abbesses

Ⓜ Abbesses. Nesta bonita praça fica uma das duas únicas entradas Art Nouveau do metrô originais de Guimard ainda intactas. As ruas ao redor da praça talvez sejam um pouco pedantes para o bairro, com muitas butiques – ótimas para quem procura as últimas tendências de roupas e acessórios exclusivos. Daqui, você pode ir para a rue de la Vieuville, onde as escadas que sobem da rue Drevet o levarão à pequena place du Calvaire, com sua bonita vista de Paris.

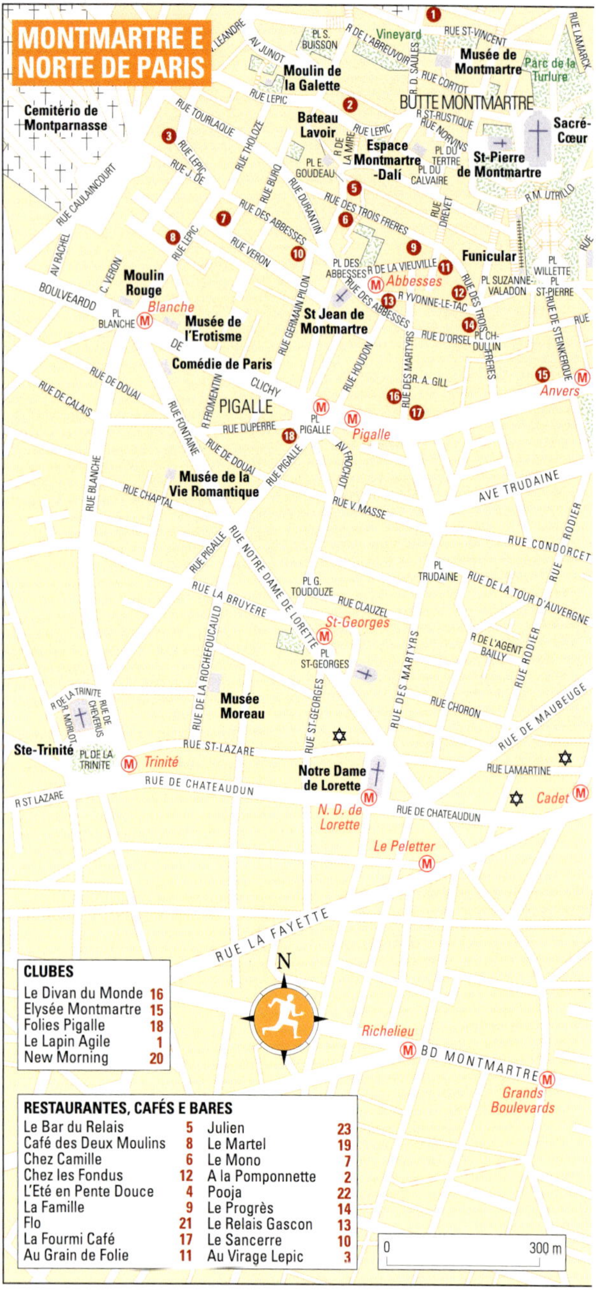

CLUBES	
Le Divan du Monde	16
Elysée Montmartre	15
Folies Pigalle	18
Le Lapin Agile	1
New Morning	20

RESTAURANTES, CAFÉS E BARES			
Le Bar du Relais	5	Julien	23
Café des Deux Moulins	8	Le Martel	19
Chez Camille	6	Le Mono	7
Chez les Fondus	12	A la Pomponnette	2
L'Eté en Pente Douce	4	Pooja	22
La Famille	9	Le Progrès	14
Flo	21	Le Relais Gascon	13
La Fourmi Café	17	Le Sancerre	10
Au Grain de Folie	11	Au Virage Lepic	3

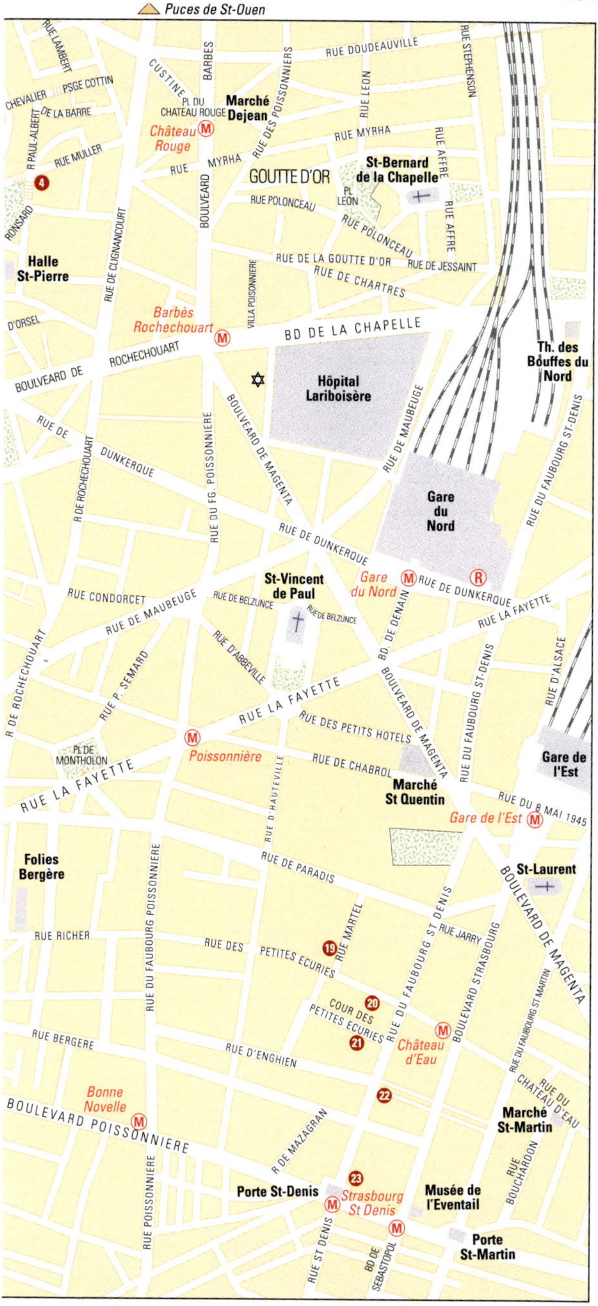
Puces de St-Ouen
RUE LAMBERT
CHEVALIER
PSGE COTTIN
DE LA BARRE
R PAUL-ALBERT
RUE MULLER
RONSARD
4
CUSTINE
BARBES
PL DU CHATEAU ROUGE
Marché Dejean
RUE DES POISSONNIERS
RUE DOUDEAUVILLE
RUE LEON
RUE STEPHENSON
Château Rouge
RUE MYRHA
RUE AFFRE
St-Bernard de la Chapelle
GOUTTE D'OR
PL LEON
BOULEVARD BARBES
RUE POLONCEAU
RUE DE LA GOUTTE D'OR
RUE DE JESSAINT
RUE DE CHARTRES
Halle St-Pierre
RUE DE CLIGNANCOURT
VILLA POISONNIERE
D'ORSEL
Barbès Rochechouart
BD DE LA CHAPELLE
BOULVEARD DE ROCHECHOUART
Th. des Bouffes du Nord
Hôpital Lariboisère
BOULVEARD DE MAGENTA
RUE DE MAUBEUGE
RUE DU FAUBOURG ST-DENIS
RUE DE DUNKERQUE
R DE ROCHECHOUART
RUE DU FG. POISSONNIERE
Gare du Nord
RUE CONDORCET
RUE DE MAUBEUGE
St-Vincent de Paul
RUE DE BELZUNCE
Gare du Nord
BD. DE DENAIN
RUE LA FAYETTE
RUE D'ABBEVILLE
RUE P. SEMARD
RUE D'ALSACE
RUE DES PETITS HOTELS
BOULVEARD DE MAGENTA
PL DE MONTHOLON
Poissonnière
RUE DE CHABROL
Gare de l'Est
Marché St Quentin
RUE DU 8 MAI 1945
Gare de l'Est
RUE D'HAUTEVILLE
Folies Bergère
RUE DE PARADIS
St-Laurent
BOULEVARD DE MAGENTA
RUE RICHER
RUE DU FAUBOURG POISSONNIERE
RUE DES PETITES ECURIES
19
RUE MARTEL
RUE JARRY
RUE DU FAUBOURG ST DENIS
BOULEVARD STRASBOURG
RUE DU FAUBOURG ST MARTIN
COUR DES PETITES ECURIES
20
21
Château d'Eau
RUE BERGERE
RUE D'ENGHIEN
22
RUE DU CHATEAU D'EAU
Bonne Novelle
BOULEVARD POISSONNIERE
Marché St-Martin
R DE MAZAGRAN
RUE BOUCHARDON
23
Porte St-Denis
Strasbourg St Denis
Musée de l'Eventail
RUE POISSONNIERE
RUE ST DENIS
BD DE SEBASTOPOL
Porte St-Martin

Moulin de la Galette

Ⓜ Abbesses/Lamarck-Caulaincourt. Na rue Lepic está o imponente Moulin de la Galette. Ele é um dos dois únicos que restaram dos 40 moinhos de vento de Montmartre e que em algum momento foi salão de baile – imortalizado por Renoir em seu *O baile no Moulin de la Galette*, exposto no Musée d'Orsay.

Place Emile-Goudeau

Ⓜ Abbesses/Anvers. Esta praça fica no meio da íngreme e curva rue Ravignan. Foi onde Picasso, Braque e Juan Gris iniciaram o movimento cubista numa antiga fábrica de piano conhecida como Bateau-Lavoir. O prédio atual é uma reconstrução fiel que continua sendo ocupada por estúdios. Com um único banco e uma pequena fonte, a praça é o descanso ideal para os que sobem para a Butte.

Place du Tertre e St-Pierre-de-Montmartre

Ⓜ Abbesses. O falso centro de Montmartre, a place du Tertre é fotogênica mas apinhada de turistas, restaurantes caríssimos e artistas vendendo óleos malfeitos dos marcos de Paris. No extremo leste da praça ergue-se a serena igreja de St-Pierre-de-Montmartre, a mais antiga de Paris ao lado de St-Germain-des-Prés. Embora tenha sofrido muitas alterações desde o convento beneditino original do século 12, ainda conserva características românicas e do início do gótico. As quatro colunas em seu interior – duas ao lado da porta e duas no coro – são prováveis remanescentes de um santuário romano que existia na colina, mas os capitéis são do período merovíngeo, assim como o é o cemitério do lado externo.

▲ ENTRADA DA ESTAÇÃO DE METRÔ ABBESSES

Sacré-Cœur

Ⓜ Anvers/Abbesses. Diariam. 6h-22h45. Domo diariam.: abr-set 8h30-19h; out-mar 9h-18h. €5 para o domo. Coroando a Butte, a igreja do Sacré-Cœur é uma curiosa mistura de elementos da arquitetura bizantina com sua torre branca e cúpula em forma de sorvete que acabaram por se tornar partes integrantes da paisagem parisiense. A construção começou nos anos 1870 por iniciativa da Igreja Católica para expiar os "crimes" cometidos pela Comuna revolucionária, que havia tentado tomar o poder dominando as montanhas de

Montmartre. Há pouco para ser visto no imenso e desfalcado interior da igreja do Sacré-Cœur, mas subir ao domo o levará quase tão alto quanto subir na Torre Eiffel. A vista do topo é fantástica, embora seja melhor de manhã bem cedo e no fim da tarde, quando o sol favorece uma visão melhor.

Musée de Montmartre

Rue Cortot 12. Ⓜ Lamarck-Caulaincourt. www.museedemontmartre.fr. Ter-dom 10h-18h. €5,50. Esta antiga e bonita casa de Montmartre, ocupada em várias ocasiões por Renoir, Dufy, Suzanne Valadon e seu filho Utrillo, hoje é o discreto Musée de Montmartre, onde pôsteres, pinturas e réplicas de salas de vários períodos relembram a atmosfera de Montmartre no auge de sua popularidade. Na parte de trás tem-se uma vista magnífica das montanhas ao norte da cidade e do pequeno vinhedo de Montmartre; geralmente a loja costuma ter algumas garrafas do vinho local um tanto ácido – mas nem por isso menos respeitável –, que são vendidas por cerca de €40.

Área vinícola de Montmartre

Ⓜ Lamarck-Caulaincourt. As ruas que avançam para o norte da Butte estão entre as mais tranqüilas e menos turísticas de Montmartre, por isso são as melhores para uma caminhada romântica. Você passará pela vinícola de Montmartre, que produz cerca de 1.500 garrafas por ano, e pelo cemitério de St-Vincent. Da rue du Mont Cenis, a leste do museu, há um exemplo bastante pitoresco das escadas típicas de Montmartre, com seus corrimãos duplos que descem pelo meio de postes de iluminação entre eles.

Cemitério de Montmartre

Entrada pela Av Rachel, sob a Rue Caulaincourt. Ⓜ Blanche/Place de Clichy. De 16 mar-5 nov: seg-sex 8h-18h, sáb 8h30-18h, dom 9h-18h; de 6 nov-15 mar fecha 17h30. Abaixo do nível da rua, onde antes havia uma pedreira está o cemitério de Montmartre, um conjunto de árvores e pompa fúnebre mais íntimo e menos melancólico que o Père-Lachaise, ou Montparnasse. Os ilustres que aí repousam incluem Stendhal, Berlioz, Degas, Nijinsky e François Truffaut, além de La Goulue, a dançarina do Moulin Rouge imortalizada por Toulouse-Lautrec. O túmulo de Zola, com a figura do defunto deitado, merece uma visita, embora seus restos mortais tenham sido transferidos para o Panthéon. Há também um setor israelita no lado leste. Ao lado da entrada, procure uma curiosa e antiga caixa de esmolas de ferro fundido (Tronc pour les Pauvres).

Puces de St-Ouen

Ⓜ Porte de Clignancourt. Seg, sáb-dom 9h-18h30 dependendo do tempo; muitos estandes fecham seg. A Puces de St-Ouen estende-se para além do anel viário periférico, no extremo norte da cidade, entre a Porte de St-Ouen e a Porte de Clignancourt. É considerado o maior mercado-de-pulgas do mundo, embora seja predominantemente uma feira de antiguidades, vendendo basicamente móveis mas também bugigangas da moda, como máquinas para café, luzes de trânsito, pôsteres, jukeboxes e bombas de combustível. É bem divertido andar a esmo por esse setor, mas não conte com barganhas. Os 12 mercados oficiais do complexo possuem características um pouco diferentes. O Marché Biron é o mais fino; o Marché Cambo, o Marché Antica e o Marché Malassis vendem móveis antigos autênticos e caros; o Marché Vernaison é o mais antigo e tem a coleção mais diversificada de móveis e objetos novos e antigos; já o Marché Serpette e o Marché des Rosiers concentram peças decorativas do século 20; o Marché Dauphine é relativamente novo e moderno, tem em sua maior parte móveis e objetos caros; o Marché Paul-Bert oferece todo tipo de móveis, porcelanas e outros itens; o Marché Malik tem roupas usadas e com defeito, bem como algumas peças de costureiros famosos; e, por fim, o Marché Jules-Vallès e o Marché Lécuyer-Vallès, que são mais baratos e vendem muita quinquilharia – com a probabilidade de se encontrar um tesouro inesperado.

Se sentir fome, vá ao clássico Chez Louisette, o restaurante no centro do Marché Vernaison, onde o guitarrista de gypsy jazz Django Reinhardt às vezes toca. A parte mais animada e improvisada do mercado se espalha pelas ruas J.H. Fabre e du Dr. Babinski, sob o viaduto da via periférica, e estende os limites do próprio mercado com ofertas de roupas baratas, DVDs piratas e muitas jaquetas de couro.

▲ REPRESENTAÇÃO DOS MERCADOS-DE-PULGAS DE ST-OUEN

Pigalle

Ⓜ Pigalle. As encostas ao sul de Montmartre são limitadas pelos agitados bulevares de Clichy e de Rochechouart. A área em que as ruas se encontram, a place Pigalle, há muito tempo é sinônimo de boemia, com sex shops e prostitutas disputando clientes. No últimos anos, contudo, o ressurgimento de bares badalados, clubes e locais com música está resgatando a reputação de Pigalle.

Moulin Rouge

Bd de Clichy 82. Ⓜ Blanche. ☎01.53.09.82.82, ⓦwww.moulinrouge.fr. O Moulin Rouge é talvez o mais famoso teatro-cabaré de Paris. Na época em que Toulouse-Lautrec o imortalizava em suas pinturas de cabaré, era apenas mais um entre os inúmeros locais de entretenimento dissolutos e populares – como se pôde ver no filme homônimo de grande sucesso. Hoje, passar uma noite no cabaré consiste em uma combinação bem cara de jantar e apresentações ao estilo Las Vegas (€150, ou €97, às 21h e €87 às 23h, sem jantar), que fascina turistas de todo o mundo pelo brilho, pelos efeitos especiais e pelos originais cancãs emplumados. Marque com antecedência.

Musée de l'Erotisme

Bd de Clichy 72. Ⓜ Pigalle. Diariam. 10h-2h. €8. Muito bem localizado em meio aos sex shops de Pigalle, o Musée de l'Erotisme é testemunha do fascínio de seu proprietário pelo sexo expresso através da arte popular. O lugar é repleto de modelos de falos, símbolos de fertilidade e figuras entrelaçadas vindas da Ásia, África e da América pré-colombiana, além de inúmeras pinturas e estatuetas de toda a Europa. Uma visita ao museu é uma experiência que é ora instrutiva, ora deprimente, ora hilariante, mas raramente é apenas erótica.

Musée de la Vie Romantique

Rue Chaptal 16. Ⓜ St-Georges/Blanche/Pigalle. Ⓦwww.vie-romantique.paris.fr. Ter-dom 10h-18h (fecha feriados). Grátis ou €7 durante exposições. O Musée de la Vie Romantique relembra a época em que viviam no bairro Chopin, Delacroix, Dumas e figuras importantes do movimento romântico. A casa em si, situada diante de um surpreendente pátio de pedra, já pertenceu ao pintor Ary Scheffer. George Sand costumava visitá-lo, por isso o piso térreo consiste basicamente de objetos e peças associados a ela, como jóias, mechas de cabelo e um molde da mão incrivelmente pequena de seu amante Chopin. No andar de cima há inúmeros retratos aristocráticos e sentimentais de Scheffer.

Musée Moreau

Rue de La Rochefoucauld 14. Ⓜ St-Georges/Trinité. Diariam. 10h-12h45 e 14h-17h15 (exceto ter). €4. Este bizarro e pouco visitado museu dedicado às obras simbolistas de Gustave Moreau foi concebido pelo próprio artista e montado do lado de fora da casa em que por muitos anos ele dividiu com seus pais – você pode visitar os pequenos apartamentos abarrotados de móveis e bugigangas. Os dois grandes espaços que serviam de estúdio estão interligados por uma bonita escada em espiral e não são menos lotados: as telas de Moreau quase justapostas nas paredes são todas repletas de figuras e convulsões decorativas – como no caso de *As filhas de Téspios* – ou em cores profundas e simbolismo provocativo, como na obra *Júpiter e Séméle*, trabalho considerado como o principal do acervo do Musée Moureau.

Marché Dejean

Rue Dejean. Ⓜ Château Rouge. Ter-sáb rigorosamente das 9h-14h. A faixa arenosa ao norte de Paris na Gare du Nord é conhecida como Goutte d'Or ("gota de ouro") desde que ali existiam vinhedos. Hoje, é o centro da Paris africana; os primeiros imigrantes do norte da África abriram caminho para os africanos vindos de países que falam francês. O centro do bairro é o mercado que ocupa o pequeno cânion urbano da rue Dejean e atrai uma multidão de compradores por suas especiarias importadas, peixes exóticos e carnes de animais abatidos segundo as regras do islamismo (carnes halal). Você pode provar bebidas e petiscos africanos ou explorar as ruas vizinhas pelos CDs e coloridos tecidos senegaleses, comuns nesse mercado.

▲ MUSÉE MOREAU

Cafés

Café des Deux Moulins

Rue Lepic 15. Ⓜ Blanche. Diariam. 7h-2h. O Café des Deux Moulins resistiu à horda de fãs atraída por Amélie Poulin (no filme, ela esperava mesas aqui). Este café-restaurante voltou a ser o que sempre foi: um popular ponto de bairro que preserva seu polido interior dos anos 1950. O café oferece um concorrido *brunch* de domingo.

L'Eté en Pente Douce

Rue Muller 23, esq. rue Paul-Albert. Ⓜ Anvers/Château Rouge. Diariam. 12h-24h. A mais pura atmosfera de Montmartre, com mesas e cadeiras dispostas ao lado de uma longa escadaria que sobe para a igreja do Sacré-Cœur, pelo lado leste. L'Eté en Pente Douce serve pratos franceses tradicionais bem-feitos e baratos.

Le Progrès

Rue Yvonne Le Tac 1. Ⓜ Abbesses/Anvers. Diariam. 9h-2h. Este café é um símbolo dos jovens boemio-burgueses de Montmartre. De dia é um café simples e relaxado, serve carnes e saladas um tanto caras (de €12 a €15), mas à noite vira um animado bar. O café Le Carrousel, do outro lado da rua, orgulha-se de seu terraço nos dias ensolarados.

Le Sancerre

Rue des Abbesses 35. Ⓜ Abbesses. Diariam. 7h-2h. Le Sancerre é um ponto da moda sob a encosta ao sul de Montmartre, com uma fileira de mesas ao ar livre, ótimas para apreciar o movimento deste bairro boêmio. A comida do Le Sancerre não é tão boa, por isso vá direto às bebidas ou apenas curta o clima do local nos dias ensolarados.

Restaurantes

Chez les Fondus

Rue des Trois Frères 17. Ⓜ Abbesses. ☎01.42.55.22.65. Diariam. 17h-2h. O cardápio de €15 inclui as robustas *fondues* – Bourguignonne (carne) ou Savoyarde (queijo) – e a bebida. Esta idéia fez sucesso entre a ruidosa juventude parisiense, que se espreme em mesinhas entre as paredes grafitadas.

La Famille

Rue des Trois-Frères 41. Ⓜ Abbesses. ☎01.42.52.11.12. Ter-sáb 21h–23h15; fecha três semanas ago. La Famille tem esse nome pelas grandes mesas que são compartilhadas com outros clientes – a maioria sofisticada entre 30 e 40 anos. A decoração é descontraída e o criativo cardápio (cerca de €30) prima pelos sabores contrastantes e estimulantes.

Flo

Cours des Petites-Ecuries 7 (perto da rue du Faubourg-St Denis). Ⓜ Château d'Eau. ☎01.47.70.13.59. Diariam. 12h-15h e 19h-1h. Esta brasserie escura e muito bonita, onde se come lado a lado em longas mesas servidas por garçons com aventais longos, é especializada em peixes e frutos-do-mar. Os outros pratos também são todos excelentes, assim como o ambiente. Não é barato, mas vale pela qualidade, especialmente na hora do almoço, ou fique com os pratos que incluem vinho.

Au Grain de Folie

Rue La Vieuville 24. Ⓜ Abbesses. ☎01.42.58.15.57. Seg-sáb 12h30-14h30 e 19h-22h30, dom 12h30-22h30. Lugar vegetariano pequeno, simples, com a pintura descascada. A comida é barata, orgânica e tem sempre uma opção vegetariana.

Julien

Rue du Faubourg-St Denis 16. Ⓜ Strasbourg St-Denis. ☎01.47.70.12.06. Diariam. 12h-15h e 19h-1h. Pertence à mesma empresa do Flo. A decoração é mais chamativa, com globos de luz, porta-chapéus, toalhas de linho, bronzes e madeiras polidos. Serve a mesma cozinha tradicional francesa, com os mesmos preços, e fica igualmente lotado.

Le Martel

Rue Martel 3. Ⓜ Château d'Eau. ☎01.47.70.67.56. Seg-sex 12h-14h30 e 19h30-23h, sáb 19h30-23h. Badalado bistrô franco-marroquino, com mesas de madeira polida e paredes creme-escuro. Iluminação ultrabaixa e suave, às vezes a música étnica acrescenta um toque de estilo. O cardápio é caro para a comida do norte da África: o cuscuz é bom, mas a *pastilla* adocicada e os *tajines* valem mais que os €30 que custará a refeição.

Le Mono

Rue Véron 40. Ⓜ Abbesses. ☎01.46.06.99.20. Diariam. 12h-14h30 e 19h30-23h (exceto qua). Simpático restaurante togolês de administração familiar. Os pratos (cerca de €10) são na maioria peixe ou carne grelhados com molhos azedos e picantes. Ambiente agradável, toalhas com estampas afro, *soukous* nos alto-falantes e máscaras nas paredes.

A la Pomponnette

Rue Lepic 42 Ⓜ Blanche/Abbesses. ☎01.46.06.08.36. Ter-qui 12h-14h30 e 19h-23h, sex-sáb 12h-14h30 e 19h-24h. Autêntico bistrô decorado com pôsteres e desenhos, bar com tampo de zinco e manchas de nicotina. A tradicional cozinha francesa é confiável, mas você pagará mais pelo local e pelo ambiente adoráveis.

Pooja

Passage Brady 91 (ao lado da rue du Faubourg-St Denis). Ⓜ Strasbourg-St Denis/Château d'Eau. ☎01.48.24.00.83. Seg 18h-23h, ter-dom 12h-15h e 18h-23h. Localizado numa passage envidraçada que é uma fatia do subcontinente indiano em Paris, o Pooja é um pouco caro e às vezes mais sofisticado que seus vizinhos mais em conta, por isso pode exagerar – a menos que você queira experimentar.

Le Relais Gascon

Rue des Abbesses 6 ☎01.42.58.58.22. Diariam. 10h-2h. Excelente e simpático almoço com pratos baratos e apetitosos da Gasconha e saladas enormes.

Au Virage Lepic

Rue Lepic 61. Ⓜ Blanche/Abbesses. ☎01.42.52.46.79. Diariam. 19h-2h (exceto ter). Os guardanapos de algodão dobrados sobre os abajures e os hits dos anos 1970 são as pistas de que este não é um bistrô clássico como parece. A simpática recepção, porém, é dos velhos tempos, bem como o ambiente aconchegante (as mesas são muito próximas); a culinária francesa é satisfatória, mas relativamente cara.

Bares

Le Bar du Relais

Rue Ravignan 12. Ⓜ Abbesses. Seg-ter 15h-2h, sex-dom 12h-2h. Decoração antiga e tão romântica quanto a sua localização, com mesas na pracinha. Nas noites durante a semana, Le Bar du Relais é perfeito para uma taça de vinho, e mais tarde, especialmente nos fins de semana, a música é animada e mais dançante, e atrai muita gente para um coquetel, uma cerveja de marca ou um bom bate-papo.

Chez Camille

Rue Ravignan 8. Ⓜ Abbesses. Ter-sáb 9h-2h, dom 9h-20h. Barzinho aconchegante nas encostas da Butte, atrai artistas e gente da mídia para conversar e beber. Descontraído mais cedo, e formal quando a noite avança.

La Fourmi Café

Rue des Martyrs 74. Ⓜ Pigalle/Abbesses. Seg-qui 8h-2h, sex-sáb 8h-4h, dom 10h-2h. Café-bar badalado e agradável, com pé-direito alto e decoração de bistrô antigo. Fica cheio de jovens parisienses ricos para um café durante o dia ou cervejas e coquetéis à noite.

Clubes

Elysée Montmartre

Bd de Rochechouart 72. Ⓦwww.elyseemontmartre.com. Ponto histórico em Montmartre, atrai uma multidão de jovens dispostos a noitadas animadas sob um imenso teto abobadado a partir das 23h. Às sextas, há a concorrida noite de música eletrônica, e os sábados são embalados com rock ao vivo, números de dança e DJs tocando pop francês dos anos 1980. Canjas durante a semana.

Folies Pigalle

Place Pigalle 11. Ⓜ Pigalle. Ⓦwww.folies-pigalle.com. Ter-sáb 24h-amanhecer, dom anoitecer-24h. Famoso pelo passado condenável e um presente apenas um pouco menos condenável, o clube é um marco na cena noturna por suas animadas noites de house music e as noites gays.

Música ao vivo

Le Divan du Monde

Rue des Martyrs 75. Ⓜ Anvers. Ⓣ01.44.92.77.66, Ⓦwww.divandumonde.com. Entre os costumeiros clientes deste antigo e famoso café estava Toulouse-Lautrec. Hoje reativado, é o ponto de encontro de jovens, oferecendo a programação mais variada e animada da cidade, com noites de música francesa contemporânea, música cigana dos Bálcãs e rumba congolesa. Tem eventos a partir das 20h e dança da meia-noite até o amanhecer nos fins de semana com temas como "ethno groove".

Le Lapin Agile

Rue des Saules 22. Ⓜ Lamarck-Caulaincourt. Ⓣ01.46.06.85.87, Ⓦwww.au-lapin-agile.com. Ter-dom 21h-2h. Antigo refúgio dos artistas de Montmartre, oferece noites mistas de cabaré (incompreensíveis para não-parisienses), poesia e noites de música francesa. É bastante turístico (e caro) – mas sempre excelente.

New Morning

Rue des Petites-Ecuries 7-9. Ⓣ01.45.23.51.41, Ⓦwww.newmorning.com. Um dos pontos mais animados de Paris, é o local ideal para assistir aos grandes nomes internacionais do jazz, bem como a grandes apresentações de world music. Tem lugar para sentar e um espaçoso bar atrás, mas em geral as pessoas ficam em pé na frente do palco.

Bastille e Bercy

O agitado bairro da Bastille é hoje um dos pontos quentes da vida noturna da cidade. Já foi um distrito operário, e depois da construção do teatro de ópera, a Opéra Bastille, tornou-se um pólo de atração para jovens e artistas. Muita coisa mudou também na vizinha Bercy. Um dos maiores mercados de vinho do mundo, os armazéns de Bercy estão se convertendo em estilosos restaurantes e bares. Outro desenvolvimento criativo na região é o Viaduc des Arts, o antigo viaduto da ferrovia cujos arcos abrigam uma grande variedade de oficinas e lojas de artesanato. Os trilhos que passam por cima dele foram transformados em um agradável passeio gramado que se estende até o Bois de Vincennes, na periferia de Paris.

Place de la Bastille

Ⓜ Bastille. A grande e freqüentemente congestionada place de la Bastille é onde os parisienses se reúnem para celebrar a Tomada da Bastilha no dia 14 de julho, embora não reste quase nada da antiga prisão – o que sobrou foi transferido para a praça Henri-Galli, no fim do boulevard Henri-IV. O centro da place de la Bastille é uma coluna (Colonne de Juillet) sobre a qual se assenta o *Espírito da liberdade*, a estátua dourada que celebra não a queda da prisão, mas a Revolução de Julho de 1830, que substituiu o autocrático Carlos X pelo "Rei Cidadão" Luís Felipe.

Rue de Lappe

Ⓜ Bastille. Um dos pontos mais agitados da vida noturna parisiense é a rue de Lappe, repleta de novos bares que ficam lotados nos fins de semana. O Balajo (pág. 175) é um remanescente da autêntica tradição parisiense, os *bals musettes* (ou salões de música) da festiva Paris dos anos 1930, freqüentado entre as guerras por Edith Piaf, Jean-Gabin e Rita Hayworth. As ruas em volta foram tomadas por cafés e bares que disputam espaço com butiques de moda, excêntricos designers de interiores da rue de Charonne e os modelos alternativos e hippies das ruas Keller e de la Roquette completam o badalado circuito.

▲ COLUNA DA PLACE DE LA BASTILLE

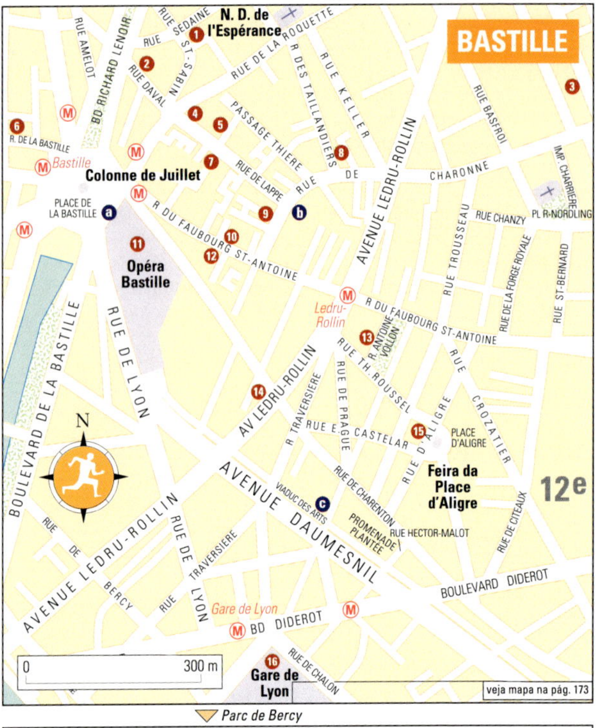

RESTAURANTES, CAFÉS E BARES				CLUBES		LOJAS	
Bar des Ferrailleurs	7	SanZSanS	10	Balajo	4	Cécile et Jeanne	c
Le Baron Rouge	15	Le Square Trousseau	13	Barrio Latino	12	FNAC Musique	a
Bofinger	6	Le Train Bleu	16	Café de la Danse	5	Isabel Marant	b
Café de l'Industrie	1	Waly Fay	3	Opéra Bastille	11		
China Club	14	Le Wax	2	La Scène Bastille	8		
Pause Café	9						

Feira da place d'Aligre

Ⓜ Ledru-Rollin. Ter-dom 7h30-13h. Esta feira, entre a avenue Daumesnil e rue du Faubourg St-Antoine, é um evento animado e ruidoso, sobretudo nos fins de semana. A praça fica tomada por bancas de roupas e bugigangas, e vendem de tudo (de antigos gramofones a curiosos cacos de cerâmica). E ao longo da vizinha rue d'Aligre a feira ganha vida com os vendedores, muitos deles de origem argelina, oferecendo freneticamente suas frutas e legumes.

Promenade Plantée

Ⓜ Bastille. O Promenade Plantée é uma excelente maneira de conhecer uma parte menos visitada da cidade – e a partir de um ângulo pouco usual. Este trecho em desuso da linha de trem, grande parte dele ao longo do viaduto, foi engenhosamente convertido em um passeio elevado e plantado com uma profusão de árvores e flores. O caminho começa perto do início da avenue Daumesnil, bem ao sul da casa de ópera Bastille, ao qual pode se alcançar por um lance de escada – ou por elevadores – e por vários outros pontos de acesso similares em toda a sua extensão. Ele o levará ao Parc de Reuilly, quando desce ao nível do chão para continuar até bem próximo às vias periféricas, de onde você pode seguir as placas para o Bois de Vincennes. O caminho todo tem cerca de 4,5 km, mas se você não quiser percorrer tudo isso faça apenas a primeira parte – ao longo do viaduto –, que é também um trecho bem bonito, pois passa por antigas e belas mansões e lhe dá uma visão do alto da rua que passa embaixo.

Viaduc des Arts

Ⓜ Bastille. Os arcos do viaduto do Promenade Plantée foram convertidos em espaços para ateliês de artesãos e lojas de artesanato. Conhecido como Viaduc des Arts, inclui restauradores de móveis e tapeçarias, designers de interiores, fabricantes de consoles, fabricantes de violino e flauta, bordadeiras e designers de jóias; a lista completa e o mapa estão disponíveis na avenue Daumesnil.

Bois de Vincennes

Ⓜ Château de Vincennes. Diariam. amanhecer-anoitecer. O Bois de Vincennes é uma das maiores áreas verdes da cidade. Infelizmente, ele é tão entrecruzado por estradas que a sensação de zona rural não dura muito tempo. Há, contudo, muitos recantos agradáveis, como um dos melhores jardins de Paris, o **Parc Floral** (diariam.: nov-jan 9h30-17h; fev e out 9h30-18h; mar-abr 9h30-19h; mai-set 9h30-20h; €1; Ⓦwww.parcfloraldeparis.com; Ⓜ Château-de-Vincennes, depois ônibus #112 ou 15min a pé). Há sempre uma flor se abrindo no **Jardin des Quatre Saisons.** Você pode fazer um piquenique sob os pinheiros, depois sair para um passeio pelas concentrações de camélias, rododendros, cactos, samambaias, íris e bonsais. Entre abril e setembro há exibições de arte e horticultura nos vários pavilhões, concertos de jazz e música clássica, um espaço de aventuras para crianças e um campo de minigolfe com monumentos parisienses.

▲ PROMENADE PLANTEE

Se quiser passar o dia no parque, você pode remar no **Lac Daumesnil**, perto da entrada da Porte Dorée e da estação de metrô (linha 8). Ao norte do Lac Daumesnil, na avenue de St-Maurice 53, está o maior **zoológico** da cidade (abr-set: seg-sáb 9h-18h, dom 9h-18h30; out-mar: fecha uma hora mais cedo; €5), um dos primeiros a substituir as jaulas por fossos e a usar espaços ambientados para que os animais possam se exercitar. Os animais deste zoológico estão em sua melhor forma nos horários de alimentação durante toda a tarde.

Château de Vincennes

Ⓜ Château-de-Vincennes. Diariam. 10h-12h e 13h15-18h. Visitas guiadas diariam.: 1h15min €6,10; 40 min €4,60. O Château de Vincennes situa-se nos limites norte do Bois de Vincennes. Tem uma longa história e foi largamente utilizado. Começou como residência real medieval, depois virou prisão, fábrica de porcelana, depósito de armas e escola de treinamento militar. A maior atração do passeio é a vistosa Chapelle Royale gótica, concluída em meados do século 16 e decorada com soberbos vitrais medievais.

▲ LE BARON ROUGE

Vila Bercy

Ⓜ Cour St-Emilion. A Vila Bercy é um conjunto de bonitos e antigos armazéns de vinho convertidos em lojas, restaurantes e, como não poderia deixar de ser, adegas – todos muito procurados para ir antes ou depois do cinema no gigantesco multiplex Bercy, no extremo leste do Cour Saint Emilion.

Parc de Bercy

Ⓜ Bercy/Cour St-Emilion. O estilo contemporâneo do Parc de Bercy incorpora elementos do antigo armazém, como os trilhos da ferrovia em desuso e as alamedas calçadas de pedra. O setor oeste do parque é um amplo gramado sem nenhum atrativo, mas a área a oeste tem tuias, jardins de rosas, lírios e um laranjal.

La Cinémathèque Française

Rue de Bercy 51. Ⓜ Bercy. Ⓦwww.cinematheque.fr. Instalada em um antigo centro americano desenhado pelo arquiteto Frank O. Gehry, responsável pelo Museu Guggenheim de Bilbao, a cinemateca está perfeitamente adaptada em seu novo lar. No local há um grande arquivo de filmes que datam dos primórdios do cinema e retrospectivas de filmes franceses e estrangeiros projetadas em quatro salas. Tem também um museu anexo (seg e qua-sex 12h-19h, ter até 22h, sáb-dom 10h-20h, €4), com antigos equipamentos de cinema e clipes de filmes mudos.

Lojas

Cécile et Jeanne

Av Daumesnil 49. Ⓜ Gare-de-Lyon. Seg-sex 10h-19h, sáb-dom 14h-19h. Joalheria inovadora e razoavelmente cara instalada no Viaduc des Arts.

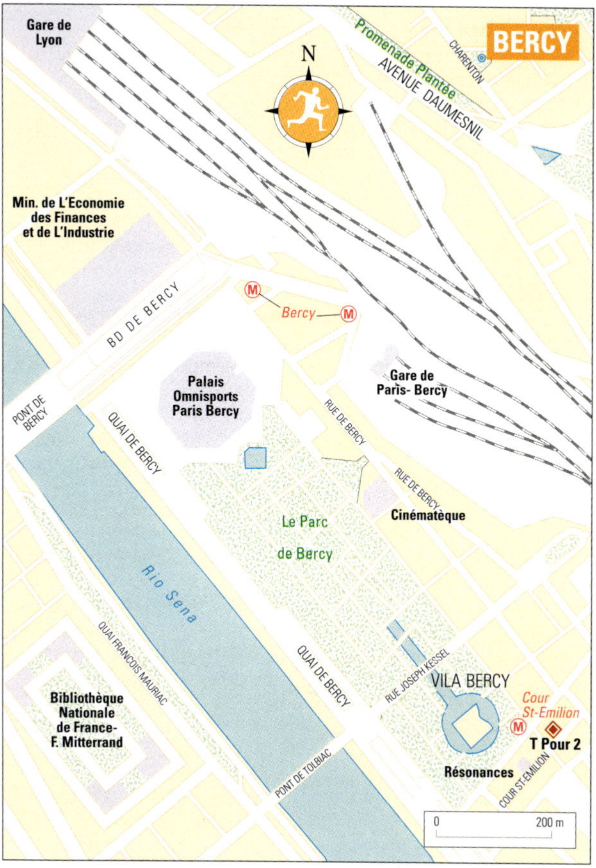

FNAC Musique

Place de la Bastille 4. Ⓜ Bastille. Ⓦwww.fnac.fr. Seg-sáb 10h-20h (qua e sex até 22h). Loja toda em tons de preto, cinza e cromado, catálogos computadorizados, música e livros de todo tipo. A FNAC oferece também uma completa agência de programação de concertos.

Résonances

Cour Saint Emilion 9. Ⓜ Cour St-Emilion. Diariam. 11h-21h. Acessórios para cozinha e banheiro, com ênfase no design francês. Os itens desejáveis à venda na Résonances incluem os elegantes decantadores de vinho e a chocolateira de porcelana branca.

Cafés

Le Baron Rouge

Rue Théophile-Roussel 1. Ⓜ Ledru-Rollin. Ter-sex 10h-14h e 17h-22h, sáb 10h-22h, dom 10h30-15h30. Este bar de vinhos é o mais próximo que você encontrará do típico bar onde se cospe no chão, como nos filmes antigos. Taças a partir de €1,30.

Café de l'Industrie

Rue St-Sabin 16. Ⓜ Bastille. Diariam. 10h-2h. Um dos melhores cafés da Bastille. Tapetes no chão ao redor de antigas e sólidas mesas de madeira, cabeças de rinoceronte, velhas fotos em preto-e-branco nas paredes e uma clientela despretensiosa que aprecia a confortável ausência do minimalismo.

Pause Café

Rue de Charonne 41, esq. rue Keller. Ⓜ Ledru-Rollin. Ter-sáb 8h-2h, dom até 21h. Café tradicional e popular entre os jovens e modernos da Bastille, principalmente na hora do drinque.

T pour 2

Vila Bercy, Cour Saint Emilion 23. Ⓜ Cour Saint-Emilion. Seg-ter 10h-24h, sex-dom 11h-2h. As velhas paredes de pedra deste depósito de vinho convertido em Bercy combina móveis contemporâneos para criar um espaço agradável e atraente. Você pode escolher entre uma grande variedade de chás e cafés durante o dia e vodcas e rum aromatizados (de €9 a €11) à noite.

Restaurantes

Bofinger

Rue de la Bastille 7. ☎01.42.72.87.82. Diariam. 12h-3h e 18h30-1h. A popular brasserie fin-de-siècle, com sua decoração esplêndida e bem conservada, está sempre cheia de locais e turistas. Cardápio de €30 a €50.

Le Square Trousseau

Rue Antoine Vollon 1. Ⓜ Ledru-Rollin. ☎01.43.43.06.00. Ter-sáb 12h-14h e 20h-23h30; fecha ago. Bonita brasserie belle époque. Le Square Trousseau serve antigos clássicos, como *pot-au-feu* e *steak au poivre*, além de pratos mais criativos. Pratos no almoço por €20. À noite é à la carte – cerca de €35 sem vinho. Reserve com antecedência.

Le Train Bleu

Gare de Lyon. Ⓜ Gare de Lyon. ☎01.43. 43.09.06. Diariam. 11h30-15h e 19h-23h. A decoração deste bar segue uma era de ouro que passou – tudo respinga dourado e candelabros pendem de tetos adornados com afrescos. A tradicional culinária francesa é boa e muito cara. Pratos do dia por €43 (incluindo meia garrafa de vinho). À la carte custa €70.

Waly Fay

Rue Godefroy-Cavaignac 6. Ⓜ Charonne/Faidherbe-Chaligny. ☎01.40.24. 17.79. Seg-sáb 12h-14h e 19h30-23h; fecha duas últimas semanas ago. Cardápio da África ocidental em um ambiente agradável. Jovens parisienses saboreiam seus cozidos perfumados e ricamente temperados e outras delícias locais a preços módicos (pratos por €12,50).

Bares

Bar des Ferrailleurs

Rue de Lappe 18. Ⓜ Bastille. Diariam. 17h-2h. Bar um tanto sinistro, decoração em metal enferrujado. Dono excêntrico e clientela bastante simpática.

China Club

Rue de Charenton 50. Ⓜ Bastille/Ledru-Rollin. ⓦwww.chinaclub.cc. Diariam. 19h-2h (sex-sáb até 3h); happy hour 19h-21h; fecha ago. Nos fins de semana uma multidão mista e vibrante se amontoa no bar de mogno ou toma uma bebida (€8,50 ou €6 na happy hour) em confortáveis sofás chesterfield. São três andares, um jazz-club no andar de baixo e um espaço mais discreto e romântico em cima.

SanZSanS

Rue du Faubourg St-Antoine 49. Ⓜ Bastille. Diariam. 9h-2h. O SanZ-Sans tem decoração gótica de veludo vermelho, pinturas a óleo e candelabros, e sua clientela é basicamente jovem. Bebidas e comidas meio caras. DJs todas as noites.

Le Wax

Rue Daval 15. Ⓜ Bastille. Ter-qua 22h-2h, sex-sáb 22h-5h. Largue-se nas cadeiras-cápsula deste bar popular com incrível decoração dos anos 1970. Repleto de jovens franceses e estrangeiros dançando soul, house e música eletrônica comandados por DJs.

Clubes

Balajo

Rue de Lappe 9. Ⓜ Ledru-Rollin/ Bastille. ☎01.47.00.07.87, ⓦwww.balajo.fr. Qua 21h-3h, ter-sáb 23h-5h. Taberna dos anos 1930 transformada em clube noturno, ainda mantém a decoração kitsch original. O chá-dançante domingo à tarde (15h-19h €8 incluindo o primeiro drinque) consegue capturar algo da Paris de Edith Piaf e Maurice Chevalier, enquanto as noites temáticas, como R'n'B (rhythm and blues) na sexta e no sábado e rock ou salsa na quarta, são disputadíssimas (de €12 a €20, incluindo o primeiro drinque).

Barrio Latino

Rue du Faubourg St-Antoine 46-48. Ⓜ Bastille. ☎01.55.78.84.75. Diariam. 11h-2h (sex-sáb até 3h). Ingresso ter-sáb €8, dom-seg grátis. Clube latino popularíssimo com dança todas as noites. Coquetéis por €9,50.

La Scène Bastille

Rue des Taillandiers 2 bis. Ⓜ Bastille. ☎01.48.06.50.70, ⓦwww.la-scene.com. Concertos: seg-sáb 20h-22h45; clube: ter-sáb 24h-6h; chá-dançante gay: dom 18h-2h. Clube e sala de concertos em um armazém reformado com refinamento. A música eclética inclui rock, afro-beat, funk e reggae, embora a ênfase nos fins de semana seja electro, techno e house, e as noites gays são em geral na sexta-feira. Entrada de €12 a €15.

Música ao vivo

Café de la Danse

Passage Louis-Philippe 5. Ⓜ Bastille. ☎01.47.00.57.59, ⓦwww.chez.com/cafedeladanse. Abre somente em noites de concerto. Rock, pop, world e folk music executadas em espaço intimista e bonito.

Opéra Bastille

Rue de Lyon 120. Ⓜ Bastille. ☎08.36.69.78.68, ⓦwww.opera-de-paris.fr. Inaugurado em 1989 com receptividade bem variada – um crítico a descreveu como um amontoado de vidro e aço como um hipopótamo numa banhei-ra –, o novo teatro de ópera ainda inspira muita controvérsia, mas os ingressos para as suas performances quase sempre se esgotam. Para programação e reservas, ligue para a bilheteria ou consulte on-line. Há ingressos por €5, mas a maioria custa de €40 a €90.

Leste de Paris

Tradicionalmente uma região de operários, com história de atividade radical e revolucionária, o leste de Paris é hoje uma parte diversificada e vibrante da cidade por abrigar grandes populações étnicas, além de artistas e estudantes atraídos por seus baixos aluguéis. As atrações mais populares da região são o cemitério Père-Lachaise, o último repouso de muitos artistas e escritores de renome; o Canal St-Martin, com seus cafés e bares badalados; e o amplo e pós-moderno Parc de la Villette. Uma visita ao Parc de Belleville e ao bucólico Parc des Buttes-Chaumont revela outra grande atração do leste: as vistas fantásticas da cidade.

Canal St-Martin

Construído em 1825 para que os barcos evitassem a grande volta que o Sena faz ao redor de Paris, o Canal St-Martin tem muitos encantos, especialmente ao longo de sua extensão ao sul: árvores uniformes alinham-se no calçamento de pedra do cais, e pontes só para pedestres pon-

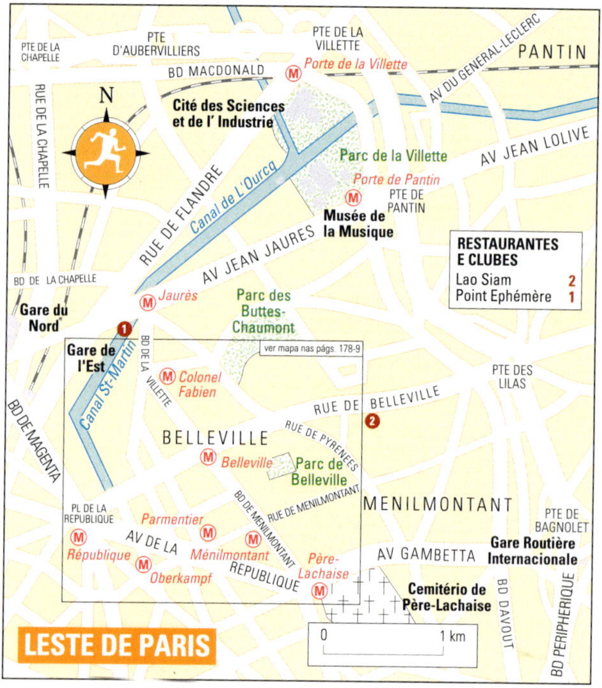

tuam os espaços entre as eclusas, de onde ainda se podem observar as barcaças subindo e descendo lentamente para o nível seguinte. Há dez anos a região vem sendo colonizada por uma nova *intelligentsia* das artes e da mídia que trouxe em sua esteira bares badalados, cafés e butiques. A área fica mais movimentada nas tardes de domingo, quando o cais é fechado ao trânsito, e pedestres, ciclistas e patinadores tomam conta das ruas ou se sentam à beira do canal para beber uma cerveja ou dedilhar um violão.

Parc de la Villette

Ⓜ Porte-de-Pantin/Porte-de-la-Villette. Ⓦwww.villette.com. Diariam. 6h-1h. Grátis. Construído em 1986 onde antes havia sido o maior matadouro e mercado de carnes de Paris, o Parc de la Villette, com seus espaços paisagísticos, tem um avançadíssimo museu de ciência, um deslumbrante museu de música, vários jardins temáticos e destoantes "extravagâncias" vermelhas. O efeito de tantos elementos díspares pode ser confuso – bem de acordo com o objetivo do criador de evitar todo e qualquer significado e "descontruir" o todo em partes. Tudo bem, mas em termos práticos é melhor pegar um mapa no centro de informações na entrada sul para se orientar.

O extenso terreno do parque contém dez jardins temáticos dedicados exclusivamente às crianças. No Jardin des Miroirs, por exemplo, monólitos de aço escondidos entre árvores e arbustos produzem estranhos reflexos, enquanto formas simulando dunas, velas e cata-ventos compõem o Jardin des Dunes (menores de 13 anos só acompanhados de adultos). Também faz muito sucesso entre as crianças o Escorregador Dragão, com 80 m de comprimento.

Na frente da Cité des Sciences flutua a Géode (a cada hora: ter-sáb 10h30-21h30, dom 10h30-19h30; €9), uma esfera de aço polido que parece ter caído de um jogo de bolas intergaláctico no espelho-d'água. Dentro dela há uma tela Omnimax para filmes que jamais se destacam pela trama, mas pela inesquecível experiência visual.

▲ CANAL ST-MARTIN

Cité des Sciences et de l'Industrie

Parc de la Villette. Ⓜ Porte-de-la-Villette. Ⓦwww.cite-sciences.fr. Ter-sáb 10h-15h, dom 10h-19h. €7,50. Sessões no planetário: 11h, 12h, 14h, 15h, 16h e 17h; 35min; €2,50. Cité des Enfants Ⓣ08.92.69.70.72; sessões ter, qua e sex 9h45, 11h30, 13h30 e 15h15; qua, sáb e dom 10h30, 12h30, 14h30 e 16h30; €5. A Cité des Sciences et de l'Industrie é um dos mais bonitos museus de ciências do mundo, ocupando um prédio que é quatro vezes maior que o Centre Pompidou. Suas imensas paredes são de vidro e o centro do museu é um vão livre com 40 m de altura. A excelente programação de

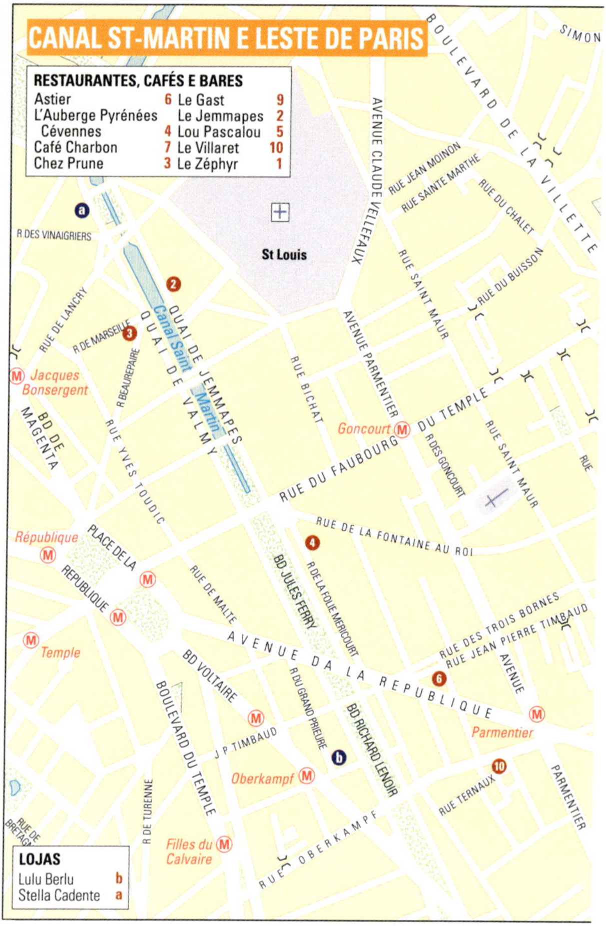

exibições temporárias complementa a exposição permanente, chamada Explora, que abrange temas como som, robótica, energia, luz, ecologia, matemática, medicina, espaço e linguagem. Como o nome sugere, a ênfase é a exploração e há inúmeros computadores interativos, vídeos, hologramas, modelos e jogos animados. Você sairá com a cabeça girando depois de assistir a uma sessão do planetário.

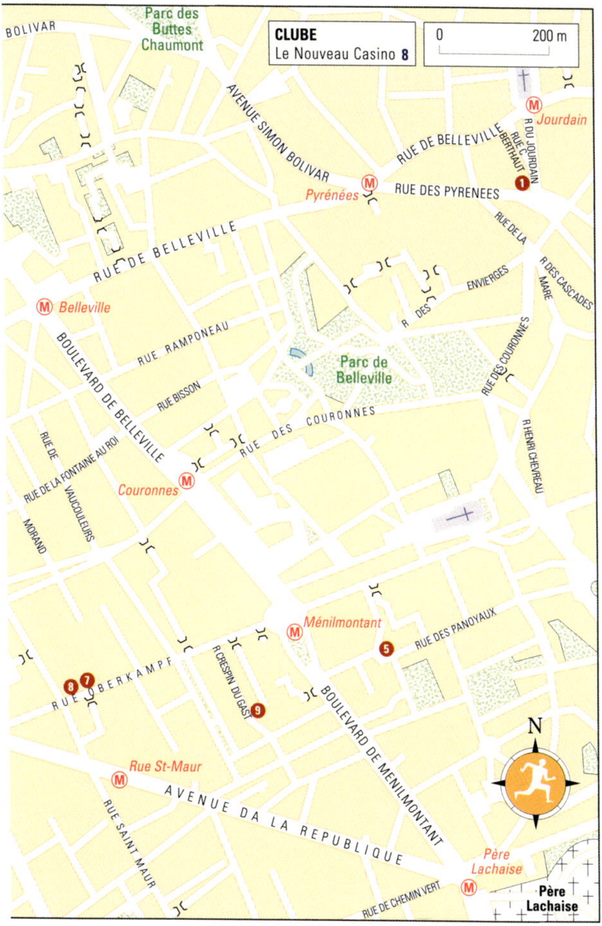

Há um setor para crianças, Cité des Enfants, com áreas para a faixa de 3 a 5 anos e de 6 a 12 anos de idade; as crianças devem estar acompanhadas de adulto e a sessão dura 90 minutos. Entre as inúmeras atividades interativas, as crianças podem fazer brincadeiras com água, construir prédios em um minicanteiro de obras (com guindastes, capacetes e carrinhos de mão), fazer experiências com som e luz e manipular os robôs.

Musée de la Musique

Complexo da Cité de la Musique, Parc de la Villette. Ⓜ Porte-de-Pantin. @www.cite-musique.fr. Ter-sáb 12h-18h, dom 10h-18h. €7. O Musée de la Musique conta a história da música do fim do Renascimento aos dias atuais visualmente, através dos 4.500 instrumentos expostos, ou em áudio, através de fones de ouvido (disponíveis em inglês; grátis). Caixas e mais caixas de vidro

▲ CITÉ DE LA MUSIQUE

abrigam belos instrumentos, como as flautas com incrustação de pedras preciosas ou uma fabulosa lira-violão, por exemplo. Os instrumentos são apresentados no contexto de algum momento-chave da história da música ocidental: quando você passa por um caixa, ouve no fone de ouvido uma curta narração informativa e em seguida um concerto.

Cemitério Père-Lachaise

Entrada principal pelo bd de Ménilmontant. Ⓜ Père-Lachaise/Philippe Auguste. Seg-sex 8h-17h30, sáb 8h30-17h30, dom 9h-17h30. Grátis. Repouso eterno de inúmeros franceses e estrangeiros notáveis, o Père-Lachaise ocupa mais de 40 ha, um dos maiores do mundo. É também um dos mais emocionantes – um paraíso estranhamente belo, com terraços nas encostas e árvores ancestrais que estendem seus galhos sobre túmulos cobertos de limo. A planta do cemitério é fornecida gratuitamente na entrada, mas vale a pena comprar uma mais detalhada com indicações mais claras de alguns túmulos; a melhor é publicada pelas Editions Métropolitain Paris (€2), à venda nas bancas de jornal e com os floristas na entrada principal.

O Père-Lachaise foi inaugurado em 1804 para aliviar a superlotação dos cemitérios e dos terrenos ao redor das igrejas. Como as autoridades civis já haviam transferido para cá Molière, La Fontaine, Abelardo e Heloísa, ser enterrado no Père-Lachaise logo ganhou status. Um dos túmulos mais visitados é o de Chopin (Division 11), reconhecível pelos mastros que sustentam coroas e flores vermelhas e brancas. Os fãs vão em busca do túmulo do cantor Jim Morrison, ex-líder da banda The Doors (Division 6), que morreu em Paris aos 28 anos de idade. Você saberá quando estiver próximo: há mensagens exaltando o amor e as drogas rabiscadas nas árvores e nos túmulos vizinhos.

O túmulo de Colette, a mulher fatal, perto da entrada principal na Division 4, é simples, mas está sempre coberto de flores. O mesmo acontece com o de Sarah Bernhardt (Division 44) e o da grande cantosa francesa Edith Piaf (Division 97). Marcel Proust repousa em um jazigo familiar convencional de mármore preto (Division 85).

Uma figura mais romântica, o

▲ TÚMULO DE OSCAR WILDE, PÈRE-LACHAISE

presidente francês Félix Faure (Division 4), que morreu nos braços da amante no palácio Elysée em 1899, está enrolado na bandeira francesa, a cabeça inclinada para o lado. Um túmulo individual que impressiona é o de Oscar Wilde (Division 89), que exibe uma escultura de Jacob Epstein de um mensageiro alado faraônico (infelizmente destituído de seu membro proeminente, que foi visto pela última vez sendo usado como peso de papel pelo diretor do cemitério).

Uma lembrança mais sombria, na Division 97, são os memoriais às vítimas dos campos de concentração nazistas e aos combatentes mortos da Resistência. Um episódio sangrento da história da França é marcado pelo Mur des Fédérés (Division 76), o muro em que as tropas da Comuna de Paris foram executadas nos últimos dias da batalha de 1871.

▲ PARC DES BUTTES-CHAUMONT

Parc des Buttes-Chaumont

Ⓜ Buttes-Chaumont/Botzaris. O Parc des Buttes-Chaumont foi construído na administração Haussmann nos anos 1860 para camuflar o que até então era um desolado "queijo suíço" de pedreiras abandonadas, montanhas de lixo e barracos. No lugar desse cenário desolador criou-se um parque de contos de fada: há uma gruta com cascata e estalactites artificiais, e um lago pitoresco do qual se ergue uma imensa rocha coroada por um delicado templo coríntio. Do templo tem-se uma vista maravilhosa da igreja do Sacré-Cœur e além, e é também possível remar no lago no verão.

Belleville

Ⓜ Belleville/Pyrénées. Absorvida por Paris nos anos 1860 e depois transformada em prédios altos para abrigar os migrantes das áreas rurais e ex-colônias, Belleville não é exatamente bela, mas merece ser conhecida como um outro aspecto da cidade. A rua principal, rue de Belleville, é cheia de lojas e restaurantes vietnamitas, tailandeses e chineses que avançam ao longo do boulevard de Belleville e da rue du Faubourg-du-Temple. Frutas, temperos, músicas e tecidos africanos e orientais atraem compradores à feira do boulevard nas manhãs de terça e sexta-feira. O Parc de Belleville, com seus ter-

▲ PARC DE BELLEVILLE

raços e cachoeiras, oferece uma linda vista da cidade, principalmente ao pôr-do-sol.

Ménilmontant

Ⓜ Ménilmontant. Ménilmontant tem história similar a Belleville, e distribui-se ao longo de uma rua reta, estreita e íngreme, a rue de Ménilmontant, e sua extensão mais embaixo, a rue Oberkampf. Embora ultrapassada em partes, sua popularidade entre estudantes e artistas tem trazido grande vitalidade à área. Lojas alternativas e bares e restaurantes badalados têm se infiltrado entre mercearias e armazéns populares, especialmente na rue Oberkampf, um dos mais animados pontos noturnos da cidade.

Lojas

Lulu Berlu

Rue Oberkampf 27. Ⓜ Oberkampf. Seg-sáb 11h30-19h30. A Lulu Berlu é uma loja repleta de brinquedos e curiosidades do século 20, a maioria nas embalagens originais.

Stella Cadente

Quai de Valmy 92. Ⓜ Jacques-Bonsergent. Diariam. 10h-19h30. Stella Cadente vende roupas finas femininas, como os leves vestidos de *chiffon* da designer Stanislassia Klein.

▼ CAFÉ CHARBON

Cafés

Chez Prune

Rue Beaurepaire 36. Ⓜ Jacques-Bonsergent. ☎01.42.41.30.47. Seg-sáb 8h-2h, dom 10h-2h. Garçons sorridentes e mesas na calçada de frente para o canal. Os pratos no almoço custam cerca de €12; os petiscos à tarde, como porções de queijo ou charcutaria, cerca de €8; coquetéis a €7.

Restaurantes

Astier

Rue Jean-Pierre-Timbaud 44. Ⓜ Jacques-Bonsergent. ☎01.43.57.16.35. Seg-sex 12h-14h e 20h-23h; fecha ago e duas semanas mai. Popular e com decoração simples, tem um cardápio refinado. Excelente seleção de queijos perfeitamente curados. Almoço por €21, e jantar por €26. Reserve antes.

L'Auberge Pyrénées Cévennes

Rue de la Folie Méricourt 106. Ⓜ République. ☎01.43.57.33.78. Seg-sex 12h-14h e 19h-23h, sáb 19h-23h. Chegue com muita fome a este lugarzinho caseiro que serve generosas porções da cozinha do campo. Prove os mariscos com muito alho de entrada e o excelente *cassoulet* servido em potes de cobre. Cerca de €30 por pessoa à la carte.

Lao Siam

Rue de Belleville 49. Ⓜ Belleville. ☎01.40.40.09.68. Seg-sex 12h-15h e 18h-23h30, sáb-dom 12h-24h30. O ambiente nada tem de especial, mas a comida tailandesa e laociana é excelente e muito apreciada pelos locais. Preços a partir de €7.

Le Villaret

Rue Ternaux 19. Ⓜ Parmentier. ☎01.43. 57.89.76. Seg-sex 12h-14h e 17h30-24h, sáb 19h30-24h. Este lugar meio fora de mão é um dos melhores e mais criativos bistrôs de Paris. O prato típico é a galinha capira assada em molho de vinho Arbois, além de uma excepcional carta de vinhos, com garrafas a partir de €14. Almoço de €20 a €23. À noite, há o cardápio de degustação com cinco pratos por €50. Pratos à la carte de €30 a €50. Só com reservas.

Le Zéphyr

Rue Jourdain 1. Ⓜ Jourdain. ☎01.46. 36.65.81. Diariam. 12h-15h e 19h-23h. Agitado bistrô em estilo Art Déco dos anos 1930, com espelhos, afrescos e bancos de couro vermelho em mesas próximas. Você gastará cerca de €13 no almoço e o dobro à noite pela ótima comida tradicional.

Bares

Café Charbon

Rue Oberkampf 109. Ⓜ Saint-Maur/ Parmentier. ☎01.43.57.55.13. Diariam. 9h-2h, DJs nas noites de qui-sáb 22h-2h, música ao vivo dom após 20h30. Bem-sucedido renascimento deste café do início do século 20, freqüentado por jovens.

Le Gast

Rue Cespin-du-Gast 5. Ⓜ Ménilmontant. Seg-sáb 17h-2h. Quase só os parisienses fanáticos por jazz balançam a cabeça para o drum'n'bass dos DJs de barbicha neste barzinho bem ao lado da Oberkampf.

Le Jemmapes

Quai de Jemmapes 82. Ⓜ Jacques Bonsergent. ☎01.40.40.02.35. Diariam. 11h-2h. No verão este bar é conhecido por permitir que seus fregueses atravessem a rua para tomar uma bebida à beira do canal. A culinária francesa padrão é boa, mas o que mais atrai é o ambiente.

Lou Pascalou

Rue des Panoyaux 14. Ⓜ Ménilmontant. Diariam. 9h-2h. Lou Pascalou é moderno e simpático, com bar de zinco. Muitos coquetéis (a partir de €5) e cervejas em garrafas ou barril.

Música ao vivo

Point Ephémère

Quai de Valmy 200. Ⓜ Jaurès/Louis Blanc. ☎01.40.34.02.48. Diariam. 13h-2h ou mais se a música for ao vivo. Uma forte energia envolve este criativo espaço para música, dança e artes visuais. Está situado em uma dilapidada casa-barco no canal. As mostras rotativas de arte vão do cotidiano ao abstrato, enquanto os freqüentes concertos apresentam bandas de vanguarda de rock e música eletrônica. O bar serve cerveja e petiscos, mas você pode pedir um decente bife com fritas no restaurante improvisado voltado para o canal.

Clubes

Le Nouveau Casino

Rue Oberkampf 109. Ⓜ Parmentier. ☎01.43.57.57.40, Ⓦwww.nouveaucasino.net. Ter-qua 21h-2h, qui-sáb 24h-5h. Ingresso de €10 a €15. Le Nouveau Casino é excelente e fica bem atrás do Café Charbon. Uma seqüência de canjas experimentais ao vivo prepara o caminho para a multidão descontraída que mais tarde dançará ao som de músicas que variam do electro-pop ou house ao rock.

Oeste de Paris

Mais conhecidos como os Beaux Quartiers, os bem-cuidados arrondissements do oeste parisiense, o 16º e o 17º, são basicamente residenciais e têm poucas atrações específicas, sendo a principal exceção o Musée Marmottan, com uma belíssima coleção dos últimos trabalhos de Monet. As áreas mais interessantes de ser exploradas são os antigos vilarejos de Auteuil e Passy, os quais foram incorporados à cidade no fim do século 19. Não demorou para que se tornassem distritos atraentes, e os parisienses ricos passaram a investir aí. Conseqüentemente, a área é rica em belos exemplos de arquitetura, notadamente obras de Hector Guimard e Le Corbusier. Ocupando praticamente todo o lado oeste do 16º está o Bois de Boulogne, com árvores, lagos, ciclovias e os belos arranjos florais do Parc de Bagatelle. Mais a oeste, a arquitetura moderna impõe-se ruidosamente nos envidraçados arranha-céus do distrito comercial de La Défense, dominado pelo enorme Grande Arche.

Auteuil

Ⓜ Michel-Ange-Auteuil. O distrito de Auteuil já está integrado à cidade, mas as ruas ainda conservam um ar de cidade pequena, com suas bonitas vielas e travessas arborizadas ladeadas por casas antigas tendo na frente jardins em estilo inglês. Isso sem mencionar os prédios Art Nouveau de Hector Guimard – há uma concentração deles na rue de la Fontaine, sendo o mais conhecido o do nº 14, Castel Béranger, com decoração exuberante, formas nas janelas, a linha do telhado e a chaminé.

Villa La Roche

Place du Dr. Blanche. Ⓜ Jasmin. Seg 13h30-18h, ter-sex 10h-12h30 e 13h30-18h (sex até 17h), sáb 10h-17h; fecha ago. €2,50. As duas primeiras casas particulares de Le Corbusier foram concebidas em 1923 e são as vizinhas Villa Jeanneret e Villa La Roche. Esta última tem estilo rigorosamente cubista, desprovida de ornamentos, janelas em bandas, sua única extravagância é a fachada curva. Vista de fora, ela hoje pode parecer comum, mas na época da sua construção destoava radicalmente de qualquer outra. Interiormente, a brincadeira espacial continua sendo original e inovadora, além de ser apropriadamente decorada com pinturas cubistas.

Place de Passy

Ⓜ Passy. No centro do distrito de Passy está a agradável pracinha de Passy, com o seu movimentado mas agradável café Le Paris Passy. Aqui começa a antiga rua principal, rue de Passy, com sua seqüência de butiques atraentes, e a rue de l'Annonciation, uma rua de pedras exclusiva para pedestres que equilibra muito bem riqueza material com pé-no-chão.

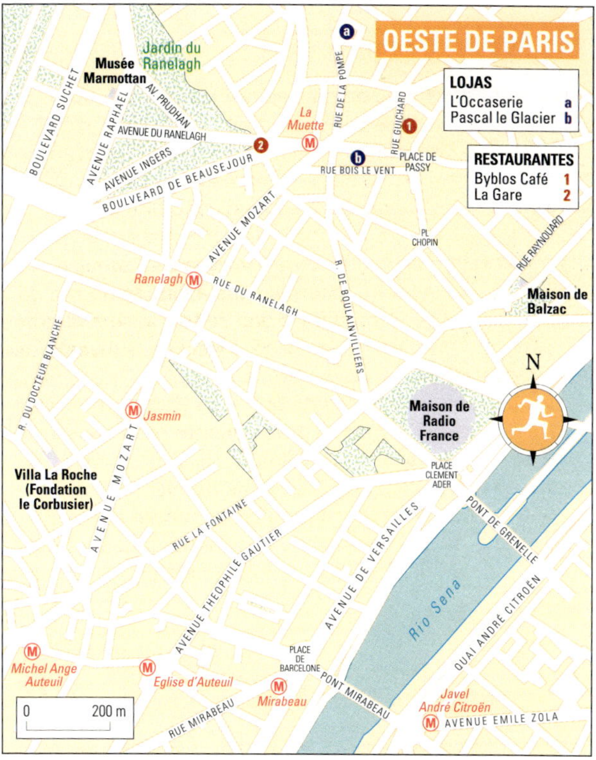

Musée Marmottan

Rue Louis-Boilly 2. Ⓜ Muette. Ⓦwww.marmottan.com. Ter-dom 10h-18h. €7. O Musée Marmottan é conhecido pela excelente coleção de pinturas de Monet. Um dos destaques é *Impressão do nascer do sol*, tela de 1872 que retrata uma enevoada manhã em Le Havre, cujo título os críticos usurparam para batizar o movimento impressionista. Há também uma deslumbrante seleção dos trabalhos realizados nos últimos anos que Monet passou em Giverny, que inclui várias *Ninféias*, *A ponte japonessa*, *Aléia das roseiras* e *O salgueiro chorão*. O museu também exibe alguns de seus contemporâneos – Manet, Renoir e Berthe Morisot – e uma sala repleta de belos manuscritos medievais com iluminuras.

Maison de Balzac

Rue Raynouard 47. Ⓜ Passy. Ter-dom 10h-18h. Grátis. A Maison de Balzac é uma casinha de veraneio com persianas verde-claras, escondidas sob alguns degraus que levam a um sombreado jardim repleto de roseiras, um delicioso recanto para sentar-se nos bancos de ferro batido, cercado por bustos do escritor. Foi aqui que Balzac escreveu alguns de seus trabalhos mais conhecidos, como *A prima Bette* e *O primo Pons*. O museu preserva seus estudos, além de exibir uma árvore ge-

MAISON DE BALZAC

nealógica altamente complexa com cerca de mil dos 4 mil personagens que compõem a sua obra-prima, a *Comédia humana*, traduzida para dezenas de línguas.

Bois de Boulogne

Ⓜ Porte Maillot/Porte Dauphine. O Bois de Boulogne foi concebido pelo barão Haussmann e supostamente copiado do Hyde Park de Londres – com uma interpretação muito francesa. O "bois" (bosque) do nome decepciona um pouco, mas a extensa área de parque (pouco menos de 900 ha) ainda tem alguns remanescentes da outrora grande Forêt de Rouvray. Pela sua localização, o Bois de Boulogne já foi um dia um parque de diversões dos milionários. E também não tinha uma reputação muito boa, como local de venda de sexo e crimes associados. Isso parece prática comum ainda hoje, portanto o parque deve ser evitado à noite. De dia, porém, o Bois de Boulogne é um lugar extremamente agradável para caminhar. O melhor trecho, e também o mais preservado, é o lado sudoeste. Você pode alugar uma bicicleta na entrada do Jardin d'Acclimatation ou, se preferir, sair em um barco a remo pelo Lac Inférieur.

BOIS DE BOULOGNE

Parc de Bagatelle

Bois de Boulogne. Ⓜ Porte Maillot. Diariam. 9h-19h. €1,50. O Parc de Bagatelle, dentro do Bois de Boulogne, tem jardins de vários estilos, que passam pelo francês, pelo inglês e até pelo japonês. Seu maior destaque é o belíssimo jardim de rosas, que está no auge no mês de junho, enquanto em outras partes canteiros de tulipas, jacintos e narcisos florescem no começo de abril, as íris em maio e as ninféias no início de agosto. Em junho e julho a *orangerie* do parque é um bonito cenário para o prestigiado Festival Chopin (consulte Ⓦwww.frederic-chopin.com).

Jardin d'Acclimatation

Bois de Boulogne. Ⓜ Porte Maillot. Ⓦwww.jardindacclimatation.fr. Diariam.: jun-set 10h-19h; out-mai 10h-18h. €2,70 ou €5,20, incluindo o trecho de trem desde o metrô; viagens a partir de €2,50. O Jardin d'Acclimatation das crianças tem ação e diversão, zoológico e parque, tudo em um mesmo pacote. A brincadeira começa na estação Porte-Maillot: as crianças são levadas em um trenzinho até o jardim (a cada 15min, 11h-18h). Outras atrações do parque incluem carros de trombada, passeios de mula, um grande trampolim e um passeio mágico pelo minicanal ("a riviera encantada"). Tem também dois museus: o high-tech Exploradôme (diariam. 10h-18h; €5), dedicado à descoberta da arte e da ciência, e o Musée en Herbe (seg-sex e dom 10h-18h, sáb 14h-18h), que dá vida à história da arte com palestras e jogos.

La Défense

Ⓜ/RER Grande-Arche-de-la-Défense/ Esplanade de la Défense. Impressionante complexo de arranha-céus, La Défense é o prestigiado distrito financeiro de Paris e um extraordinário monumento ao capitalismo do fim do século 20. Seu maior destaque é o gigantesco Grande Arche. Entre o arco e o rio, prédios de apartamentos e de grandes empresas competem para deixá-lo zonzo, atordoado, enquanto esculturas *avant-garde* de Joan Miró e Torricini são um verdadeiro alívio nesta selva de concreto e vidro. Para uma aproximação mais impactante do Grande Arche, desça do metrô uma estação antes (Ⓜ Esplanade-de-la-Défense) e vá caminhando pela Esplanade de Général de Gaulle.

Grande Arche de la Défense

Ⓜ/RER Grande-Arche-de-la-Défense. Elevadores diariam. 10h-20h. €7,50. O Grande Arche de la Défense, construído em 1989 para o bicentenário da Revolução Francesa, é uma estrutura im-

▲ GRANDE ARCHE DE LA DÉFENSE

▲ LA GARE

pressionante com 112 m de altura, toda de mármore branco, erguida a 6 km de distância e a um leve ângulo do Arc de Triomphe, completando o eixo oeste desta monumental vista leste-oeste. Os elevadores o conduzirão através de um "céu de nuvens" até o topo do arco, de onde você poderá ver, nos dias claros, o Louvre e mais além, apesar de a vista na base do arco ser igualmente bela.

Lojas

L'Occaserie

Rue de la Pompe 30. Ⓜ Muette/Passy. Ⓦwww.occaserie.com. Ter-sáb 11h-19h. Especialistas em alta-costura de segunda mão. É excelente para encontrar roupas Chanel, bolsas Louis Vuitton e outras grifes. Embora os preços sejam bem inferiores aos de peças novas, você pagará €700 por uma roupa de grife e uns €300 por uma bolsa. Há outras filiais menores nas redondezas, na rue de l'Annonciation 16 e 21, na rue Jean-Bologne 14 e na rue de la Pompe 19.

Pascal le Glacier

Rue Bois-le-Vent 17. Ⓜ Muette. Ter-sáb 11h-18h; fecha ago. Serve deliciosos sorvetes caseiros de frutas, como laranja vermelha e manga.

Restaurantes

Byblos Café

Rue Guichard 6. Ⓜ Muette. Ⓣ01.42.30.99.99. Diariam. 11h-15h e 19h-23h. Excelente restaurante libanês, serve os tradicionais mezzes, mussaca e outros em um ambinete descontraído e simpático. De €15 a €20 por pessoa.

La Gare

Chaussée de la Muette 19. Ⓜ Muette. Ⓣ01.42.15.15.31. Diariam.: restaurante 12h-15h e 19h-20h30, bar: 12h-24h. Estação de trem reformada que é hoje um elegante restaurante-bar que serve, entre outros, um almoço fixo bem popular (€17). Você pode comer no agradável terraço nos dias de sol.

Arredores de Paris

Mesmo que você só disponha de um fim de semana, há muita coisa a fazer além dos limites da cidade. Por exemplo, o Château de Versailles, o espetacular palácio real francês, é insuperável quanto ao tamanho e à magnificência. St-Denis, a poucos quilômetros do centro, deve a sua fama principalmente à histórica catedral gótica onde estão sepultados os reis da França. Quanto à Disneyland Paris, 25 km a leste da capital, não tem discussão: as crianças simplesmente adoram. Oferece uma variedade de brinquedos emocionantes e espetáculos da Disney, além de ser um passeio de um dia.

Château de Versailles

RER linha C para a estação Versailles-Rive Gauche (40min); 10min a pé da estação. @www.chateauversailles.fr. Ter-dom: mai-set 9h-18h; out-abr 9h-17h (exceto feriados). de €8 a €25 (entrada para todas as áreas).

No início dos anos 1660 o "Rei Sol" Luís XIV recrutou o time de elite do design na época – o arquiteto Le Vau, o pintor Le Brun e o paisagista Le Nôtre – para criar um palácio que fosse a apoteose da generosidade real francesa. Os trabalhos se prolongaram até sua morte, em 1715. Mas, em vez de residência real, Versailles passou a ser o quartel-general e alojamento dos exércitos do Estado. A corte inteira, com 3.500 nobres, mais o pessoal administrativo, soldados, mercadores e criados, também moravam no palácio, vivendo na mais abso-luta falta de higiene, segundo relatos da época. Para a nobreza, cada minuto do dia girava em torno das ações do rei, que por sua vez era rigidamente controlado e cercado de cerimônia.

Após a morte de Luís XIV, grande parte do Château de Versailles continuou sendo a residência da família real até a Revolução Francesa, em 1789,

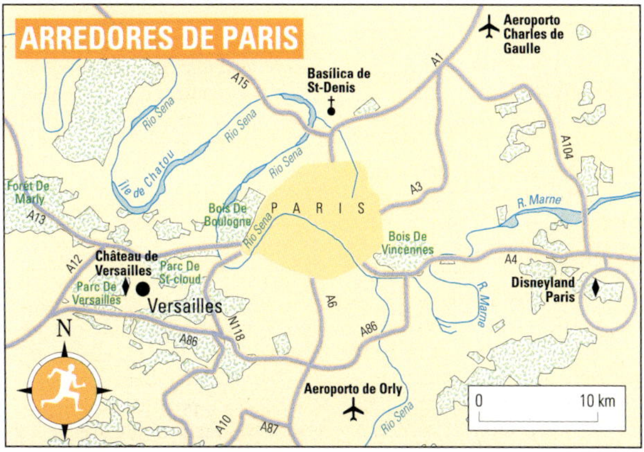

quando todos os móveis foram a leilão e os quadros, despachados para o Louvre – um processo que levou um ano. A restauração só começou para valer entre as duas guerras mundiais, e hoje prossegue a passos rápidos, com os curadores de Versailles vasculhando as casas de leilão de todo o mundo na tentativa de recuperar os móveis originais anteriores à Revolução.

As **entradas** principais do palácio ficam na frente de seus gigantescos portões, adiante da estátua eqüestre de Luís XIV no glorioso e semicercado cour de Marbre. A porta com a letra "A", em geral com longas filas, dá acesso aos principais salões do palácio, os **Apartamentos de Estado**. O roteiro passa pela capela real, uma construção enorme considerada uma das mais bonitas obras barrocas da França, e por uma seqüência de salas com ornamentos dourados que antecedem a sala do trono e a deslumbrante Galerie des Glaces (ou Galeria dos Espelhos), que reflete o jardim em toda a sua extensão. O melhor horário para essa visita é no fim da tarde, quando a maioria das pessoas já saiu e a galeria é banhada pela luz dourada do sol poente. Na ala norte ficam os apartamentos da rainha, a começar pelo quarto de dormir que foi restaurado exatamente como era na sua última reforma, em 1787, praticamente tudo folheado a ouro.

Em outra entrada no cour de Marbre, marcada com "D", você pode agendar uma **visita guiada** (de €5 a €9,50 o ingresso mais caro) para as alas do palácio que não poderiam ser visitadas de outra maneira (algumas são permitidas nos roteiros com guias audiovisuais). Existem vários outros itinerários, inclusive em outros idiomas, mas devem ser reservados na manhã da visita, por isso é imprescindível chegar cedo. Lembre-se de que esta é uma atração turística disputada e imensa. Conhecê-la leva tempo.

Jardin de Versailles e parques

Diariam.: abr-out 9h-anoitecer; nov-mar 8h-anoitecer. Meados abr-set: sáb-dom. Grátis. Os terraços ajardinados de

▲ VERSAILLES

▲ GALERIA DOS ESPELHOS

Le Nôtre, com estátuas por toda parte, ficam entre o Château de Versailles e o parque. Nos fins de semana do verão, as fontes "dançam" ao som de música clássica (meados abr-set 11h e 17h30), espetáculo que é conhecido como as Grandes Eaux Musicales. Adiante dos jardins, há uma longa descida até o grande canal e o parque "inglês", que é suficientemente amplo para merecer um dia inteiro de visita, ao lado de outras produções menores dessa mania real de construir: o italianado **Grand Trianon**, concebido por Hardouin-Mansart em 1687 como "retiro de campo" de Luís XIV, e o belíssimo **Petit Trianon** (diariam.: abr-out 12h-18h; nov-mar 12h-15h; ingressos para os dois €5 ou €3 após 15h30), construído nos anos 1760 para a amante do rei, madame de Pompadour, como um cenário belo e revigorante, bem distante dos agitos palacianos.

Pouco mais adiante está a fantástica **Hameau de la Reine**, uma aldeia de brinquedo em tamanho natural e uma casa de fazenda com telhado de sapé construídas em 1783 para Maria Antonieta, realizando a fantasia da época, inspirada em Rousseau, de retornar à vida do campo. Aos poucos o parque está voltando ao que era na época de Maria Antonieta, ou seja, algumas áreas perderão as cercas quando a mata crescer.

Todas as distâncias no parque são longas, mas é tudo bem sinalizado. Para ganhar tempo, tome o **petit train**, que percorre o trecho entre os jardins do château e os Trianons (a cada 10min no verão; €5,80). Há **bicicletas** para alugar em Grille de la Reine, na Porte St-Antoine e no Grand Canal; e botes no Grand Canal, perto dos **cafés-restaurantes.** Não é permitido fazer piquenique nos jardins e nos parques.

Basílica de St-Denis

Ⓜ St-Denis-Basilique, fim da linha 13. Abr-set: seg-sáb 10h-18h15, dom 12h-18h15; out-mar: seg-sáb 10h-17h15, dom 12h-15h. Grátis; túmulos €6,50.

A basílica de St-Denis foi a primeira grande catedral gótica da Europa e também o local de sepultamento de quase todos os reis da França. A igreja leva o nome de seu lendário fundador, o bispo parisiense St-Denis – que foi decapitado em Montmartre por suas convicções e em seguida tomou nos braços a própria cabeça e voltou andando para a basílica que fundara –, embora sua construção tenha sido iniciada na primeira metade do século 12 pelo abade Suger, amigo e conselheiro dos reis.

▲ FEIRA DE ST-DENIS

Dessa época resta apenas o andar inferior do coro, pois todo o resto da igreja foi reconstruído em estilo gótico *rayonnant* no meio do século 13. As relações do abade com a realeza remontam à coroação de Pepino, o Breve, em 754, mas foi somente com Hugo Capeto, em 996, que a basílica de St-Denis se tornou a necrópole real. Desde então, todos os reis da França, menos três, foram enterrados aqui. Seus túmulos, muito bonitos, quase todos adornados com efígies incrivelmente fiéis, estão distribuídos pelos transeptos e pelo ambulatório (fecha durante os serviços religiosos). Entre os mais interessantes, destacam-se o imenso memorial renascentista a Francisco I, logo à direita de quem entra na igreja, e os túmulos de Luís XII, Henrique II e Catarina de Médicis, do lado esquerdo. No nível superior – sempre enfeitadas com muitas flores – estão as inconfundíveis estátuas de Luís XVI e Maria Antonieta.

Feira de St-Denis

Ⓜ St-Denis-Basilique, fim da linha 13. É provável que você não vá até St-Denis se estiver no centro de Paris, mas se for visitar a basílica vale a pena explorar os arredores. A St-Denis dos dias de hoje é o mais infame dos subúrbios de Paris, antes por sua radical população comunista, hoje pela mistura étnica supostamente transitória. Mas é, na verdade, um lugar fascinante, caracterizado pela extraordinária arquitetura de fortaleza medieval de seus complexos de compras e residenciais. Procure fazer com que sua visita coincida com os dias de feira (manhãs de ter, sex e dom), quando a praça principal, Victor Hugo, fica lotada.

Disneyland Park

Entra-se no Disneyland Park pela Main Street USA, uma mítica visão de cidade norte-americana do início do século, que leva à Central Plaza, no centro do parque. Os **trilhos do trem** a vapor percorrem o parque, com estações em cada uma das "terras" e na entrada principal. O Castelo da Bela Adormecida, que está bem na frente da Main Street, na Central Plaza, pertence à **Terra da Fantasia (Fantasyland)**, dedicada às crianças menores. Aqui não há restrições de tamanho e os brinquedos não oferecem perigo. As outras três áreas têm a

Visita à Disneyland Paris

RER linha A para a estação Marne-la-Vallée/Chessy (40min). ⓦwww.disneylandparis.com. Horários do parque variáveis mas rígidos. Disneyland Park diariam. 10h-20h; Walt Disney Studios Park diariam. 10h-18h.

O complexo da Disneyland divide-se em três áreas: o Disneyland Park, o Walt Disney Studios Park e o Disney Village, além dos hotéis. Se você pretende se hospedar aqui, reserve um pacote com hospedagem mais o ingresso na própria Disney ou com seu agente de viagens.

A melhor época de visita é na baixa estação nos dias de semana (melhor seg e ter), pois na alta há longas filas para os brinquedos durante todo o dia. Para as atrações mais procuradas use o Fastpass (bilhete que indica a que horas chegará a sua vez de entrar, enquanto você se diverte em um menos concorrido).

Para evitar as longas filas na entrada do parque, o ingresso pode ser comprado on-line, no Escritório de Turismo de Paris e nas lojas Disney, mas também é possível adquirir o ingresso e a passagem de trem em todas as estações da linha RER A e B de Paris e nas principais estações do metrô. O ingresso 1 dia-1 parque (abr-set €43, menores de 12 anos, €35) dá direito a visitar ou o Disneyland Park ou o Walt Disney Studios Park; quem escolhe este último pode entrar no Disneyland Park quando os Studios já estiverem fechados. Ingressos "Passe-Partout" ou "Hopper" (1 dia €53, menores de 12 anos €45; 2 dias €96/79; 3 dias €115/95) dão direito a andar livremente pelos dois parques, mas devem ser usados em dias consecutivos. Os preços costumam ser 20% mais baixos no inverno, com exceção de feriados como o Natal. Nos cafés dentro do parque, os preços e a qualidade são para a clientela cativa; os restaurantes mais pretensiosos do Disney Village também não valem a pena, mas há vários pontos-de-venda de hambúrguer no parque que não são caros.

montanha-russa como ponto de referência e um tema: na **Terra da Aventura (Adventureland)** estão os cenários mais selvagens e ermos; a **Terra da Fronteira (Frontierland)** é ambientada no Velho Oeste e a **Terra da Descoberta (Discoveryland)** enfatiza a tecnologia e a era espacial. Quanto às montanhas-russas, o carrinho da Montanha do Trovão, na Terra da Fronteira, e o vagonete de mina de Indiana Jones e o Templo do Perigo, na Terra da Aventura, são ambos rápidos e emocionantes, mas excitam mais do que apavoram. As viagens da Montanha do Espaço, na Terra da Descoberta, com inversões completas de cabeça para baixo, quedas em parafuso e velocidade assustadora, são mais perigosas. São experiências tão intensas que os outros brinquedos do parque chegam a desapontar. Mas as crianças certamente vão querer voltar.

Walt Disney Studios Park

O novo complexo do Walt Disney Studios Park não é tão emocionante quanto o outro maior e mais antigo. De certa forma satisfaz até mais, pois se concentra no que a Disney sempre fez e ainda sabe fazer melhor: animação. Você pode testar sua mão em um desenho, há filme pastelão e estúdios de TV onde você faz parte de audiência, e efeitos especiais e apresentações de dublês bastante impressionantes. A Viagem de Trem pelo Cânion da Catástrofe leva você por vários estúdios de cinema e pára no Cânion da Catástrofe, onde pode acontecer um acidente. Os Efeitos Especiais do Armagedon simulados na espaçonave são bastante assustadores.

A Manchester United Soccer School oferece treinos diários de futebol (duram 2h30, para pequenos craques de 7 a14 anos; €25). Se houver interesse, é melhor reservar na entrada do parque quando chegar, ou na recepção de um hotel Disney.

▲ DISNEYLAND PARIS

Hospedagem

Hotéis

Paris é muito bem suprida de hotéis. Os que relacionaremos a seguir são clássicos ou têm algo especial a oferecer – a excelente localização, a decoração elegante ou o atendimento diferenciado. Alguns chegam a ser atrações turísticas. Em geral, os melhores hotéis estão na região da Champs-Elysées, enquanto o badalado bairro do Marais é excelente opção para algo elegante e mais à vontade. Na Rive Gauche – imediações do Quartier Latin, St-Germain e Torre Eiffel – estão os hotéis mais antigos em residências.

A maioria dos hotéis oferece duas categorias de quartos: na base da escala você pode escolher entre banheiro conjugado e acomodações coletivas, enquanto os mais caros cobram taxa extra pelos quartos maiores e mais luxuosos. Os estrangeiros podem achar que os preços não são exorbitantes, para os padrões europeus, mas nesse caso os quartos podem ser surpreendentemente pequenos.

Normalmente o **café-da-manhã** continental custa de €5 a €9 a mais por pessoa; você escolhe na entrada se quer ou não.

Todos os hotéis estão sinalizados nos mapas deste capítulo, a menos que seja indicado o contrário.

As Ilhas

Hôtel Henri IV **Place Dauphine 25. Ⓜ Pont Neuf/Cité. ①01.43.54.44.53.** A melhor coisa deste conhecido e barato hotel é a localização na bonita place Dauphine, bem no centro de Paris. Seus cerca de 20 quartos passaram por reformas e ganharam chuveiros, mas a maioria não tem mais que um banheiro. Os cinco andares são servidos por uma escada estreita e barulhenta; não tem elevador. Melhor reservar com muita antecedência e confirmar dias antes da chegada. Não aceita cartão de crédito. Quartos de €32 a €56.

Hôtel du Jeu de Paume **Rue St-Louis-en-l'Île 54. Ⓜ Pont-Marie. ①01.43.26.14.26, ⓦwww.jeudepaumehotel.com.** Localizado na ilha mais famosa da França, este hotel tranqüilo está onde antes havia uma quadra de tênis construída por Luís XIII em 1634 ("jeu de paume" é "tênis real"). A quadra é hoje o salão de café-da-manhã, de onde sobe um elevador de vidro para os 28 quartos, todos decorados com cores claras. Quartos a partir de €250.

Champs-Elysées e Tuileries

Hôtel Brighton **Rue de Rivoli 218. Ⓜ Tuileries. ①01.47.03.61.61, ⓔhotel.brighton@wanadoo.fr.** Hotel elegante do fim do século 19 que oferece uma vista magnífica do Jardin des Tuileries em seus quartos de

Como conseguir hospedagem

Reserve o seu hotel o mais rápido possível, porque os melhores lotam rapidamente durante o ano todo, com exceção dos meses de inverno mais rigoroso. Todos os recepcionistas falam um pouco de inglês – mas lembre-se de que a cada dia mais lugares aceitam reservas **on-line**. Nas reservas por telefone podem lhe pedir um número de cartão de crédito, às vezes uma confirmação por escrito ou por fax. A Secretaria de Turismo também faz reservas gratuitamente – ou pessoalmente em um dos seus escritórios (pág. 115), ou on-line em ⓦwww.parisinfo.com; muitos hotéis oferecem tarifas com descontos.

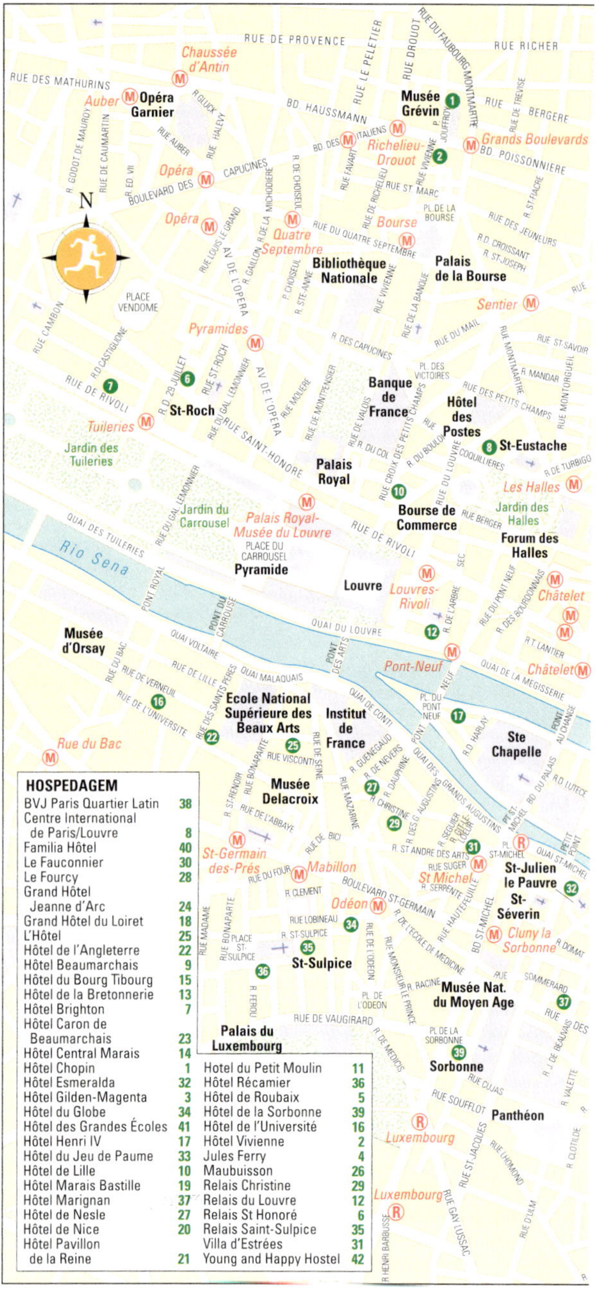

HOSPEDAGEM

BVJ Paris Quartier Latin	38
Centre International de Paris/Louvre	8
Familia Hôtel	40
Le Fauconnier	30
Le Fourcy	28
Grand Hôtel Jeanne d'Arc	24
Grand Hôtel du Loiret	18
L'Hôtel	25
Hôtel de l'Angleterre	22
Hôtel Beaumarchais	9
Hôtel du Bourg Tibourg	15
Hôtel de la Bretonnerie	13
Hôtel Brighton	7
Hôtel Caron de Beaumarchais	23
Hôtel Central Marais	14
Hôtel Chopin	1
Hôtel Esmeralda	32
Hôtel Gilden-Magenta	3
Hôtel du Globe	34
Hôtel des Grandes Écoles	41
Hôtel Henri IV	17
Hôtel du Jeu de Paume	33
Hôtel de Lille	10
Hôtel Marais Bastille	19
Hôtel Marignan	37
Hôtel de Nesle	27
Hôtel de Nice	20
Hôtel Pavillon de la Reine	21
Hotel du Petit Moulin	11
Hôtel Récamier	36
Hôtel de Roubaix	5
Hôtel de la Sorbonne	39
Hôtel de l'Université	16
Hôtel Vivienne	2
Jules Ferry	4
Maubuisson	26
Relais Christine	29
Relais du Louvre	12
Relais St Honoré	6
Relais Saint-Sulpice	35
Villa d'Estrées	31
Young and Happy Hostel	42

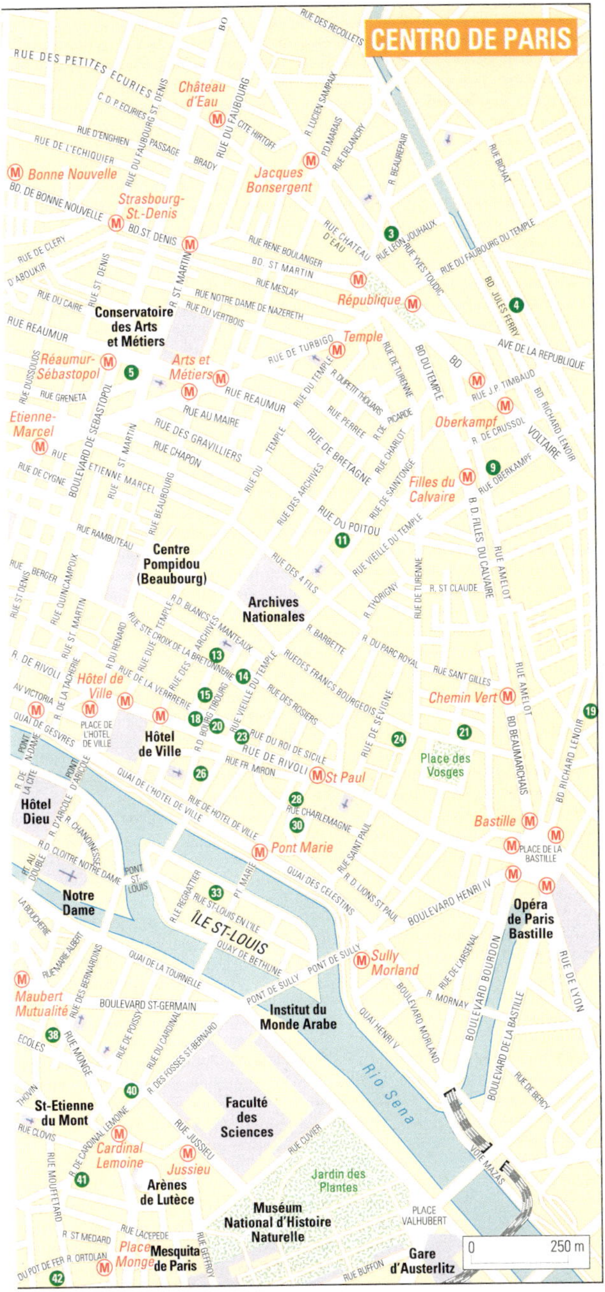
CENTRO DE PARIS
RUE DES RECOLLETS
RUE DES PETITES ECURIES
Château d'Eau
RUE DU FAUBOURG
CITE HIRTOFF
C. D. P. ECURIES
RUE DU FAUBOURG ST. DENIS
RUE D'ENGHIEN
RUE DE L'ECHIQUIER
PASSAGE BRADY
R. LUCIEN SAMPAIX
P.D MARAIS
RUE DELANCRY
R. BEAUREPAIR
RUE BICHAT
Bonne Nouvelle
BD. DE BONNE NOUVELLE
Jacques Bonsergent
Strasbourg-St.-Denis
BD. ST. DENIS
RUE CHATEAU D'EAU
RUE LEON JOUHAUX
RUE YVES TOUDIC
RUE DU FAUBOURG DU TEMPLE
RUE DE CLERY
D'ABOUKIR
RUE ST DENIS
R. ST MARTIN
RUE RENE BOULANGER
BD. ST MARTIN
RUE MESLAY
République
BD. JULES FERRY
RUE DU CAIRE
RUE NOTRE DAME DE NAZERETH
RUE DU VERTBOIS
Conservatoire des Arts et Métiers
RUE REAUMUR
Temple
RUE DE TURBIGO
AVE DE LA REPUBLIQUE
Réaumur-Sébastopol
Arts et Métiers
RUE DU TEMPLE
R. DUPETIT THOUARS
RUE DE TURENNE
BD DU TEMPLE
BD
RUE J.P. TIMBAUD
BD RICHARD LENOIR
RUE DUSSOUBS
RUE GRENETA
RUE REAUMUR
R. DE PICARDE
RUE PERREE
Oberkampf
R. DE CRUSSOL
VOLTAIRE
Etienne-Marcel
RUE AU MAIRE
RUE DES GRAVILLIERS
RUE CHAPON
RUE DE BRETAGNE
RUE CHARLOT
RUE OBERKAMPF
RUE ETIENNE MARCEL
RUE DE CYGNE
BOULEVARD DE SEBASTOPOL
RUE ST MARTIN
RUE BEAUBOURG
RUE DU TEMPLE
RUE DES ARCHIVES
RUE DE SAINTONGE
Filles du Calvaire
RUE DU POITOU
RUE VIEILLE DU TEMPLE
B. D. FILLES DU CALVAIRE
RUE AMELOT
RUE RAMBUTEAU
Centre Pompidou (Beaubourg)
RUE DES 4 FILS
RUE BERGER
RUE QUINCAMPOIX
RUE ST DENIS
Archives Nationales
R. THORIGNY
RUE DE TURENNE
R. ST CLAUDE
R. D. BLANCS MANTEAUX
R. BARBETTE
R. DU PARC ROYAL
RUE STE CROIX DE LA BRETONNERIE
RUE DES ARCHIVES
R. DU RENARD
RUE ST MARTIN
R. DE RIVOLI
Hôtel de Ville
RUE DE LA VERRERIE
RUE VIEILLE DU TEMPLE
RUE DES FRANCS BOURGEOIS
RUE SANT GILLES
RUE AMELOT
AV VICTORIA
R. DE LA TACHERIE
BOURG TIBOURG
RUE DES ROSIERS
Chemin Vert
BD BEAUMARCHAIS
QUAI DE GESVRES
PLACE DE L'HOTEL DE VILLE
Hôtel de Ville
RUE DU ROI DE SICILE
RUE DE SEVIGNE
Place des Vosges
BD RICHARD LENOIR
PONT N-DAME
RUE DE RIVOLI
RUE FR. MIRON
St Paul
PONT D'ARCOLE
R. DE LA CITE
QUAI DE L'HOTEL DE VILLE
Hôtel Dieu
R. D'ARCOLE
R. CHANOINESSE
RUE DE HOTEL DE VILLE
RUE CHARLEMAGNE
Bastille
PLACE DE LA BASTILLE
R.D. CLOITRE NOTRE DAME
PT. AU DOUBLE
Pont Marie
PONT ST-LOUIS
RUE SAINT PAUL
QUAI DES CELESTINS
R. D. LIONS ST PAUL
BOULEVARD HENRI IV
Notre Dame
R. LE REGRATTIER
PT. MARIE
RUE ST-LOUIS EN L'ILE
ÎLE ST-LOUIS
QUAY DE BETHUNE
Opéra de Paris Bastille
LA BOUCHERIE
RUE MAITRE ALBERT
RUE DES BERNARDINS
QUAI DE LA TOURNELLE
PONT DE SULLY
Sully Morland
RUE DE L'ARSENAL
RUE DE LYON
Maubert Mutualité
BOULEVARD ST-GERMAIN
Institut du Monde Arabe
BOULEVARD MORLAND
R. MORNAY
BOULEVARD BOURDON
BOULEVARD DE LA BASTILLE
ECOLES
RUE MONGE
RUE DE POISSY
RUE DU CARDINAL
R. DES FOSSES ST-BERNARD
QUAI HENRI V
Rio Sena
RUE DE BERCY
THOVIN
St-Etienne du Mont
Faculté des Sciences
RUE CLOVIS
R. DU CARDINAL LEMOINE
Cardinal Lemoine
RUE JUSSIEU
RUE CUVIER
VOIE MAZAS
RUE MOUFFETARD
Jussieu
Arènes de Lutèce
Jardin des Plantes
Muséum National d'Histoire Naturelle
PLACE VALHUBERT
R. ST MEDARD
RUE LACEPEDE
Place Monge
Mesquita de Paris
RUE GEOFFROY
DU POT DE FER
R. ORTOLAN
Gare d'Austerlitz
RUE BUFFON
0
250 m

frente dos andares superiores. Mais da metade dos 65 quartos foi reformada há pouco tempo; o padrão dos que foram mantidos varia, embora muitos ainda conservem o charme e a atmosfera do período. Quartos duplos de €137 a €255.

Hôtel Le Bristol Rue du Faubourg St-Honoré 112. Ⓜ Miromesnil. ⓣ01.53.43.43.00, ⓦwww.lebristolparis.com. O hotel mais luxuoso da cidade consegue manter-se discreto e acolhedor. Tapeçarias Gobelins nas paredes e quartos com jardins-de-inverno particulares. O Hôtel Le Bristol tem ainda um jardim interno rodeado de colunas, além de piscina, academia e um refinado restaurante. Quartos duplos a partir de €690.

Hôtel des Champs-Elysées Rue d'Artois 2. Ⓜ St-Philippe-du-Roule. ⓣ01.43.59.11.42, ⓕ01.45.61.00.61. O duas-estrelas Hôtel des Champs-Elysées tem quartos pequenos mas bem decorados com cores quentes, todos com chuveiro ou banheira, TV por satélite, minibar, secador de cabelo e cofre. O café-da-manhã é servido em um acolhedor porão de pedra adaptado. Quartos duplos por €98.

Hôtel Lancaster Rue de Berri 7. Ⓜ George V. ⓣ01.40.76.40.76, ⓦwww.hotel-lancaster.fr. Esta mansão do século 19 lindamente restaurada, onde já se hospedaram celebridades como Greta Garbo, Marlene Dietrich e Sir Alec Guinness, ainda é a favorita dos que fogem dos *paparazzi.* Os quartos mantêm a decoração original, são repletos de móveis e objetos Luís XVI e rococó, mas com um toque contemporâneo chique. Além de tudo isso, tem um restaurante excelente e um jardim interno em estilo zen. Quartos duplos a partir de €470.

Hôtel de Lille **Rue du Pélican 8. Ⓜ Palais-Royal-Musee-du-Louvre. Ⓣ01.42. 33.33.42.** O Hôtel de Lille tem apenas 13 quartos, está localizado em uma rua tranqüila e oferece bons preços. Os quartos, alguns com banheiro, são pequenos, básicos, mas bem decorados, com um toque de belle époque. O hotel, com seus cinco andares, não tem elevador e não oferece café-da-manhã. Quartos simples por €35; duplos de €48 a €55 e triplos de €60 a €65.

Relais St Honoré **Rue St Honoré 308. Ⓜ Tuileries. Ⓣ01.42.96.06.06, Ⓕ01.42. 96.17.50, Ⓦhttp://sainthonore.free. fr.** O Relais St Honoré é um hotelzinho aconchegante com uma equipe simpática e atenciosa, instalado em uma bonita mansão reformada do século 17. Os quartos com vigas no teto são decorados com cores quentes e tecidos estampados. Os recursos oferecidos pelo Relais St Honoré incluem acesso gratuito à internet banda larga e TV com tela plana. Quartos duplos por €196.

Os Grands Boulevards e as passages

Hôtel Chopin **Passage Jouffroy 46, entrada pelo bd Montmartre, perto da rue du Faubourg-Montmartre. Ⓜ Grands-Boulevards. Ⓣ01.47.70.58.10, Ⓕ01.42.47.00.70, Ⓦwww.hotelbretonnerie.com/chopin.** O Hôtel Chopin é bastante charmoso e tranqüilo, instalado em um prédio de época escondido no fim de uma pitoresca passage dos anos 1850. Os quartos do Hôtel Chopin têm bonita decoração, mas os mais baratos ficam do lado menor e são um pouco escuros. Quartos duplos de €77 a €88.

Hôtel Vivienne **Rue Vivienne 40. Ⓜ Grandes-Boulevards/Bourse. Ⓣ01.42.33.13.26, Ⓔparis@hotel-vivienne.com.** O Hôtel Vivienne tem uma localização perfeita nos Grands Boulevards, pois está próximo da Opéra Garnier. O hotel é um lugar simpático, com quartos de bom tamanho, decorados com bonitas madeiras e gravuras. Recentemente, alguns desses quartos passaram por reforma completa. Quartos duplos só com chuveiro e toalete comum por €69 e com banheiro completo por €81.

Beaubourg e Les Halles

Hôtel de Roubaix **Rue Greneta 6. Ⓜ Réaumur-Sébastopol/Arts et Métiers. Ⓣ01.42.72.89.91, Ⓦwww.hotel-de-roubaix.com.** A um passo do Centre Pompidou e do Marais, este antigo hotel duas-estrelas tem 53 quartos com banheiro muito bem conservados e impecavelmente limpos; a decoração não tem nada de especial, mas o Hôtel de Roubaix é muito valorizado por sua localização privilegiada. Quartos duplos por €65.

Relais du Louvre **Rue des Prêtres St-Germain l'Auxerrois 19. Ⓜ Palais-Royal/ Musée-du-Louvre. Ⓣ01.40.41.96.42, Ⓦwww.relaisdulouvre.com.** Hotel discreto com apenas 18 quartos, em uma travessa tranqüila em frente à igreja de St-Germain l'Auxerrois. A decoração do Relais du Louvre é tradicional mas sem exageros, com tecidos de boa qualidade, gravuras antigas, tapetes da Turquia e móveis pesados. Ambiente descontraído e serviço simpático. O hotel tem clientela fiel. Quartos duplos de €150 a €190.

Marais

Grand Hôtel Jeanne d'Arc **Rue de Jarente 3. Ⓜ St-Paul. Ⓣ01.48.87.62.11, Ⓦwww.hoteljeannedarc.com.** Instalado em um bonito prédio do antigo Marais, o Grand Hôtel Jeanne d'Arc fica bem perto do Marché Ste-Catherine. Quartos de bom tamanho, com belos toques individuais e TV a cabo. O quarto triplo (€115) no último andar tem bonita vista sobre os telhados de Paris. Quartos duplos a partir de €82.

Grand Hôtel du Loiret **Rue des Mauvais-Garçons 8. Ⓜ Hôtel-de-Ville. Ⓣ01.48. 87.77.00, Ⓦwww.hotel-loiret.fr.** Hotel barato, grande só no nome e que há pouco tempo reformou o seu foyer e instalou elevador. Os quartos do Grand Hôtel du Loiret não têm nada de excepcional, mas são bastante razoáveis pelo preço. Os mais baratos têm somente pia e em todos há TV e telefone. Os dois quartos triplos (€80) do último andar têm uma surpreendente vista para a igreja do Sacré-Cœur. Quartos duplos de €45 e €60.

Hôtel du Bourg Tibourg Rue du Bourg-Tibourg 19. Ⓜ Hôtel-de-Ville. Ⓣ01.42.78. 47.39, Ⓕ01.40.29.07.00, Ⓦwww.hotel bourgtibourg.com. Encontro do oriental com o medieval, com toda a ostentação do Segundo Império, neste suntuoso hotel-butique. Os quartos são pequenos mas envoltos em veludos, sedas e drapeados. É um perfeito refúgio romântico. Quartos duplos de €220 a €250.

Hôtel de la Bretonnerie Rue Ste Croix de la Bretonnerie 22. Ⓜ Hôtel-de-Ville. Ⓣ01.48.87.77.63, Ⓕ01.42.77.26.78, www.bretonnerie.com. Hotel encantador localizado em das ruas de maior movimento do Marais. Os quartos, todos diferentes, são decorados com tecidos de qualidade e móveis de carvalho, alguns têm cama com dossel. Os quartos com vigas no último andar são os mais bonitos. A localização do Hôtel de la Bretonnerie é perfeita para explorar o Marais, embora os quartos de frente sofram com o barulho da rua à noite. Quartos duplos a partir de €116.

Hôtel Caron de Beaumarchais Rue Vieille-du-Temple 12. Ⓜ Hôtel-de-Ville. Ⓣ01.42.72.34.12, Ⓦwww.carondebeaumarchais.com. Batizada com o nome do dramaturgo do século 18 Caron de Beaumarchais, que morou na mesma rua, esta jóia tem apenas 19 quartos. Tudo nele – dos entalhes originais aos móveis estilo Luís XVI, sem falar no *pianoforte* do foyer – evoca o gosto refinado da alta sociedade parisiense anterior à Revolução Francesa. Os quartos que dão para o pátio são pequenos e aconchegantes (de €125 a €142); os que dão para a rua são bem mais espaçosos e alguns têm terraço (€162).

Hôtel Central Marais Rue Vieille-du-Temple 33, entrada pela Rue Ste-Croix-de-la-Bretonnerie. Ⓜ Hôtel-de-Ville. Ⓣ01.48.87.56.08,Ⓦwww.hotelcentral marais.com. O único autodenominado hotel gay em Paris, com um descontraído bar no andar inferior. Conta com 7 quartos pequenos (€87) com banheiro comum.

Hôtel de Nice Rue de Rivoli 42 bis. Ⓜ Hôtel-de-Ville. Ⓣ 01.42.78.55.29, Ⓕ01.42. 78.36.07, Ⓦwww.hoteldenice.com. O charme do velho mundo envolve os seis andares deste estabelecimento, seus quartos decorados com gravuras antigas, tecidos coloridos e lençóis de algodão indiano. As janelas de vidro duplo bloqueiam o ruído do tráfego da rue de Rivoli. Quartos simples por €75, duplos por €105, triplos por €130 e quarto familiar por €140.

Hôtel Pavillon de la Reine Place des Vosges 28. Ⓜ Bastille. Ⓣ01.40.29.19.19, Ⓦwww.pavillon-de-la-reine.com. Perfeita para uma lua-de-mel ou um fim de semana romântico, esta bonita mansão coberta de hera num recanto da place des Vosges preserva a intimidade do ambiente com uma equipe simpática e discreta. Os quartos têm um clima de "hotel hip" dos anos 1990, mas poderiam passar por uma reforma. Quartos duplos a partir de €350.

Hôtel du Petit Moulin Rue du Poitou 29–31. Ⓜ Saint Sébastien Froissart/ Filles du Calvaire. Ⓣ01.42.74.10.10, www.paris-hotel-petitmoulin.com. Este glamouroso hotel-butique ocupa uma antiga padaria e é desenhado por Christian Lacroix. A *joie de vivre*, marca registrada do designer, está nos 17 quartos que fundem diferentes estilos, desde o barroco ao kitsch dos anos 1960: o rosa-choque e o verde-limão dão lugar às estampas *toile de jouy*, e *pod chairs* convivem com antigas mesas de apoio e velhas banheiras. Quartos duplos a partir de €180.

Quartier Latin

Familia Hôtel Rue des Écoles 11. Ⓜ Cardinal-Lemoine. Ⓣ01.43.54.55.27, Ⓦwww.hotel-paris-familia.com. Simpático hotel de administração familiar no centro do Quartier Latin. Quartos pequenos mas com personalidade, com vigas, papéis de parede e murais. Alguns quartos do último andar dão vista para a catedral de Notre-Dame; os mais caros têm varandas. Quartos duplos a partir de €100 (com café-da-manhã).

Hôtel Esmeralda Rue St-Julien-le-Pauvre 4. Ⓜ St-Michel. Ⓣ01.43.54.19.20, Ⓕ01.40.51.00.68. Instalado em uma antiga casa na praça Viviani, os quartos deste antigo hotel são velhos mas aconchegantes, alguns com uma vista maravilhosa da catedral de Notre-Dame. Tem somente três quartos de solteiro mal-conservados

(€40), apenas com pia; quartos duplos de €90 a €125.

Hôtel des Grandes Écoles **Rue du Cardinal-Lemoine 75. Ⓜ Cardinal-Lemoine. ⓣ01.43.26.79.23, ⓦwww.hotel-grandes-ecoles.com.** Este agradável três-estrelas no centro do Quartier Latin tem bonitas instalações ao redor de um pátio ajardinado. Os quartos são bem iluminados, embora com papel de parede floral um pouco pesado, e custam de €105 a €130, dependendo do tamanho.

Hôtel Marignan **Rue du Sommerard 13. Ⓜ Maubert-Mutualité. ⓣ01.43.54.63.81, ⓦwww.hotel-marignan.com.** O Hôtel Marignan entende perfeitamente as necessidades dos mochileiros estrangeiros e oferece a eles lavanderia gratuita, salão de jantar com geladeira e microondas e quartos para até cinco pessoas. Mesmo que você não viaje de mochila, achará o hotel simpático e central – e com boa relação custo-benefício. Quartos duplos por €60 com banheiro comum. Suítes por €82.

Hôtel de la Sorbonne **Rue Victor-Cousin 6. Ⓜ Cluny-La Sorbonne. ⓣ01.43.54.58.08, ⓦwww.hotelsorbonne.com.** Ocupando um bonito prédio antigo no ponto mais alto da Sorbonne, e próximo do Jardin du Luxembourg, é um hotel silencioso e confortável com discretos e modernos toques de design. Quartos duplos de €110 a €130.

Villa d'Estrées **Rue Gît-le-Coeur 17. Ⓜ St-Michel. ⓣ01.55.42.71.11, ⓦwww.paris-hotel-latin-quarter.com.** Um quatro-estrelas luxuoso e discreto com apenas 6 quartos, escondido em uma ruazinha atrás da place St-Michel. Os funcionários são simpáticos e nada esnobes. Há sempre bons descontos, mas o preço-padrão de um quarto duplo é de € 225 para cima.

St-Germain

L'Hôtel **Rue des Beaux-Arts 13. Ⓜ Mabillon/St-Germain-des-Prés. ⓣ01.44.41.99.00, ⓦwww.l-hotel.com.** Este extravagante quatro-estrelas tem clientela famosa e preços acima de €300 – especialmente pelo quarto em que morreu Oscar Wilde. Seus 20 quartos suntuosamente decorados beiram o kitsch e estão distribuídos ao redor de um átrio que também funciona como fonte de iluminação, além de uma piscina com ondas no subsolo.

Hôtel de l'Angleterre **Rue Jacob 44. Ⓜ St-Germain-des-Prés. ⓣ01.42.60.34.72, ⓦwww.hotel-dangleterre.com.** Hotel de alta classe em prédio que já abrigou a Embaixada Inglesa na França e, mais tarde, Ernest Hemingway. Os quartos são luxuosos (€260) e grandes, alguns têm o teto com vigas original. Quartos duplos a partir de €185.

Hôtel du Globe **Rue des Quatre-Vents 15. Ⓜ Odéon. ⓣ01.43.26.35.50, ⓦwww.hotel-du-globe.fr.** Hotel simpático em prédio alto e estreito do século 17, decorado com tema medieval: tem camas quatro-colunas, paredes de pedra, vigas no teto e até uma coleção de armaduras. Quartos duplos a partir de €95, subindo para €130 na alta estação.

Hôtel de Nesle **Rue de Nesle 7. Ⓜ St-Michel. ⓣ01.43.54.62.41, ⓦwww.hoteldenesleparis.com.** Hotel diferente cujos quartos são decorados com murais de histórias em quadrinhos – em geral sobre a história da França – , que você pode amar ou odiar. Tem também um hammam. Quartos menores por €75, alguns com banheiros comuns e suítes por €100.

Hôtel Récamier **Place St-Sulpice 3 bis. Ⓜ St-Sulpice. ⓣ01.43.26.04.89, ⓕ01.46. 33.27.73.** Hotel antigo e bastante simples, mas é confortável e deliciosamente enfiado em um cantinho atrás de St-Sulpice. Quartos duplos de €110 a €130 – o mais caro tem vista para a praça. Há também alguns outros quartos com vista, mas com banheiro comum, que custam €90.

Hôtel de l'Université **Rue de l'Université 22. Ⓜ Rue du Bac. ⓣ01.42.61.09.39, ⓦwww.hoteluniversite.com.** Aconchegante três-estrelas com duas dúzias de quartos com detalhes antigos. Vigas de madeira no teto e lareira nos quartos maiores. Quartos duplos de €165 a €175 e €200 com terraço privativo.

Relais Christine **Rue Christine 3. Ⓜ Odéon. ⓣ01.40.51.60.80, ⓦwww.relais-christine.com.** Elegantíssimo e luxuoso quatro-estrelas instalado em um prédio do século 16 distribuído ao redor de um pátio lindamente protegido. Quartos duplos a partir de €350, mas por esse preço vale a pena pagar por um deslumbrante quarto *supérieure*, por volta de €400.

Relais Saint-Sulpice Rue Garancière 3. Ⓜ St-Sulpice. ⓣ01.46.33.99.00, ⓦhttp://monsite.wanadoo.fr/relaisstsulpice. Este discreto e classudo três-estrelas ocupa uma aristocrática mansão imediatamente atrás de St-Sulpice. Os quartos bem mobiliados são pintados com alegres tons provençais com preços a partir de €170.

Torre Eiffel e arredores

Hôtel du Champ-de-Mars Rue du Champs-de-Mars 7. Ⓜ Ecole-Militaire. ⓣ01.45.51.52.30, ⓦwww.hotel-du-champ -de-mars.com. Hotel simpático e bem administrado ao lado do comércio da rue Cler. Quartos aconchegantes revestidos com tecido colorido. Quartos duplos de €80 a €90.

Hôtel du Palais Bourbon Rue de Bourgogne 49. Ⓜ Varenne. ⓣ01.44.11.30.70, ⓦwww.hotel-palais-bourbon.com. Hotel antigo e bonito, o Palais de Bourbon está instalado em uma rua tranqüila e ensolarada ao lado do Musée Rodin. Tem quartos duplos espaçosos e bem mobiliados a partir de €125, mais um duplo bem pequeno por €68 (com café-da-manhã).

Hôtel Saint Dominique Rue St-Dominique 62. Ⓜ Invalides/La Tour Maubourg. ⓣ01.47.05.51.44, ⓦwww.hotelstdominique.com. O ambiente seleto e comunitário da rue St-Dominique é o lugar perfeito para este simpático duas-estrelas. Os quartos com papel de parede distribuem-se ao redor de um gracioso pátio. Os quartos custam por volta de €120, e menos na baixa temporada.

Montparnasse

Estes hotéis estão sinalizados no mapa da pág. 149.

Hôtel Istria Rue Campagne-Première 29. Ⓜ Raspail. ⓣ01.43.20.91.82, ⓦwww.istria-paris-hotel.com. Linda decoração, perto dos cafés de Montparnasse, com lendárias associações artísticas: Duchamp, Man Ray, Aragon, Maiakovsky e Rilke hospedaram-se aqui. Quartos duplos de €80 a €150, dependendo da época do ano.

Hôtel des Voyageurs Rue Boulard 22. Ⓜ Denfert Rochereau. ⓣ01.43.21.08.20, ⓦwww.hoteldesvoyageursparis.com. Hotel realmente original em Montparnasse, com excelente preço considerando sua localização, ambiente simpático e caloroso – o anexo tem afrescos de artistas locais. Os quartos são simples mas confortáveis, claros e modernos, com ar-condicionado e acesso gratuito à internet. Os hóspedes podem usar a cozinha e a sala de estar. Quartos duplos por €50.

Sul de Paris

Estes hotéis estão sinalizados no mapa das págs. 154-5.

Hôtel de la Loire Rue du Moulin Vert 39. Ⓜ Pernety/Alésia ⓣ01.45.40.66.88, ⓦwww.hoteldelaloire-paris.com. Atrás das venezianas azuis há um hotelzinho de administração familiar com clima genuinamente caseiro. Os quartos duplos são uma pechincha por €59, ou €52 os quartos do anexo, um pouco escuros mas distribuídos ao longo de um jardim.

Hôtel Printemps Rue du Commerce 31. Ⓜ Avenue Emile Zola. ⓣ01.45.79.83.36, ⓔhotel.printemps.15e@wanadoo.fr. Recepção simpática e quartos com poucos móveis mas limpos fazem deste hotel o favorito dos mochileiros. Quartos de €40 a €43, seja para uma ou duas pessoas, e por €34 os quartos com pia e toalete.

Hôtel Port-Royal Bd Port-Royal 8. Ⓜ Gobelins. ⓣ01.43.31.70.06, ⓦwww.hotelportroyal.fr. As acomodações deste excelente e barato estabelecimento não fariam feio em um três-estrelas. É impecavelmente limpo, agradável e simpático, mesmo situado no extremo sul do Quartier Latin. São oferecidos 15 quartos mais em conta (cerca de €55) com banheiros comuns, mas os chuveiros custam €2,50. Quartos duplos com suíte de €80 a €90.

Hôtel Tolbiac Rue de Tolbiac 122. Ⓜ Tolbiac. ⓣ01.44.24.25.54, ⓦwww.hotel-tolbiac.com. Está localizado em um cruzamento barulhento, mas tem quartos limpos e decentemente mobiliados, além de ser barato – os quartos duplos custam a partir de €34. Em julho e agosto podem-se alugar os estúdios por semana.

Résidence Les Gobelins Rue des Gobelins 9. Ⓜ Gobelins. ☎01.47.07.26.90, ⓦwww.hotelgobelins.com. Estabelecimento agradável, silencioso e antigo, pode-se ir caminhando para a rue Mouffetard, no Quartier Latin. Os quartos duplos são grandes e custam €79. É bastante conhecido, por isso reserve com antecedência.

Montmartre e norte de Paris

Hôtel Bonséjour Montmartre Rue Burq 11. Ⓜ Abbesses. ☎01.42.54.22.53, ⓦwww.hotel-bonsejour-montmartre.fr. Localizado em um ponto excelente, em rua silenciosa e não turística, o hotel tem proprietários simpáticos e atenciosos, e os quartos, básicos mas limpos e espaçosos, estão entre as melhores ofertas nessa faixa. Quartos duplos com chuveiro (de €30 a €36, e de €25 a €30 com chuveiro compartilhado), ou €46 pelos quartos de canto (23, 33, 43 e 53) com sacadas.

Hôtel Caulaincourt Praça Caulaincourt 2, ao lado da rue Caulaincourt 63. Fora do mapa: do Ⓜ Lamarck-Caulaincourt siga a oeste pela rue Lamarck e entre na primeira à direita. ☎01.46.06.46.06, ⓦwww.caulaincourt.com. Um dos mais bonitos e simpáticos hotéis de Paris nessa faixa de preço. Os quartos são bem-cuidados e custam de €52 a €59 (suítes de €69 a €79). Os mochileiros têm uma bonita vista do dormitório maior do albergue (€24 por noite).

Hôtel Ermitage Rue Lamarck 24. Ⓜ Anvers. ☎01.42.64.79.22, ⓦwww.ermitagesacrecoeur.fr. Discreto e acolhedor hotel de administração familiar, bem atrás da igreja do Sacré-Cœur. Os quartos têm decoração um pouco rebuscada, mas os que dão para o fundo têm vista do norte de Paris. Tome o funicular para evitar a subida íngreme. Quartos duplos por €90 (com café-da-manhã).

Hôtel Langlois Rue St-Lazare 63. Fora do mapa: 150 m a leste do Ⓜ Trinité,

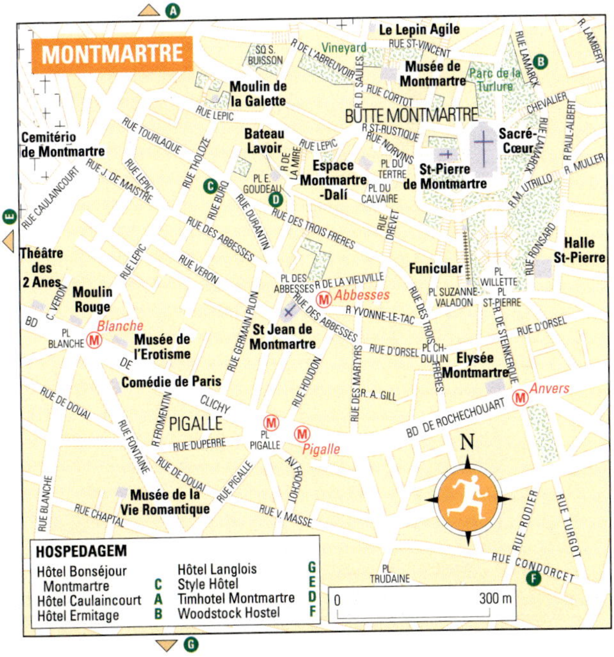

pela rue St-Lazare. ⓣ01.48.74.78.24, ⓦwww.hotel-langlois.com. O Hôtel Langlois é bonito e aristocrático e pouco mudou em meio século. Com móveis antigos, detalhes de época e quartos excepcionalmente grandes. Quartos duplos de €104 a €120, dependendo do tamanho.

Style Hôtel Rue Ganneron 8. Fora do mapa: do Ⓜ Place-de-Clichy suba 250 m na avenue de Clichy e vire à direita na rue Ganneron. O hotel fica na esquina. ⓣ01.45.22.37.59, ⓕ01.45.22.81.03. O Style Hôtel tem piso de tábua corrida, lareiras de mármore, pátio interno e gente simpática. Não tem elevador. Excelente preço, considerando sua localização, especialmente os quartos com banheiros comuns a €35. Suíte dupla por €50.

Timhotel Montmartre Place Émile-Goudeau, rue Ravignan 11. Ⓜ Abbesses. ⓣ01.42.55.74.79, ⓦwww.timhotel.com. Quartos modernos, confortáveis, decorados recentemente, embora sem estilo definido. A localização é clássica: os quartos mais caros dão vista para toda a cidade (de €105 a €150, dependendo da temporada). Os quartos menos atraentes custam uns €20 menos.

Bastille

Hôtel Marais Bastille Bd Richard-Lenoir 36. Ⓜ Bréget Sabin. ⓣ01.48.05.75.00, ⓕ01.43.57.42.85, ⓦwww.paris-hotel-marais-bastille.com. Bem localizado, com quartos com frigobar, TV e ponto de internet, mobiliados com bom gosto em tons pastel e castanho-claro. Quartos duplos por €145.

Leste de Paris

Hôtel Beaumarchais Rue Oberkampf 3. Ⓜ Filles-du-Calvaire. ⓣ01.53.36.86.86, ⓕ01.43.38.32.86, ⓦwww.hotelbeaumarchais.com. Decoração inspirada nos anos 1950. Suítes com ar-condicionado, cofre e TV a cabo, a partir de €110.

Hôtel Gilden-Magenta Rue Yves-Toudic 35. Ⓜ République. ⓣ01.42.40.17.72, ⓦwww.multi-micro.com/hotel.gilden.magenta. Com decoração colorida. Os quartos 61 e 62, sobre o átrio, são os melhores e dão vista para o Canal St-Martin. Café-da-manhã servido em um agradável pátio. Quartos duplos por €75 (jul-ago €68).

Albergues

Os albergues são a opção óbvia para orçamentos apertados, mas você não economizaria mais dividindo um quarto em um hotel barato. Hoje, muitos aceitam reservas, incluindo os três grandes grupos: FUAJ (ⓦwww.fuaj.fr), que pertence ao Hostelling International; UCRIF (ⓦwww.ucrif.asso.fr), muito procurado por grupos; e MIJE (ⓦwww.mije.com), que administra três excelentes albergues em prédios históricos do Marais, mas todos devem ser reservados com muita antecedência. Não é preciso ser sócio para reservar – associe-se quando chegar. Os albergues independentes são voltados para jovens e costumam ser mais barulhentos. Em geral têm bar anexo.
A hospedagem em albergues é, no máximo, por uma semana e o horário-limite para retorno é, no máximo, 2 horas da manhã – alguns dão chave ou código de porta. Exceto se indicado o contrário, não há limite de idade.

Todos os albergues estão indicados nos mapas deste capítulo.

BVJ Paris Quartier Latin Rue des Bernardins 44. Ⓜ Maubert-Mutualité. ⓣ01.43.29.34.80, ⓦwww.bvjhotel.com. Tipicamente institucional, este albergue da rede UCRIF é novo, limpo e bem localizado no Quartier Latin. Leito em dormitório por €26. Quarto simples por €35 ou duplo por €28 (por pessoa).

Centre International de Paris/Louvre Rue Jean-Jacques-Rousseau.

Ⓜ **Louvre/Châtelet-Les-Halles. ①01.53.00.90.90, Ⓦwww..bvjhotel.com.** Albergue limpo e bem administrado para hóspedes de 18 a 35 anos. Reserve com até 10 dias de antecedência. Os dormitórios (a partir de €25 por pessoa) variam de uma até oito camas.

Le Fauconnier Rue du Fauconnier 11. Ⓜ St-Paul/Pont Marie. ①01.42.74.23.45, Ⓕ01.40.27.81.64. O albergue MIJE ocupa um belo prédio adaptado do século 17. Dormitório (€28 por pessoa) para 3 a 8 pessoas, e tem também alguns quartos simples (€45) e duplos (€33 por pessoa), com banho conjugado.

Le Fourcy Rue de Fourcy 6. Ⓜ St Paul. ①01.42.74.23.45. Outro albergue da rede MIJE, o Le Fourcy ocupa uma bonita mansão, com um pequeno jardim e um restaurante com bons preços. Os dormitórios custam €28 por pessoa, e há quartos duplos (€33 por pessoa com chuveiro) e triplos (€29 por pessoa).

Jules Ferry Bd Jules-Ferry 8. Ⓜ République. ①01.43.57.55.60, Ⓦwww.fuaj.fr. Albergue da rede HI bem central, em área agitada ao pé do Belleville. É difícil conseguir vaga, mas eles ajudam a encontrar outro lugar. Apenas de 2 a 4 pessoas por quarto e os os leitos custam €19,50.

Maubuisson Rue des Barres 12. Ⓜ Pont Marie/Hôtel de Ville. ①01.42.74.23.45. Albergue da rede MIJE instalado em um magnífico prédio medieval. Uso compartilhado do restaurante do albergue Le Fourcy, da mesma rede. Só dormitórios com quatro leitos (€28 por pessoa).

Woodstock Hostel Rue Rodier 48. Ⓜ Anvers/St Georges. ①01.48.78.87.76, Ⓦwww.woodstock.fr. Albergue simpático e bem administrado, com bar próprio. Localizado em uma bonita rua não muito longe de Montmartre. Leitos em dormitório de €18 a €21, ou quartos conjugados (de €21 a €24 por pessoa). Reserve antes.

Young and Happy Hostel Rue Mouffetard 80. Ⓜ Monge/Censar-Daubenton. ①01.45.35.09.53, Ⓦwww.youngandhappy.fr. Barulhento albergue independente para estudantes, em ponto agitado. Dormitórios, com chuveiro, para 4 pessoas (de €21 a €23 por pessoa). Há alguns quartos duplos (de €23 a €26 por pessoa). Retorno até 2h.

Dicas de viagem

Chegada

É fácil chegar ao centro da cidade dos principais aerroportos de Paris usando as eficientes conexões do transporte público. O Beauvais, onde pousam os vôos das companhias de tarifas mais baratas, é servido por ônibus. Se você chegar por trem é ainda mais fácil: é só pegar o metrô.

De avião

Os dois principais **aeroportos** de Paris que recebem vôos internacionais são o Roissy-Charles de Gaulle e o Orly, ambos bem conectados com o centro. Informações sobre eles no site ⓦwww.adp.fr. Um terceiro aeroporto, o Beauvais, é usado por companhias de tarifas mais baixas. Você pode comprar o cartão **Paris Visite** nos aeroportos que cobrirá múltiplas viagens para a cidade e dentro dela (pág. 213).

Aeroporto Roissy-Charles de Gaulle

O **aeroporto Roissy-Charles De Gaulle** (informações em inglês 24 horas ⓣ01.48.62.22.80), conhecido como Charles de Gaulle (abreviaturas CDG ou Paris CDG), está 23 quilômetros a nordeste da cidade. O aeroporto tem dois grandes terminais, o CDG 1 e o CDG 2, interligados por uma linha de ônibus regular.

Há várias maneiras de chegar ao centro de Paris: a mais simples e rápida é pelo trem da **Roissyrail** que faz a linha B da RER (5h-24h, a cada 15min; €8 por trecho, 30min duração). Você pode embarcar direto no CDG 2; se estiver no CDG 1 terá de tomar o ônibus (*navette*) para a estação da RER. O trem para a Gare du Nord é o rápido, que pára em Châtelet-Les Halles, St-Michel e Denfert-Rochereau, todas com estações de metrô para prosseguir viagem. Os trens comuns também fazem esta linha, mas param mais e têm menos espaço para a bagagem.

Várias **empresas de ônibus** oferecem serviços diretos do aeroporto a divresos pontos da cidade, mas são mais caros que a Roissyrail e demoram mais para chegar. Uma alternativa é o serviço de **microônibus** porta a porta oferecido pela empresa Blue Vans (€14,50 se há duas ou mais pessoas, €22 a pessoa sozinha; não cobra a mais pela bagagem; 6h-21h30). Reserve com pelo menos 48 horas de antecedência (ⓣ01.30.11.13.00, ⓣ01.30.11.13.09, ⓦwww.paris-blue-airport-shuttle.fr).

Os **táxis** do CDG (de 15 min a 1h de duração até o centro) custam uns €40 no taxímetro, além de um suplemento pela bagagem (€0.90 por item). É a única alterniva de transporte se o seu vôo chegar depois da meia-noite.

Aeroporto Orly

O **aeroporto Orly** (informações em inglês 6h-23h30; ⓣ01.49.75.15.15), 14 quilômetros ao sul de Paris, tem dois terminais, Orly Sud (vôos internationais) e Orly Ouest (vôos domésticos), interligados por uma linha de ônibus regular, mas dá para ir a pé.

É mais fácil chegar ao centro pelo **Orlyval**, o trem rápido que faz conexão com a RER na estação Antony. Aí você toma os trens da RER linha B para RER central/estações do metrô Denfert-Rochereau, St-Michel e Châtelet-Les Halles (6h-23h, a cada 8min; €9,05 por trecho, 30min duração até a estação Châtelet-Les Halles). Outro serviço que faz essa conexão com a RER é a Orlyrail (serviço conjugado de ônibus e de trem): o ônibus leva você até a RER linha C na estação Pont de Rungis, de onde sai o trem da Orlyrail (5h30-23h30, a cada 20min) para a Gare d'Austerlitz e outras estações com conexão de metrô (€5,65 por trecho; trem 35min, duração total da viagem de 50min). Deixando Paris, os trens saem da Gare d'Austerlitz (5h-24h20).

Os **táxis** (35min até o centro de Paris) custam cerca de €35.

Aeroporto Beauvais

O **aeroporto Beauvais** (ⓣ08.92.68.20.66, ⓦwww.aeroportbeauvais.com) está bem longe de Paris – 65 quilômetros a noroeste – e é usado pelas companhias aéreas econômicas. Ônibus regulares (€13 por trecho) cobrem o trecho entre o aeroporto e Porte Maillot, no extremo noroeste de Paris, de onde você pega a linha 1 do metrô para o centro, um trajeto de quase uma hora. Os ônibus saem de 15 a 30min depois que o vôo chega e, no sentido contrário, 3h antes de o vôo decolar. Os bilhetes podem ser comprados on-line no site do aeroporto, no desembarque ou na loja do Beauvais no boulevard Pershing 1, perto do terminal de Porte Maillot.

De trem

Os **trens da Eurostar** (☎08.36.35.35.39, ⓦwww.eurostar.com) partem todos da **Gare du Nord**, rue Dunkerque, no nordeste da cidade – a movimentada convergência dos trens internacionais, de longa distância e suburbanos, do metrô e de várias linhas de ônibus. Quando desembarcar, siga à esquerda para tomar o metrô e a RER, ou imediatamente à direita e saia pela porta lateral para tomar um táxi (no máximo €10 para o centro). Os balcões da Eurostar ficam no mezanino, sobre a porta principal da estação.

Na Gare du Nord chegam também os trens vindos de Calais e dos países do norte da Europa, como Bélgica, Alemanha e Holanda. Paris tem mais cinco estações importantes, todas elas integrantes da rede nacional de trens SNCF: a **Gare de l'Est** (place du 11-Novembre-1918) serve o centro e o leste da França e o leste da Europa; a **Gare St-Lazare** (place du Havre) serve a costa da Normandia e Dieppe; a **Gare de Lyon** (place Louis-Armand) serve Itália, Suíça e os trens da TGV para o sudeste francês. Ao sul do rio, a **Gare Montparnasse** (bd de Vaugirard) é o terminal para Chartres, Bretanha e a costa atlântica, e das linhas do TGV para o sudoeste da França e o vale do Loire; a **Gare d'Austerlitz** (bd de l'Hôpital) serve os trens comuns para o vale do Loire e a Dordogne. Há também a **Gare de Paris-Bercy**, que fica pouco abaixo da Gare de Lyon no bd de Bercy.

Para **informações** sobre o serviço nacional de trens e reservas ligue ☎08.36.35.35.39 (a extensão 2 permite falar com operador de língua inglesa) ou consulte o site ⓦwww.sncf.fr. Para informações sobre linhas suburbanas ligue ☎01.53.90.20.20. As **passagens** podem ser compradas em qualquer estação, com os agentes de viagem e on-line no site da SNCF.

De ônibus ou de carro

Se você estiver de ônibus – internacional ou doméstico –, certamente chegará à importante **Gare Routière**, na av du Général-de-Gaulle 28, Bagnolet, no extremo leste da cidade; o metrô Gallieni (linha 3) fará a ligação com o centro. Se você estiver dirigindo, não tente atravessar a cidade para chegar ao seu destino. Use o anel viário – o **boulevard périphérique** – para chegar à entrada (*porte*) mais próxima: é mais rápido (mas também mais assustador), exceto em horários de tráfego intenso, além de ser muito mais fácil de se orientar.

Transporte urbano

Caminhar é, sem dúvida, a melhor maneira de conhecer Paris, mas o sistema integrado de transporte público de ônibus, metrô e trens – RATP – é rápido, barato e eficiente. Até os Batobus que percorrem o rio fazem partem dessa mesma rede. Surpreendentemente, há pouquíssimos táxis circulando.

RATP

Por 24 horas de informações gravadas em inglês sobre os serviços do RATP (Régie Autonome des Transports Parisiens) ligue ☎ 08.92.68.41.14 (tarifa menor) ou consulte em ⓦwww.ratp.fr.

Bilhetes e passes

O **bilhete** padrão do RATP (€1,40) vale em um só trecho do metrô, ônibus ou expresso RER para qualquer lugar dentro dos limites da cidade ou subúrbios imediatos (zonas 1 e 2). É necessário só um bilhete no sistema de metrô, mas não entre um ônibus e outro ou entre ônibus e metrô/RER. Se for ficar pouco tempo na cidade, o **carnet** de 10 bilhetes com preço reduzido (€10.70) é o melhor. Todos os bilhetes estão à venda nas estações e nas bancas de jornal e tabacarias – não compre de qualquer um. **Crianças** menores de 4 não pagam e entre 4 e 10 anos pagam meia passagem. Oficialmente, você deve guardar o seu bilhete até o fim da viagem, mas só precisa mesmo dele para passar pelos portões.

Se viajar para além dos limites da cidade (zonas 3 a 5), La Défense, por exemplo, você precisará de um outro bilhete da RER. Os **passes diários móveis** (€5,40) dão acesso ilimitado ao metrô, ônibus e trens da RER dentro dos limites da cidade (zonas 1 e 2).

Os cartões **Paris Visite** serão mais vantajosos se comprados no aeroporto na hora da chegada, por cobrirem todas as viagens dentro dos limites da cidade mais as conexões ferroviárias do aeroporto, Versailles e Disneyland Paris, além de dar pequenos descontos em outras atrações turísticas. Eles custam €8,35, €13,70, €18,25 e €26,65 para 1, 2, 3 e 5 dias, respectivamente, a partir de qualquer dia. Tem a versão para crianças pela metade do preço. Os passes são vendidos em estações de metrô e escritórios de turismo.

Metrô e RER

A combinação entre **metrô** e linhas expressas suburbanas **RER** (Réseau Express Regional, ou Rede Expressa Regional) é o jeito mais simples de se deslocar pela cidade. As linhas têm um código de cor e são designadas por números no metrô e por letras na RER (ambos diariam. 5h30-24h30). As plataformas são sinalizadas com o nome da estação terminal; para ir de Montparnasse a Châtelet, por exemplo, é preciso seguir a placa "Direction Porte-de-Clignancourt", no extremo norte da linha. Para viajar pela RER além da cidade, veja se a sua estação destino está iluminada no quadro da plataforma. A maioria das estações fornece **mapas** gratuitos aos usuários do sistema.

As **estações** (abreviaturas: Ⓜ Concorde, RER Luxembourg etc.) são uniformemente espaçadas e em geral muito próximas umas das outras, portanto os intercâmbios podem envolver muito sobe-e-desce.

Ônibus

Os **ônibus** são geralmente preteridos, mas podem ser bem úteis onde o metrô não funciona bem. Todas as paradas dos ônibus exibem os números das linhas que passam por ali e o mapa do roteiro. Há **mapas de roteiro** gratuitos nas estações de metrô. De um modo geral, circulam de 6h30-20h30 (serviço reduzido até 24h30; metade das linhas não opera dom e feriados). Há 35 linhas de **ônibus noturnos** (Noctilien; Ⓦwww.noctilien.fr; 24h30-5h30, a cada hora). Os mais úteis são o N01 e o N02, que fazem um roteiro circular entre os principais centros noturnos (Champs-Elysées, Bastille, Pigalle etc.) e várias estações de trem; eles passam a cada 10min nos fins de semana (anoitecer sex-amanhacer dom) e a cada 20min no resto da semana.

As passagens (€1,40) são intercambiáveis com os bilhetes de metrô e podem ser compradas com o motorista; não esqueça de validar a sua passagem no equipamento ao lado da porta do ônibus.

Algumas linhas de ônibus são ótimas para passeios turísticos, especialmente a #20 e a #29 tem uma plataforma aberta atrás; a #24 faz toda a Rive Gauche; e a #73 percorre a Voie Triomphale. Várias linhas de ônibus têm **acesso para cadeira de rodas**; consulte a lista completa em Ⓦwww.infomobi.com.

Táxis

O melhor lugar para pegar táxi é nos **pontos de táxi** nos grandes cruzamentos ou nas estações de trem (*arrêt taxi*) – bem mais fácil do que parar um na rua. Os táxis são de todas as cores, mas eles possuem luzes distintivas na capota – quando a luz é branca o táxi está livre; se for laranja está ocupado. Você também pode solicitar por telefone: os números estão expostos nos pontos, ou ligue para Taxis Bleus (☎08.91.70.10.10, Alpha Taxis (☎01.45.85.85.85) ou Artaxi (☎01.42.03.50.50). E, por fim, encontrar táxi na hora do almoço ou depois das 19h é quase impossível.

As **tarifas** – medidas pelo taxímetro – são bastante razoáveis: de €7 a €12 por uma corrida diurna no centro, mas será bem mais cara se for mais distante. A variação de preços dia/noite, cidade/subúrbio depende da quilometragem. Há uma tarifa mínima de €5,20, €25 por hora se o carro ficar parado, um extra de €0,70 se você for apanhado em uma estação de trem importante e €0,90 por cada peça de bagagem carregada. A gorjeta de 10% fica a seu critério. Os motoristas não são obrigados a levar mais do que três passageiros (eles não gostam que sentem no banco da frente); se um quarto passageiro for aceito, serão cobrados mais €2,60.

Batobus

Agradável alternativa de transporte, o **Batobus** é uma linha regular de barcos (ⓦwww.batobus.com) que param em oito pontos ao longo do rio Sena na seguinte ordem: Port de la Bourdonnais, sob o Musée du Quai Branly e perto da Torre Eiffel (Ⓜ Bir-Hakeim/Trocadéro e RER Champ de Mars); cours la Reine, ao lado do Petit Palais e perto da Champs Elysés e Les Invalides (Ⓜ Champs Elysées-Clemenceau); quai de Solférino, embaixo do Musée d'Orsay (Ⓜ Assemblée Nationale); quai du Louvre, para o Louvre (Ⓜ Musée du Louvre); quai Malaquais, ao lado da Pont des Arts (Ⓜ St-Germain-des-Prés); quai de Montebello, em frente à Notre-Dame (Ⓜ Notre-Dame); quai de l'Hôtel de Ville (Ⓜ Hôtel de Ville/Centre-Pompidou); e quai St Bernard, ao lado do Jardin des Plantes (Ⓜ Jussieu/Cardinal-Lemoine). Os barcos passam de 20 a 30min (mai-set: 10h-21h; mar, abr e out: 10h-19h; nov-fev 10h30–16h30). O bilhete de um dia (€11, €5 para menores de 16 anos) permite que você entre e saia do Batobus quantas vezes quiser em um dia; e há opções de dois e cinco dias por €13 e €16.

Bicicletas

Andar de bicicleta em Paris pode ser tão assustador quanto em qualquer outra grande cidade, assim como existem muitas ruas de mão única extremamente perigosas. Apesar disso, é sempre possível encontrar um caminho tranqüilo, e a prefeitura tem se esforçado muito para introduzir ciclovias. Você pode pegar o **Paris à Vélo**, folheto gratuito com alguns roteiros, nos escritórios de turismo, na prefeitura ou nos pontos de aluguel de bicicletas.

Entre maio e setembro, várias ruas ao longo do Sena (os quais) são fechadas (dom e feriados 10h-18h). São locais muito freqüentados por ciclistas e esqueitistas. A Rive Droite fecha para o trânsito de carros das Tuileries até Trocadéro, a oeste, e da Pont d'Austerlitz até os limites da cidade, a leste; a Rive Gauche fecha do Musée d'Orsay para o oeste da cidade. Os quais ao longo do Canal St-Martin também fecham (dom 14h-16h).

Os preços de **aluguel de bicicleta** variam de €15 a €20 por dia.

Paris à Vélo C'est Sympa Bd Bourdon 37 (Ⓜ Bastille) ☎01.48.87.60.01, ⓦwww.parisvelosympa.com. É um dos mais baratos (a partir de €25 no fim de semana) e oferece excelentes passeios de três horas por Paris (€34). Diariam. 9h30-17h30 (fecha entre 13h-14h).

Paris-Vélo Rue du Fer-à-Moulin 2 (Ⓜ Censier-Daubenton) ☎01.43.37.59.22, ⓦwww.paris-velo-rent-a-bike.fr. Oferece 21 bicicletas (mountain bikes e de velocidade) para locação. Seg-sáb 10h-18/19h, dom 10h-14h e 17h-19h.

RATP/Maison Roue Libre Passage Mondétour 1 (Ⓜ Etienne-Marcel/Les Halles) ☎01.44.76.86.43. A RATP, a empresa de transportes públicos de Paris, também aluga biciletas (diariam. 9h-19h). Entre abril e outubro, também aos domingos e feriados, a RATP aluga as bicicletas dos "cyclobuses" que ficam estacionadas na Esplanade St-Louis, no Bois de Vincennes, e na Butte Mortemart, perto do Hippodrome d'Auteuil, no Bois de Boulogne.

Informações

O principal **centro de turismo** de Paris fica na rue des Pyramides 25 (seg-sáb 10h-19h, dom 11h-19h; Ⓜ08.92.68.30.00, Ⓦwww.parisinfo.com; Ⓜ Charles-de-Gaulle-Etoile). Há outros centros na Gare du Nord (diariam. 8h-18h), na rue Scribe 11, perto da Ópera Garnier (seg-sáb 9h-18h30), e sob o Carrousel do Louvre (diariam. 10h-18h). Eles dão informações sobre Paris e os surbúrbios da cidade, reservam hotéis e vendem a *Carte Musées et Monuments*, passes de viagem e cartões de telefone. O centro do Louvre informa sobre os arredores de Paris. Não deixe de pegar o *Paris Map*, que é gratuito – ele fica atrás do balcão, portanto você terá de pedir.

Para informações sobre o que há na cidade, inclusive museus, parques, instalações esportivas e outros, entre em contato com o Hôtel de Ville Bureau d'Accueil, na rue de Rivoli 29 (seg-sáb 10h-19h; Ⓣ01.42.76.43.43, Ⓦwww.paris.fr; Ⓜ Hôtel de Ville).

Se deseja informações mais detalhadas sobre o que está acontecendo em Paris, é melhor uma **revista de programação** semanal, que é barata e encontrada em todos os jornaleiros e quiosques. A melhor e mais lida é a *Zurban* (Ⓦwww.zurban.com), embora a *Pariscope* tenha uma seção mais completa de filmes e outra em língua inglesa no final em parceria com a *Time Out*. Quem fala francês deve checar a revista mensal *Nova*, enquanto a *Paris Voice* (Ⓦwww.parisvoice.com) e a *GoGo Paris* (Ⓦhttp://gogoparis.com), ambas mensais e distribuídas gratuitamente, são encontradas em bares e livrarias e têm boas dicas e anúncios.

Os mapas deste guia e os do *Paris Map* servem para uma visita rápida à cidade, mas para um mapa mais detalhado não deixe de comprar um exemplar da série de bolso "L'indispensable", vendida por toda Paris. O *Plan de Paris* Michelin 1:10,000 é bem abrangente mas pesado para carregar; o *Rough Guide Map: Paris* é mais conveniente, feito com papel mais resistente, à prova d'água.

Museus e monumentos

Os ingressos para **museus e monumentos** podem pesar no bolso, embora os acervos permanentes dos museus municipais sejam **gratuitos** durante todo o ano, e todos os museus nacionais (incluindo o Louvre, o Musée d'Orsay e o Centre Pompidou) tenham entrada livre (1° dom do mês). Consulte a lista completa em Ⓦwww.rmn.fr.

Cada instituição tem uma política própria para **crianças e adolescentes**. Em muitos museus a entrada é gratuita para menores de 18 anos, enquanto nos monumentos é para menores de 12 anos. Menores de 4 anos entram sem pagar em toda parte.

Meia-entrada ou admissão com preço reduzido são normalmente para pessoas de 5 a 18 anos e **estudantes**, mas algumas atrações comerciais cobram o preço de adulto já a partir dos 12 anos. O Cartão ISIC (International Student Identity Card; Ⓦwww.isiccard.com) é o único aceito para admissão de estudantes a preço reduzido – em geral um terço a menos. Para as pessoas **acima de 60 ou 65** (independentemente de serem ou não aposentados), há sempre algum tipo de desconto, mas talvez seja preciso apresentar o passaporte ou outro documento para provar a idade.

Se você pretende visitar muitos museus,

não deixe de comprar a **Carte Musées et Monuments** (€18 um dia, €36 três dias, €54 cinco dias). É vendida nos centros de turismo, nas estações RER/metrô e museus, é válida para 70 museus e monumentos e evita filas nas bilheterias.

Festivais e eventos

Paris tem uma quantidade impressionante de festivais e eventos. Embora a sua maior festa seja o Dia da Bastilha (14 de julho), sempre há alguma coisa acontecendo para dar um colorido extra à sua visita.

São 13 os **feriados nacionais:** 1º jan, Dom e Seg Páscoa, Dia da Ascenção (17 mai), Dia do Trabalho (1º mai), Vitória na Segunda Guerra Mundial (8 mai), Pentecostes, Seg Pentecostes, Tomada da Bastilha (14 jul), Dia da Assunção (15 ago), Dia de Todos os Santos (1º nov), Armístício de 1918 (11 nov) e Natal (25 dez).

Foire du Trône

Os parques de diversão são presença obrigatória na capital, sendo um dos mais populares o Foire du Trône (ⓦwww.foiredutrone.com), que acontece no Parc de Reuilly no Bois de Vincennes (abr-mai, entrada pela Porte Dorée).

Fête de la Musique

Em 21 jun ocorre a Fête de la Musique (ⓦwww.fetedelamusique.culture.fr). Os músicos saem às ruas e concertos gratuitos acontecem por toda a cidade para um divertido dia musical.

Marcha do Orgulho

A Marche des Fiertés LGBT (ⓦhttp://marche.inter-lgbt.org), ou marcha do orgulho gay (último sáb jun). Um animado desfile de carros alegóricos e fantasias toma conta da Bastille, com festas e eventos em clubes noturnos.

Dia da Bastilha

No Dia da Bastilha (14 jul), a cidade celebra a tomada da Bastilha em 1789, ápice da Revolução Francesa. A festa começa na noite anterior, com dança na place de la Bastille. De manhã uma parada militar passa pela Champs-Elysées seguida de fogos de artifício.

Tour de France

Paris é palco do último trecho do Tour de France (3º e 4º dom jul; ⓦwww.letour.fr). Milhares de pessoas juntam-se nas ruas para animar os ciclistas a concluir o trajeto na Champs-Elysées.

Paris Plage

Paris Plage ("Praia de Paris") é a transformação de parte do rio Sena em "praia" (jul-ago), com areia de verdade, cadeiras de praia e palmeiras.

Journées du Patrimoine

Alguns prédios particulares cuja entrada é restrita em outros meses abrem suas portas ao público nos "dias do patrimônio" (3º fim de semana set). Consulte em ⓦwww.journeesdupatrimoine.culture.fr.

Festival d'Automne

O Festival d'Automne (última semana set-Natal; ⓦwww.festival-automne.com) é um animado festival internacional de teatro e música, em sua maioria *avant-garde*.

Nuit Blanche

A Nuit Blanche (início out; ⓦwww.paris.fr) é uma noite de leitura de poemas, concertos e performances artísticas em galerias, bares, restaurantes e prédios públicos da cidade.

Endereços

Paris divide-se em 20 distritos (os arrondissements). O primeiro arrondissement, ou "1er", é centralizado no Louvre, o coração da cidade. Os demais vão se desenrolando em sentido horário como a concha de um caramujo: o 2e, 3e e 4e são centrais; o 5e, 6e e 7e estão na parte interna da Rive Gauche (sul); do 8e ao 20e são os distritos mais periféricos. Os endereços parisienses citam o arrondissement, acompanhado da estação de metrô ou as estações mais próximas.

BANCOS E CÂMBIO Os **caixas automáticos** – *distributeurs* ou *points argent*, encontrados por toda a cidade – têm instruções em francês e em inglês. Também é possível sacar dinheiro em bancos e caixas automáticos com o cartão de crédito.

Em geral, os bancos pagam as melhores **taxas de câmbio**, embora cobrem uma comissão sobre o valor mais alto. Cuidado com as casas de câmbio que se aglomeram nos pontos de chegada ou nos locais turísticos, pois não têm boas taxas. O horário-padrão dos bancos é seg-sex 9h-16h ou 17h. Alguns fecham para almoço; outros abrem sáb 9h-12h; todos fecham dom e feriados. As casas de câmbio (que em geral pagam muito mal) ficam abertas até 18h ou 19h, não fecham para almoço e podem abrir dom nas áreas mais turísticas.

BATEAUX MOUCHES Os barcos turísticos que operam no rio Sena são conhecidos como "bateaux mouches". Não precisa marcar com antecedência, basta aproximar-se do píer (eles são bastante freqüentes). Os barcos Bateaux-Mouches (www.bateaux-mouches.fr) partem do Embarcadère du Pont de l'Alma na River Droite (os passeios duram 1h; €8 e €4 para menores de 12 anos e idosos). Os barcos Bateaux Parisiens (Ⓦwww.bateaux-parisiens.com) partem do Port de la Bourdonnais, sob o Musée du Quai Branly – e no verão também do quai de Montebello, na Rive Gauche em frente à Notre-Dame; viagens a €10 (€5 para crianças). Mais flexível, e um pouco menos turístico, é o Batobus, que pára oito vezes ao longo do rio Sena entre a Torre Eiffel e o Jardin des Plantes (pág. 214).

CINEMAS Paris é mundialmente famosa pela concentração de cinemas que exibem cerca de 300 filmes diferentes por semana. Raramente é preciso comprar com antecedência os ingressos (de €8 a €10). Entre os cinemas mais interessantes da cidade estão o **Le Grand Rex**, no bd Poissonnière 1 (Ⓜ Bonne Nouvelle), famoso pela decoração Art Déco kitsch, exibindo os grandes sucessos de bilheteria (em geral dublados); o **Max Linder Panorama,** no bd Poissonnière 24 (Ⓜ Bonne Nouvelle), cinema dos anos 1930 que passa filmes no formato original, com som excelente; o **La Pagode**, na Rue de Babylone 57 bis (Ⓜ François-Xavier), reproduz um pagode japonês e é um dos cinemas mais bonitos de Paris. Há ainda uma concentração de cinemas inventivos no cruzamento da rue Champollion com a rue des Ecoles, o **Reflet Medicis Logos**, o **Quartier Latin** e o **Le Champo** (Ⓜ Cluny-La-Sorbonne), que exibem filmes raros e clássicos. **The Cinémathèque Française**, na rue de Bercy 51 (€6; Ⓦwww.cinemathequefrancaise.com; Ⓜ Bercy), exibe dezenas de filmes durante a semana.

CORREIOS Os correios da França (la Poste, procure as placas amarelas e azuis) funcionam seg-sex 8h-19h, sáb. 8h-12h. Contudo, a central dos Correios, na rue du Louvre 52, 1er (Ⓜ Etienne-Marcel), funciona 24 horas para todos os serviços postais (menos banco). O lugar mais fácil para comprar selos comuns (*timbres*) é nas tabacarias. Podem-se enviar cartões-postais (*cartes postales*), cartas (*lettres*) e para coisas mais pesadas, os postos de correio têm um *guichet automatique* amarelo que pesa sua carta ou pacote, dando o número certo de selos.

DIFERENÇA DE HORÁRIO Paris e a França estão uma hora à frente da Hora Média de Greenwich (GMT), ou seja, quatro horas a mais que o Brasil. Na França, e na União Européia, há aproveitamento da luz do dia (horário de verão, último dom mar-último dom out).

EMBAIXADAS **Austrália**, rue Jean-Rey 4, 15e (Ⓜ Bir-Hakeim) Ⓣ01.40.59.33.00,

Ⓦwww.france.embassy.gov.au; **Brasil**, cours Albert 34, 1er (Ⓜ Alma Marceau) seg-sex 9h-15h Ⓣ01.45.61.63.00 (ou Ⓣ06.80.12.32.34, em caso de urgência, fora do horário de expediente), Ⓦwww.bresil.org, Ⓔambassade@bresil.org; **Canadá**, av Montaigne 35, 8e (Ⓜ Franklin-D-Roosevelt) Ⓣ01.44.43.29.00, Ⓦwww.amb-canada.fr; **Estados Unidos**, rue St-Florentin 2, 1er (Ⓜ Concorde) Ⓣ01.43.12.22.22, Ⓦwww.amb-usa.fr; **Irlanda**, rue Rude 4, 16e (Ⓜ Charles-de-Gaulle-Etoile) Ⓣ01.44.17.67.00; **Nova Zelândia**, rue Léonard-de-Vinci 7, 16e (Ⓜ Victor-Hugo) Ⓣ01.45.00.24.11; **Reino Unido**, rue du Faubourg St-Honoré 35, 8e (Ⓜ Concorde) Ⓣ01.44.51.31.00, Ⓦwww.britishembassy.gov.uk/france.

EMERGÊNCIAS Ambulância Ⓣ15; polícia Ⓣ17; bombeiros Ⓣ18.

GORJETAS Em geral, o serviço está sempre incluído nas contas de restaurantes, portanto não é preciso deixar trocados. Motoristas e cabeleireiros esperam em torno de 10%. Você só deve dar gorjetas nos hotéis mais caros; caso contrário, talvez as dê ao proprietário ou à família dele.

INTERNET Há acesso à internet por toda a cidade – se não houver no seu hotel, certamente haverá em algum café próximo, além dos inúmeros cybercafés no centro. A maioria dos postos de correio tem computadores habilitados com acesso público à internet.

POLÍCIA Podem acontecer pequenos roubos no metrô, nas estações de trem e nos pontos turísticos como Les Halles e nas imediações da rue de la Huchette, no Quartier Latin. São raros os crimes graves contra turistas. Para denunciar um roubo, vá à delegacia de polícia do arrondissement onde o crime aconteceu. A Préfecture de Police de Paris fica no boulevard du Palais 7 (Ⓣ01.53.73.53.73). Em caso de estupro (SOS Viol) ligue Ⓣ08.00.05.95.95.

RACISMO Infelizmente, a cidade tem uma forte reputação de racismo, embora o insulto a turistas não chegue a ser um problema. Mesmo assim, há relatos de incidentes desagradáveis, como, por exemplo, em alguns restaurantes declarando-se completamente lotados, vendedores lançando olhares desconfiados ou turistas norte-africanos ou árabes tendo o azar de enfrentar hostilidade em determinados lugares ou um excessivo interesse da polícia.

SAÚDE As farmácias podem aconselhar nas pequenas enfermidades, indicar o remédio e recomendar um médico. É altamente recomendável que os cidadãos não-europeus façam seguro de viagem.

TELEFONES Os telefones públicos usam cartões (*télécartes*), vendidos nas estações de trem e tabacarias. As cabines telefônicas também aceitam cartões de crédito, mas os telefones de moeda são raros. As ligações locais são precedidas do código regional (Ⓣ01). Ligações locais são baratas e têm descontos fora do horário de pico. As ligações de hotel sempre têm um acréscimo significativo. As tarifas locais e internacionais são mais baratas nos fins de semana e dias da semana (19h-8h). Para informações e ajuda da operadora na França, ligue Ⓣ12. A França opera com o padrão europeu GSM de telefone celular, outros sistemas só funcionam em Paris se o aparelho for tri-band.

TURISTAS GAYS E LÉSBICAS Paris possui uma vibrante comunidade gay, e são raros os casos de preconceito e hostilidade. Legalmente, a França é liberal com relação ao homosexualismo, com o consentimento legal a partir dos 16 anos e leis protegendo os direitos desses casais. O Centre Gai Lesbien Bi et Trans, rue Keller 3, 11e, Ⓣ01.43.57.21.47, Ⓦwww.cglparis.org (seg-sex 16h-20h; Ⓜ Bastille/Ledru-Rollin/Voltaire), fornece informações e dá aconselhamento. Contatos e informações úteis estão na excelente publicação mensal *Têtu* (Ⓦwww.tetu.com).

VIAJANTES DEFICIENTES Paris não tem reputação de oferecer fácil acesso nem ambientes adaptados para viajantes deficientes. As calçadas estreitas são difíceis para as cadeiras de rodas, e as estações de metrô têm infinitos lances de escada. Os museus, contudo, estão melhorando. Busque informação atualizada com as organizações de seu

Cronologia

Cronologia de Paris

Século 3º a.C. ▸ A tribo celta dos parisii fixa-se na região de Paris e constrói um forte a leste de onde hoje é a Île de la Cité.

52 d.C. ▸ Quando os exércitos conquistadores de Júlio César chegaram, encontraram um produtivo povoamento de 8 mil pessoas.

Cerca de 275 ▸ Saint Denis introduz o cristianismo em Paris e por isso é decapitado em Montmartre. Pega a sua própria cabeça e caminha até o lugar em que hoje está a basílica em sua homenagem.

486 ▸ Paris é derrotada por Clóvis, o Franco. Sua dinastia, os merovíngeos, passa a governá-la por sanguinários 200 anos.

768 ▸ Carlos Magno é proclamado rei em St-Denis, governando grande parte do norte da França, mas passa pouco tempo em Paris.

845-85 ▸ Entra em declínio com os sucessivos saques dos vikings.

987 ▸ Hugo Capeto, um dos condes de Paris, é eleito rei da França e faz de Paris a sua capital. Tudo começa a melhorar para a cidade.

Século XI ▸ Abastecida pela agricultura e pelo comércio através do rio, Paris explode e sua universidade torna-se centro da cultura européia. Filipe Augusto constrói a fortaleza do Louvre e ergue um imenso muro ao redor da cidade.

1330 a 1430 ▸ Parisienses passam fome e vivem na miséria enquanto franceses e ingleses se envolvem na destrutiva Guerra dos Cem Anos.

1348 ▸ A Peste Negra mata cerca de 800 parisienses por dia. Nos 140 anos seguintes, a cada quatro anos a cidade é assolada por uma praga. A população cai à metade.

1429 ▸ Joana d'Arc tenta conduzir os ingleses para fora de Paris, mas foi somente em 1437 que Carlos VII recuperou o controle da cidade.

1528 ▸ Francisco I traz de volta a Paris a corte que vivia em segurança no Loire. E começa a erguer o palácio das Tuileries e a reconstruir o Louvre.

25 ago 1572 ▸ Uma das maiores atrocidades do longo conflito entre católicos e protestantes é cometida em Paris no dia de São Bartolomeu: 3 mil protestantes são massacrados por instigação da ultracatólica família Guise.

1607 ▸ A Pont Neuf é concluída. A primeira ponte em Paris construída sem o usual complemento medieval de casas é altamente simbólica da renovação da cidade sob Henrique IV.

1661-1715 ▸ Luís XIV transfere a corte para Versailles e a cidade segue crescendo em tamanho, riqueza e prestígio. São criados os primeiros bulevares, mas grande parte do centro permanece um amontoado insalubre de cortiços lotados.

1789 ▸ Antigas tensões entre os privilegiados e as classes mais baixas fazem explodir a Revolução Francesa. Os parisienses comuns (os "sans-culotte") tomam a prisão da Bastilha em 14 de julho.

1793 ▸ Os revolucionários banem a monarquia e executam Luís XVI. Instala-se uma ditadura encabeçada pelo impiedoso Robespierre, e cerca de 2.600 vítimas são guilhotinadas nesse período conhecido como "O Terror".

1799 ▸ O exército do general Napoleão Bonaparte assume o controle após um golpe. Em 1804, ele coroa a si mesmo como imperador em Notre-Dame. Ergue monumentos grandiosos, como o Arc de Triomphe e a Madeleine, e amplia o Louvre para acomodar os tesouros saqueados.

1820 ▸ Paris ganha iluminação a gás e seus primeiros ônibus.

1830 ▸ Irrompem conflitos entre o monarca absolutista Carlos X e os políticos liberais. Há revolta nas ruas da cidade e 1.800 pessoas morrem em três dias de luta, conhecidos como "les trois glorieuses". Luís Filipe é eleito monarca constitucional.

1848 ▸ Explode nova revolução, agora contra um cenário de desemprego crescente e condições de vida intoleráveis. Milhares de trabalhadores e estudantes são mortos em batalhas de rua pelas tropas do governo.

1851 ▸ O presidente eleito Luís Napoleão Bonaparte – sobrinho de Napoleão – se declara Imperador Napoleão III.

1850 e 1860 ▸ O barão Haussmann, prefeito de Napoleão III, modernizou a cidade, demolindo centenas de prédios medievais para rasgar longos e retos bulevares e praças Os pobres foram empurrados para os subúrbios.

1863 ▸ No Salon des Refusés, a pintura proto-impressionista de Manet *Almoço na grama* escandaliza toda Paris.

1870 ▸ Centenas morrem de fome sob o cerco dos prussianos.

1871 ▸ Paris se rende em março, mas os prussianos só se retiram três dias depois. Na seqüência, os operários inspirados no socialismo erguem-se e proclamam a Comuna de Paris, que dura apenas 72 dias, até ser reprimida pelas tropas nacionais.

1889 ▸ A Torre Eiffel rouba as atenções da Exposition Universelle, ou "grande exibição". Como de costume, os locais se mantêm neutros.

28 dez 1895 ▸ Paris assiste aos primeiros documentários dos irmãos Lumière, que são exibidos ao público no Grand Café. A paixão do parisiense pelo cinema jamais arrefecerá.

1900 ▸ Os trilhos subterrâneos do métropolitain (metrô) são mostrados como a maravilha da engenharia na exposição desse ano.

1914 ▸ A guerra com a Alemanha pede trégua na belle époque. Em setembro, os exércitos do Kaiser são mantidos a distância pelas tropas francesas enviadas de Paris à frente de batalha, a apenas 24 quilômetros da cidade, que sai ilesa da Primeira Guerra Mundial.

Anos 1920 ▸ Em conseqüência, os decadentes *années folles* ("anos loucos") da década de 1920 resgatam a reputação hedonista e erótica da capital francesa.

1934 ▸ O crime político aumenta e se espalha pela cidade. Em uma discussão acalorada na frente da Câmara dos Deputados em fevereiro, o líder socialista Léon Blum escapa de ser linchado pelos fascistas.

1936 ▸ O esquerdista Léon Blum é eleito primeiro-ministro e não demora para impor semana de 40 horas e férias anuais remuneradas aos trabalhadores, mas a preocupante instabilidade do mercado provoca o colapso de seu governo.

1940 ▸ Em maio e junho, as tropas alemãs entram em Paris. O governo é neutralizado, e seguem-se quatro anos de amplo colaboracionismo fascista.

1942 ▸ Os judeus parisienses são perseguidos, por outro francês, e enviados ao campo de concentração de Auschwitz.

1944 ▸ Quando as forças aliadas se aproximam da cidade, em junho, a ala esquerdista da Resistência convoca suas forças a sair às ruas. Paris é libertada em 25 de agosto. O general De Gaulle recebe todos os créditos e entra na Champs-Elysées sob os aplausos da multidão.

1961 ▸ No auge da brutal repressão dos franceses à colônia argelina, pelo menos 200 pessoas são assassinadas pela polícia em uma manifestação pelos direitos civis. Esse "massacre secreto" fica encoberto por 30 anos.

1968 ▸ Em maio, a esquerda ganha força nas universidades de Paris. Os estudantes ocupam prédios das universidades, apoiados por milhares de trabalhadores, e são reprimidos pela brutal polícia paramilitar. A "maioria conservadora" da França responde com uma imensa manifestação em favor do presidente Charles De Gaulle.

1969 ▸ O presidente Charles De Gaulle perde o referendo. Seu sucessor, Georges Pompidou, vive apenas para dar início ao titânico desenvolvimento de Les Halles e à construção das vias expressas ao longo dos quais do rio Sena.

1973 ▸ O primeiro arranha-céu de Paris, a Tour Montparnasse, atinge absurdos 56 andares. O anel viário *périphérique* é concluído em abril, afastando uma cidade cada dia mais fossilizada de seus crescentes e empobrecidos subúrbios.

1981 ▸ O socialista François Mitterrand torna-se presidente, mas Paris continua firmemente à direita sob o prefeito Jacques Chirac.

1995 ▸ Chirac é eleito presidente em maio. Devido aos escândalos de corrupção e às medidas de austeridade econômicas, a confiança no governo desaba em novembro e 5 milhões de pessoas saem às ruas.

1996 ▸ Mitterrand cai. Seu legado mais visível à cidade são seus "grandes projetos", que incluem a pirâmide do Louvre, o Grande Arche de la Défense e a Bibliothèque Nationale.

Jul 1998 ▸ A França vence a Copa do Mundo no Stade de France, em St-Denis, subúrbio com grande mistura étnica. Pela primeira vez, apoiar "les bleus" faz toda a diferença.

Mar 2001 ▸ O socialista Bertrand Delanoë é eleito prefeito de Paris: a esquerda volta a controlar a capital desde a Comuna de Paris, em 1871.

1º jan 2002 ▸ Os parisienses passam a pagar mais pelo café e pela baguete com a introdução do euro.

21 abr 2002 ▸ O candidato da extrema direita Jean-Marie Le Pen vence o socialista Lionel Jospin no primeiro turno das eleições presidenciais. Enquanto a França tenta se recuperar do choque, Chirac acaba vencendo, obtendo 82% dos votos – 90% em Paris.

2002 ▸ O prefeito Bertrand Delanoë transforma em praia 3 quilômetros da via expressa à beira-rio ("Paris Plage").

2003 ▸ Em março, Chirac vota pelo veto a qualquer resolução que comprometa a ONU com a guerra do Iraque. Os turistas americanos abandonam os bares e restaurantes da capital. No verão, milhões de trabalhadores protestam contra as "reformas" econômicas e a temperatura atinge o recorde de 40° C.

2005 ▸ No fim de outubro, jovens incendeiam carros nos subúrbios. Em novembro, os tumultos se espalham pelo país. O ministro do Interior, Nicolas Sarkozy, declara estado de emergência.

2006 ▸ Em março explodem protestos contra a lei que permite a contratação e a demissão de jovens sem justa causa. A Sorbonne é ocupada e a tropa de choque entra em confronto com manifestantes. Em abril, o primeiro-ministro Dominique de Villepin retira a lei.

2007 em diante ▸ O responsável pela política de transportes do prefeito Delanoë, Denis Baupin, do Partido Verde, pretende implantar ônibus aquáticos no Sena e aos poucos tirar os carros do centro.

Idioma

Idioma

Paris não é o melhor lugar para aprender francês: os parisienses falam gíria e sempre responderão à sua pergunta tão bem formulada em inglês. Mesmo assim, vale a pena fazer um certo esforço e conhecer algumas coisas básicas que podem fazer a diferença. Basta dizer "Bonjour monsieur/madame" e fazer gesto de cabeça para garantir um sorriso e um atendimento atencioso.

O que segue é uma lista de palavras e frases essenciais do idioma.

Pronúncia

Muitos sons do francês já são familiares, mas alguns exigem atenção especial. Veja a lista abaixo:

l	a letra **l** deve ser falada com a língua tocando no céu da boca.
n	a pronúncia do **n** é anasalada quando a letra está na combinação **on**, **an** ou **in**. É como falar **o**n pelo nariz.
r	o **r** é pronunciado na parte de trás da garganta, criando algo parecido com um gargarejo.
er/ez	terminações pronunciadas como o **ê** de **purê**.

Veja também o som destas vogais:

an/eau/aux	como o **ô** de **avô**.
eu	finja que vai falar o mas pronuncie o **e**.
oi	como o **uá** de **chuá**.
u	pode ter o som de o **ã** (como em **un**) ou de **i** fechado (como em **une**). É o famoso biquinho: finja que vai falar **u** mas pronuncie o **i**.

Palavras e frases

Expressões básicas

Sim, Não	Oui, Non
Por favor	S'il vous plaît
Obrigado	Merci
Com licença	Pardon/excusez-moi
Perdão	Pardon, madame/Je m'excuse
Bom dia	Bonjour
Alô (telefone)	Allô
Adeus	Au revoir
Bom dia	Bonjour
Boa noite (fim de tarde)	Bonsoir
Boa noite (despedida)	Bonne nuit
Como vai?	Comment allez-vous?/ Ça va?
Bem, obrigado	Très bien, merci
Não	Je ne sais pas
Fala (inglês, português)	Vous parlez...?
Como se diz...	Comment ça se dit...
...em francês?	...en français?
Como é seu nome?	Comment appelez-vous?
Meu nome é...	Je m'appelle...
Sou brasileiro/	Je suis brasilier(e)/
OK/aceito	D'accord
Entendo	Je comprends
Não entendo	Je ne comprends pas
Pode falar mais devagar?	S'il vous plaît, parlez moins vite
Hoje	Aujourd'hui
Ontem	Hier
Amanhã	Demain
De manhã	Le matin
De tarde	L'après-midi

À noite Le soir
Agora Maintenant
Depois Plus tard
Aqui Ici
Lá Là
Este Ceci
Aquele Cela
Aberto Ouvert
Fechado Fermé
Grande Grand
Pequeno Petit
Mais Plus
Menos Moins
Um pouco Un peu
Muito Beaucoup
Metade La moitié
Barato Bon marché/Pas cher
Caro Cher
Bom Bon
Mau Mauvais
Quente Chaud
Frio Froid
Com Avec
Sem Sans

Perguntas

Onde? Où?
Como? Comment?
Quanto? Combien?
Quanto custa? C'est combien?
Quando? Quand?
Por quê? Pourquoi?
A que horas? À quelle heure?
O quê/Qual? Quel est?

Como circular

Como se chega à Torre Eiffel?
S'il vous plaît, pour alller à la Tour Eiffel?
Onde é o metrô mais próximo?
Où est le Métro le plus proiche?
Ônibus Bus
Ponto de ônibus Arrêt
Trem Train
Barco Bâteau
Avião Avion
Estação de trem Gare
Plataforma Quai
A que horas sai? Il part à quelle heure?
A que horas chega? Il arrive à quelle heure?
Um bilhete para... Un billet pour...
Bilhete simples Aller simple
Bilhete de volta Aller retour
Aonde você vai? Vous allez où?
Eu vou a... Je vais à...
Quero descer na... Je voudrais descendre à...
Perto Près/pas loin
Longe Loin
Esquerda À gauche
Direita À droite
Margem esquerda do Sena Rive Gauche
Margem direita do Sena Rive Droite

Hospedagem

Um quarto para uma/duas pessoas
Une chambre pour une/deux personnes
Com cama de casal Avec un grand lit
Quarto com um chuveiro Une chambre avec douche
Quarto com banheiro
Une chambre avec salle de bains
Para uma/duas/três noites Pour une/deux/trois nuit(s)
Com vista Avec vue
Chave Clef
Ferro de passar Repasser
Lavanderia Faire la lessive
Lençóis Draps
Cobertores Couvertures
Silencioso Calme
Barulhento Bruyant
Água quente Eau chaude
Àgua fria Eau froide
Com café-da-manhã incluído?
Est-ce que le petit déjeuner est compris?
Quero tomar café-da-manhã
Je voudrais prendre le petit déjeuner
Não quero café-da-manhã
Je ne veux pas le petit déjeuner
Albergue da juventude Auberge de jeunesse

Comer fora

Gostaria de reservar uma mesa
Je voudrais réserver une table
para duas pessoas, pour deux personnes,
às oito e meia à vingt heures et demie
Escolhi o menu de 15 euros
Je prendrai le menu à quinze euros
Garçom! Monsieur/madame! (jamais "garçom")
A conta, por favor l'addition, s'il vous plaît

Dias da semana

Segunda Lundi
Terça Mardi

Quarta **Mercredi**
Quinta **Jeudi**
Sexta **Vendredi**
Sábado **Samedi**
Domingo **Dimanche**

Números

1 **un**
2 **deux**
3 **trois**
4 **quatre**
5 **cinq**
6 **six**
7 **sept**
8 **huit**
9 **neuf**
10 **dix**
11 **onze**
12 **douze**
13 **treize**
14 **quatorze**
15 **quinze**
16 **seize**
17 **dix-sept**
18 **dix-huit**
19 **dix-neuf**
20 **vingt**
21 **vingt-et-un**
22 **vingt-deux**
30 **trente**
40 **quarante**
50 **cinquante**
60 **soixante**
70 **soixante-dix**
75 **soixante-quinze**
80 **quatre-vingts**
90 **quatre-vingt-dix**
95 **quatre-vingt-quinze**
100 **cent**
101 **cent un**
200 **deux cents**
1000 **mille**
2000 **deux mille**
1,000,000 **un million**

Cardápio

Vocabulário básico

déjeuner almoço
dîner jantar
menu cardápio fixo
à la carte pratos cobrados individualmente
entrées entradas
les plats pratos principais
pain pão
beurre manteiga
fromage queijo
oeufs ovos
lait leite
poivre pimenta
sel sal
sucre açúcar
fourchette garfo
couteau faca
cuillère colher
bio orgânico
à la vapeur cozido
au four assado
cru cru
frit frito
fumé defumado
grillé grelhado
rôti assado
salé salgado/temperado
sucré doce/adoçado
à emporter para viagem

Bebidas

eau minérale água mineral
eau gazeuse água com gás
eau plate água pura
carte des vins carta de vinhos
une pression um copo de cerveja
un café café (expresso)
un crème café com creme
bouteille garrafa
verre copo
un quart/demi um quarto/meia garrafa de
de rouge/blanc vinho tinto/branco da casa
Un (verre de) Um copo de
rouge/blanc vinho branco/tinto

Lanches

crêpe panqueca (doce)
un sandwich/une baguette sanduíche
croque-monsieur queijo e presunto na chapa
panini sanduíche italiano achatado e tostado
omelette omelete
nature sem acompanhamento
aux fines herbes com ervas
au fromage com queijo
assiette anglaise prato com carnes frias
crudités legumes crus com molho

Poisson, fruits de mer (peixes, frutos-do-mar)

anchois anchovas
brème brema
brochet truta
cabillaud bacalhau
carrelet linguado
colin badejo
coquiles st-jacques vieiras
crabe caranguejo
crevettes camarões/pitus
daurade pargo
flétan linguado gigante
friture pescada-branca
hareng arenque
homard lagosta
huîtres ostras
langoustines lagostim
limande azevia
lotte de mer moréia
loup de mer perca
merlan merluza
moure bacalhau seco e salgado
moules (marinière) mexilhões (com cebolinha em vinho branco)
raie arraia
rouget tainha vermelha
saumon salmão
sole linguado
thon atum
truite truta
turbot rodovalho (linguado)

Viande, volaille (carnes, aves)

agneau carneiro
andouillette chouriço de vitela
bavette ponta de alcatra
bœuf carne de boi/vaca
bifteck bife
boudin noir morcela
caille codorna
canard pato
contrefilet contrafilé
dinde peru
entrecôte costela
faux filet filé de alcatra
foie fígado
foie gras patê de fígado de ganso/pato
gigot (d'agneau) perna (de carneiro)
grillade carne grelhada
hachis carne picada ou moida (hambúrguer)
jambon presunto
lapin, lapereau coelho, lebre
lard, lardons bacon, bacon em cubos
merguez salsicha vermelha apimentada
oie ganso
onglet corte do filé
porc porco
poulet galinha
poussin frango
rognons rins
tête de veau cabeça de vitelo (em gelatina)
veau vitela
venaison carne de veado

Bifes

bleu quase cru
saignant malpassado
à point ao ponto
bien cuit bem-passado

Guarnições e molhos

beurre blanc molho de vinho branco e cebolinhas, com manteiga
chasseur vinho branco, cogumelos e cebolinhas
forestière com bacon e cogumelos
fricassée molho cremoso e temperado
mornay molho de queijo
pays d'auge creme e sidra
piquante picles ou alcaparras, vinagre e cebolinha
provençale tomates, alho, azeite de oliva e ervas

Légumes, herbes, épices (legumes, verduras e especiarias)

ail alho
artichaut alcachofra
asperges aspargos
basilic manjericão
betterave beterraba
carotte cenoura
céleri aipo
champignons cogumelos
chou (rouge) repolho (vermelho)
chou-fleur couve-flor
concombre pepino
cornichon picles
échalotes cebolinhas
endive endívia
épinards espinafre
estragon estragão
fenouil erva-doce
flageolets feijões-brancos
gingembre gengibre
haricots feijões

verts vagem
rouges pimentas vermelhas
beurres manteiga
lentilles lentilhas
maïs milho
moutarde mostarda
oignon cebola
pâtes pastas
persil salsinha
petits pois ervilhas
pois chiche grão-de-bico
poireau alho-poró
poivron (vert, rouge) pimenta-doce (verde, vermelha)
pommes (de terre) batatas
primeurs legumes temporões
riz arroz
safran açafrão
salade verte salada verde
tomate tomate
truffes trufas

Fruits, noix (frutas e frutos secos)

abricot abricó (damasco)
amandes amêndoas
ananas abacaxi
banane banana
brugnon, nectarine nectarina
cacahouète amendoim
cassis cassis
cerises amoras, framboesas
citron limão
citron vert lima
figues figos
fraises morangos
framboises framboesas
groseilles groselhas
mangue manga
marrons castanhas
melon melão
noisette avelã
noix nozes
orange laranja
pamplemousse grapefruit
pêche pêssego
pistache pistache
poire pêra
pomme maçã
prune ameixa
pruneau ameixa seca
raisins uvas-passas

Desserts (entremets), pâtisserie (sobremesas e doces)

bavarois refere-se à consistência, pode ser musse ou creme
brioche paõzinho doce com muito fermento
coupe recipiente para sorvete
crème chantilly creme de leite batido, doce e temperado com baunilha
crème fraîche creme de leite azedo
crème pâtissière massa de ovos e farinha recheada
fromage blanc cream cheese
glace sorvete
parfait musse gelada, ás vezes sorvete
petits fours bolinhos e enroladinhos de massa
tarte torta
yaourt, yogourt iogurte

Créditos e índice

Um guia rudimentar para os Rough Guides

No verão de 1981, Mark Ellingham, um recém-formado da Universidade de Bristol, estava viajando pela Grécia e não conseguia encontrar um guia que realmente atendesse às suas necessidades. Mark e um pequeno grupo de escritores decidiram criar seu próprio guia de viagens, que pretendia fazer descrições em linguagem jornalística combinadas com uma extensiva abordagem prática para suprir as necessidades dos viajantes. Aquele primeiro Rough Guide foi um projeto estudantil que se tornou um fenômeno editorial. Atualmente os guias fornecem recomendações de hospedagens rústicas a luxuosas e cobrem centenas de destinos pelo globo, inclusive quase todos os países das Américas e da Europa, mais de metade da África e quase toda a Ásia e a Oceania. Milhões de leitores apreciam a perspicácia e a curiosidade dos guias, assim como sua abordagem crítica e entusiástica. Nossa crescente equipe de autores e fotógrafos está espalhada por todos os lugares.

Visite o site em inglês www.roughguides.com para conhecer as mais recentes publicações dos Rough Guides.

Imagens estão disponíveis para licenciamento comercial em www.roughguidespictures.com

Expediente

Traduzido a partir da edição original do Rough Guide Directions Paris (2ª edição) publicada por Rough Guides Ltd, 80 Strand, London WC2R 0RL.

ISBN 978-85-7402-779-1

PUBLIFOLHA
Divisão de Publicações da
Empresa Folha da Manhã S.A.
Al. Barão de Limeira, 401, 6º andar,
CEP 01202-900, São Paulo, SP
Tel.: (11) 3224-2186/2187/2197
www.publifolha.com.br

Coordenação do projeto:
PUBLIFOLHA
Assistência Editorial: Camila Saraiva
Produção gráfica: Soraia Pauli Scarpa
Assistência de produção gráfica: Priscylla Cabral

Produção editorial:
Editora Página Viva
Tradução: Vera Caputo
Edição: Lívio Lima de Oliveira
Revisão: Felice Morabito e Valquíria Della Pozza
Editoração eletrônica: Estela Squaris

Este livro foi impresso na Prol Gráfica em fevereiro de 2008 sobre papel couché fosco 115 g/m².

ROUGH GUIDES
Edição: Alice Park
Projeto gráfico da coleção: Henry Iles e Peter Dyer
Projeto gráfico: Diana Jarvis
Fotografias: James McConnachie
Cartografia: Rajesh Mishra
Pesquisa iconográfica: Harriet Mills
Revisão: David Price
Produção: Aimee Hampson, Katherine Owers
Capa: Chlöe Roberts

Dados Internacionais de Catalogação na Publicação (CIP)
(Câmara Brasileira do Livro, SP, Brasil)

Blackmore, Ruth
Paris : O Guia da Viagem Perfeita / escrito e pesquisado por Ruth Blackmore, James McConnachie ; [tradução Página Viva]. – São Paulo : Publifolha, 2007.

Título original: Paris Directions.
ISBN 978-85-7402-779-1

1. Paris (França) – Descrição e viagens – Guias
I. McConnachie, James. II. Título.

07-0608 CDD-914.212

Índices para catálogo sistemático:
1. Guias de viagem : Paris : França 914.212
2. Paris : França : Guias de viagem 914.212

2º reimpressão

Foi feito o possível para garantir que as informações deste livro fossem as mais atualizadas disponíveis até o momento da impressão. No entanto, alguns dados como telefones, preços, horários de funcionamento e informações de viagem estão sujeitos a mudanças. Os editores não podem se responsabilizar por qualquer conseqüência do uso deste guia, nem garantir a validade das informações contidas nos sites indicados.

Os leitores interessados em fazer sugestões ou comunicar eventuais correções podem escrever para a Publifolha, Al. Barão de Limeira, 401, 6º andar, CEP 01202-900, São Paulo, SP, enviar um fax para: (11) 3224-2163 ou um e-mail para: atendimento@publifolha.com.br

Os autores

James McConnachie também é autor do Rough Guide to The Loire Valley e viaja por toda a Europa para os Rough Guides. Escreveu também *Conspiracy Theories* (Rough Guides) e *The Book of Love: A Biography of the Kamasutra* (Atlantic Books).

Ruth Blackmore é editora sênior dos Rough Guides em Londres. É co-autora do *Rough Guide to Paris* e colaboradora do *Rough Guide to France* e do *Rough Guide to Classical Music*.

Créditos das fotos

Todas as imagens © Rough Guides, exceto as seguintes:

Foto da capa: Torre Eiffel © 4cornersimages

Foto da quarta capa: Pont Alexandre III © Chloe Roberts

p.12 dia da Bastille © Peter Turnley/Corbis

p.13 Lance Armstrong na largada do Tour de France © Tim De Waele/Corbis

p.13 Forum des Halles, Nuit Blanch © Elisa Haberer/Corbis

p.17 Musée du Quai Branly © Musée du Quai Branly

p.18 Musée d'Art Moderne de la Ville de Paris © Christophe Fouin, cortesia do Musée d'Art Moderne de la Ville de Paris

p.19 Retrato de Dora Maar, 1937 (óleo sobre tela), de Pablo Picasso (1881-1973) © Musée Picasso, Paris, France/Bridgeman Art Library/DACS

p. 23 St Sulpice © DK Images

p. 25 Jardin de Bagatelle © DK Images

p. 28 Taillevent © DK Images

p. 31 Aux Lyonnais © Aux Lyonnais

p. 37 Le Triptyque © letriptyque.com

p. 38 Sally Nyolo no Café de la Danse © Sebastien Cailleux/Corbis

p. 44 Hôtel du Petit Moulin © Hôtel du Petit Moulin

p. 44 Hôtel Bonséjour Montmartre © Hôtel Bonséjour Montmartre

p. 48 Kong © Patricia Bellere, cortesia do Kong

p. 48 Lobby do Costes © Directphoto.org/Alamy

p. 49 Bar Hemingway © Ritz Paris

p. 49 Le Train Bleu © letrainbleu.com

p. 51 Homens carregando a bandeira no Gay Pride © Owen Franken/Corbis

p. 58 Os amantes de Pont Neuf (1991) Juliette Binoche © Ronald Grant Archive

p. 58 Vista do topo da Notre-Dame 1955 © Henri Cartier-Bresson/Magnum Photos

p. 59 Acossado (1960) Jean-Paul Belmondo e Jean Seberg © Ronald Grant Archive

p. 59 O fabuloso destino de Amélie Poulain (2001) Audrey Tatou © Moviestore Collection Ltd

p. 59 O baile no Moulin de la Galette, 1876 (óleo sobre tela) de Pierre Auguste Renoir (1841-1919) © Musée d'Orsay, Paris, France/Giraudon/Bridgeman Art Library

p. 61 Vista do Arc de Triomphe © Gordon R. Gainer/Corbis

p. 62 Patinação no gelo no Hôtel de Ville © Magali Delporte/Axiom

p. 63 Cinema Art Déco Grand Rex © Directphoto.org/Alamy

p. 72 L'Epicerie © DK Images

Índice

Os mapas estão marcados em cor

a

b

c

s

t

u

v

w

n

o

p

q

r